GESCHICHTE UND GESCHEHEN

Ludwig Bernlochner

Claus Gigl

Sepp Memminger

Michael Salbaum

Ulrike Salbaum

Hans Steidle

Klaus Sturm

Veit Sturm

Dorothee Wege

Ernst Klett Verlag

Stuttgart • Leipzig

Autoren:	Ludwig Bernlochner Claus Gigl Sepp Memminger Michael Salbaum Ulrike Salbaum Hans Steidle Klaus Sturm Veit Sturm Dorothee Wege
Herausgeber:	Ludwig Bernlochner
Layout, Einbandgestaltung und Auftaktdoppelseiten:	Krause Büro, Leipzig; SCHRÖDER DESIGN Leipzig, Designerin Karen Engelmann; Adam Silye, Wien
Kartenbearbeitung:	Kartografisches Büro Borleis & Weis, Leipzig; Adam Silye, Wien; Studio Scheuner, 1210 Wien
Grafiken:	Lutz-Erich Müller, Leipzig; Adam Silye, Wien; Studio Scheuner, 1210 Wien

9 783124 115805

1. Auflage   1 ^{8} ^{7} ^{6} ^{5} ^{4} | 2017 2016 2015 2014 2013

Alle Drucke dieser Auflage können im Unterricht nebeneinander benutzt werden, sie sind untereinander unverändert. Die letzte Zahl bezeichnet das Jahr des Druckes.

© Ernst Klett Schulbuchverlag Leipzig GmbH, Leipzig 2007.

Internetadresse: http://www.klett.de

Redaktion: Gerhard Xaver, Purkersdorf
DTP: Satz-Profi Josef Pavlas, 1110 Wien
Druck: Firmengruppe APPL, aprinta druck, Wemding

ISBN-13: 978-3-12-411580-5

Liebe Schülerin, lieber Schüler,

nun hast du dein neues Geschichtsbuch aufgeschlagen. Jetzt beginnt für dich eine Entdeckungsreise in die Vergangenheit. Beim Durchblättern fallen dir gleich die vielen Bilder, Karten, Tipps und Texte auf. Es sind ganz schön viele; sie sollen dir helfen, deine Fragen zur Vergangenheit zu beantworten.

Wohin geht deine Entdeckungsreise mit *Geschichte und Geschehen* im kommenden Jahr genau? Du kannst
- den Weg Deutschlands in die Diktatur des Nationalsozialismus und in den Zweiten Weltkrieg verfolgen,
- die Auswirkungen des Holocaust und die Anstrengungen des deutschen Widerstandes kennen lernen,
- erfahren, wie die Menschen nach dem Ende des Krieges ihren Alltag und den Wiederaufbau der zerstörten Städte bewältigten,
- den Ursachen und weltweiten Auswirkungen des Kalten Krieges zwischen den neuen Supermächten USA und UdSSR nachgehen,
- erforschen, welche Spuren der Geschichte in den Straßen und Baudenkmälern deiner Umwelt zu entdecken sind.

Ist das alles? Natürlich bietet das Buch noch mehr. Denn dich interessiert sicher auch, wie sich das Leben der Deutschen im geteilten Deutschland unterschied, wie die Menschen mit dem immer rasanteren Tempo der technischen und politischen Entwicklung Europas zurechtkamen oder wie sehr sich unser Alltag vom Alltag noch deiner Eltern und Großeltern unterscheidet.

Natürlich wirst du auch in diesem Band wieder mit Methoden vertraut gemacht, die dir das Lernen erleichtern, und du erhältst Anregungen zum Üben und selbstständigen Weiterarbeiten.
- Im Internet findest du unter der Adresse „www.klett.de/online" wertvolle Ergänzungen zu deinem Lehrbuch. Der „Online-Bereich" enthält u. a. kapitelbegleitende Linksammlungen von Web-Adressen mit zahlreichen Hintergrundinformationen über die im Buch behandelten Themen und Schauplätze.
- Die DVD „Geschichte und Geschehen. Das 20. Jahrhundert. Erster Teil: Die Jahre 1914–1949" ist eng auf die Inhalte deines Buches abgestimmt. Sie bietet eine umfassende Darstellung und Quellensammlung mit zahlreichen originalen Ton-, Film-, Bild- und Textdokumenten.

Bei deiner Reise durch die Zeit wünschen wir dir viel Spaß!

Die Autorinnen und Autoren

Inhaltsverzeichnis

Wie arbeite ich mit diesem Buch?

Dieses Buch umfasst vier Themenbereiche. Jeder beginnt mit einer **Auftaktdoppelseite** (ADS). Bilder, Karten, Texte und Grafiken wollen dein Interesse am Thema wecken. Die Auswahl der Materialien gibt dir auch schon einen Hinweis, was in den nachfolgenden Kapiteln behandelt werden wird.

Jeder Themenbereich ist in mehrere **Kapitel** untergliedert, jedes Kapitel ist auf mehreren Seiten dargestellt. Damit dir klar ist, zu welchem Themenbereich die jeweilige Seite gehört, findest du am unteren Seitenrand das Symbol, das schon im Inhaltsverzeichnis den Weg dahin weist. Die thematischen Kapitel des Buches sind alle weitgehend gleich aufgebaut: Unter der Überschrift kannst du meist in einer Zeittafel die wichtigsten Jahreszahlen und die dazugehörigen Ereignisse ablesen. Sachinformationen findest du im **Verfassertext** (VT). Die **Zusammenfassungen** (Marginalien) in der Randspalte helfen dir, dich schnell zu orientieren.

Wichtige Begriffe werden in einem Kasten ausführlich erklärt. Am Ende jedes Kapitels findest du **Materialien** (Texte, Bilder, Karten usw.), die das im VT Dargestellte veranschaulichen und vertiefen. Die Fragen und Anregungen helfen dir bei der selbstständigen Erarbeitung der Kapitelinhalte oder deren Wiederholung. **Tipps** weisen über das Buch hinaus: Sie regen dich z. B. an, ein Jugendbuch zum Kapitelthema zu lesen, im Internet zu recherchieren oder eine eigene Arbeit zum Thema zu präsentieren.

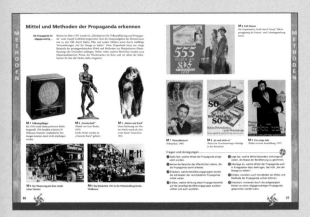

Am Rand mancher Seiten findest du den Begriff **Methoden**. Auf diesen Seiten lernst du, wie man Textquellen erschließt, Bilder entschlüsselt, Karten auswertet usw. Die Beherrschung dieser Methoden hilft dir, aus geschichtlichen Quellen die richtigen Schlüsse zu ziehen. Auch diese Seite ist mit dem Begriff Methoden überschrieben: Hier kannst du den Umgang mit dem neuen Geschichtsbuch lernen.

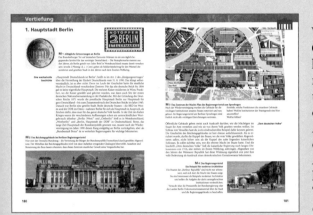

Wenn du die Überschrift **Vertiefung** oder **Erlebnis Geschichte** findest, kannst du das, was du bisher gelernt hast, auf neue Lerninhalte anwenden. Dies ermöglicht es dir, Zusammenhänge besser zu verstehen und verschiedene geschichtliche Ereignisse miteinander zu vergleichen. Auf diesen Seiten findest du auch Anregungen zur eigenen kreativen Weiterarbeit an einem Thema.

Auch am Ende dieses Buches findest du **Vertiefungskapitel**. Hier kannst du an besonders interessanten Themen dein Wissen, das du dir in diesem Schuljahr erarbeitet hast, auffrischen und vertiefen.

Kleine Symbole sollen dir helfen, dich in dem Buch leichter zurechtzufinden:

Besondere historische Grundbegriffe sind in einem Kasten erklärt. Du findest sie auch, indem du am Ende des Buches im Verzeichnis der Personen, Sachen und Begriffe nachschlägst. Dort sind sie durch fette Buchstaben besonders hervorgehoben.

Das Buch bietet dir Literaturtipps, die Lupe deutet Ideen und Anleitungen für kleine Projekte an.

Zusätzlich gibt es Empfehlungen für die Nutzung des Internets. Auf der Website www.klett.de/online haben wir weitere Angebote für dich aufbereitet.
Gib dazu im Feld „Online-Link" die Nummer 411050-0000 ein.

Zu welchen Themen es Module auf der Software gibt, erkennst du an der kleinen DVD bei den „Fragen und Anregungen".

NATIONALSOZIALISMUS UND ZWEITER WELTKRIEG

Die Nationalsozialisten haben durch ihre Herrschaft in Deutschland viel Unheil über Europa und die Welt gebracht. Sie und ihr Führer haben den Zweiten Weltkrieg begonnen, Juden und andere Minderheiten verfolgt und ermordet, große Teile Europas zerstört. Millionen Menschen mussten sterben. Wie war dieses Unheil möglich? Warum konnten diese Verbrechen nicht verhindert werden? Warum fanden die Nationalsozialisten bei den Deutschen so viele Anhänger?

Der „Völkische Beobachter" verkündete am 24. März 1933 das „Ermächtigungsgesetz"

Gedenktafel für die von den Nationalsozialisten hingerichteten Widerstandskämpfer Arvid und Mildred Harnack

5 Mark die Woche musst Du sparen – willst Du im eignen Wagen fahren!

Plakat der Deutschen Arbeits-front, das zum Sparen für einen Volkswagen warb

Unbeugsamer Glaube u. fanatischer Siegeswille führ-ten zum 30. Januar 1933.

Plakat der NSDAP von 1933

Kinder im Vernichtungslager Auschwitz nach der Befreiung durch die sowjetische Armee

Deutsche kauft nicht bei Juden

Boykott jüdischer Geschäfte am 1. April 1933

Das im Zweiten Weltkrieg zerstörte Würzburg

1. Diktaturen in Europa am Beispiel des Faschismus in Italien

1922   In Italien übernimmt Benito Mussolini die Macht und errichtet eine faschistische Diktatur.

M 1 Mussolini und eine römische Statue (Foto 1935)

M 2 Demokratien und Diktaturen in Europa 1917–1938

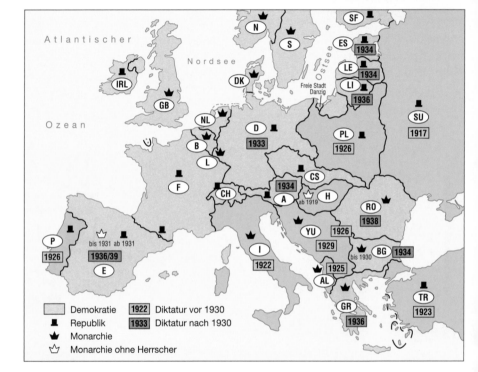

Legende:
- ▭ Demokratie
- ♟ Republik
- ♛ Monarchie
- ♕ Monarchie ohne Herrscher
- 1922 Diktatur vor 1930
- 1933 Diktatur nach 1930

Nach dem Krieg: Europa – „safe for democracy"?

Nach dem Ende des Ersten Weltkriegs schien eine „demokratische Weltrevolution", das Ziel des amerikanischen Präsidenten Wilson, auf dem besten Wege, verwirklicht zu werden. Unter dem Druck der siegreichen Demokratien des Westens gaben sich viele Staaten Europas demokratische Verfassungen: Deutschland, Österreich, die Tschechoslowakei, Jugoslawien, Polen, Finnland, Estland, Lettland und Litauen wurden zu parlamentarisch regierten Republiken: Europa und die Welt schienen „safe for democracy" (US-Präsident Wilson). Doch der Sieg der Demokratien erwies sich vielfach als kurzer Scheinsieg: In Italien entstand 1922 der erste faschistische Staat in Europa, in Deutschland errichtete Adolf Hitler 1933 die Diktatur des Nationalsozialismus.

In vielen anderen europäischen Staaten übernahmen autoritäre oder totalitäre Regime die Macht: autoritär, weil die Staatsgewalt ohne parlamentarische oder verfassungsgerichtliche Kontrolle von einem Diktator ausgeübt wurde; totalitär, weil die Staatsgewalt alle Lebensbereiche (Gesellschaft, Wirtschaft, Politik, Kultur u. a.) erfasst, reguliert und beaufsichtigt.

Am Ende des Weltkriegs war das alte Europa weitgehend zerstört, standen Sieger und Besiegte gleichermaßen vor vielfältigen Problemen. Wirtschaftlich war Europa durch den Krieg aus der Führungsposition in der Welt von den USA verdrängt worden. Die europäischen Staaten hatten überdies noch große Schwierigkeiten beim Übergang von der Kriegs- zur Friedenswirtschaft. Dies bedeutete für viele Menschen dauernde Arbeitslosigkeit.

Wirtschaftskrise, gesellschaftliche Abstiegsängste und existentielle Not boten radikalen Parteien und Demagogen ein günstiges Betätigungsfeld. Zudem enttäuschten vor allem die Friedensschlüsse nach dem Ersten Weltkrieg Sieger (u. a. Italien, da z. B. Dalmatien zu Jugoslawien kam) und Besiegte (v. a. Deutschland wegen der Bedingungen des Versailler Vertrages). In den neu geschaffenen Vielvölkerstaaten (Tschechoslowakei, Jugoslawien) sahen nationale Minderheiten das Selbstbestimmungsrecht nicht verwirklicht. Darüber hinaus herrschte auch aus anderen Gründen in den meisten Staaten Europas eine vergleichbare Grundstimmung:

Viele Bürger Europas verfolgten mit Angst und Unruhe die Nachrichten über die Folgeereignisse der bolschewistischen Revolution in Russland, die für Millionen Russen zu Enteignung, Terror und Deportation durch die Diktatur Stalins geführt hatten. Vielen schien die parlamentarische Demokratie mit wechselnden und häufig unklaren Mehrheitsverhältnissen zu schwach, um dem Ausgreifen des Kommunismus Einhalt zu gebieten. In verschiedenen europäischen Staaten boten in dieser Situation angesichts der brennenden und vielfältigen Probleme demagogische „Führer" und radikale Parteien populistische Programme an, die durch „einfache" Lösungen die Krisen zu bewältigen versprachen.

Eines der frühesten Beispiele dafür war Italien. Unter Führung Benito Mussolinis schlossen sich 1919 antiliberale, nationalistische Gruppen zu Kampfbünden und später zur Faschistischen Partei Italiens zusammen. Ihren Namen leitete die Partei von fasces (lat. Rutenbündel) ab, im antiken Rom Symbol der Gewalt über Leben und Tod.

Mit Terror und Gewalt schalteten die Faschisten ihre politischen Gegner, insbesondere Kommunisten, Sozialisten und Gewerkschafter, aus dem politischen Leben aus. Um einer gewaltsamen Machtergreifung Mussolinis, der mit einem „Marsch auf Rom" drohte, zuvorzukommen und Blutvergießen zu verhindern, berief König Viktor Emanuel III. im Oktober 1922 Mussolini zum Ministerpräsidenten. Dieser bildete eine Koalitionsregierung, an der auch Liberale und Katholiken beteiligt waren. Die parlamentarische Demokratie Italiens blieb mit ihren formalen Einrichtungen zunächst noch bestehen. Ein „Marsch auf Rom" hatte also nicht wirklich stattgefunden, und Mussolini hatte seine Macht nicht erkämpft, sondern aus der Hand des Königs erhalten.

Mit großem Propagandaaufwand versuchten die Faschisten die Arbeiterschaft auf ihre Seite zu ziehen: Kranken-, Renten- und Arbeitslosenversicherung sollten soziale Sicherheit garantieren. Arbeitsbeschaffungsprogramme und eine Landreform zugunsten der Kleinbauern folgten.

Dies alles konnte jedoch nicht darüber hinwegtäuschen, dass sich Italien auf dem Weg in eine Diktatur Mussolinis befand. Die Wahlgesetze wurden so geändert, dass die Faschisten sichere Mehrheiten erhielten. Die bewaffnete Parteimiliz (Schwarzhemden) wurde in den Rang der staatlichen Polizei erhoben, jede Opposition brutal unterdrückt. Alle Parteien außer der faschistischen und die Gewerkschaften waren verboten, die Pressefreiheit durch Zensur erheblich eingeschränkt. Die staatlich kontrollierten Massenmedien schufen einen Mythos um Mussolinis Person als unfehlbaren „Duce" (Führer).

Nach dem Krieg – Sieger und Besiegte in der Krise

Italien – Prototyp des Faschismus

M 3 Der Duce
(Karikatur von Charles Girod aus dem „Eulenspiegel", 1928)

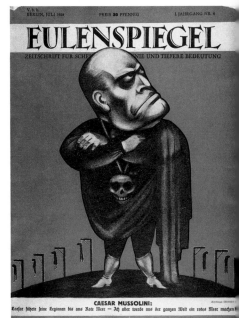

Italien wurde innerhalb von vier Jahren zu einer durch Einparteienherrschaft, Führerprinzip, Personenkult, überhöhten Nationalismus sowie Terror und Propaganda im Innern bzw. aggressive Politik nach außen gekennzeichnete Diktatur. Dazu kamen Feindbilder in Form von Anti-Haltungen: Antiliberalismus, Antiindividualismus, Antiparlamentarismus, Antibolschewismus – und letztlich das öffentliche Bekenntnis zur Gewalt.

Mussolini regierte als „Duce" autoritär: Antifaschistische Beamte wurden entlassen; ein faschistischer „Großrat" bestimmte über die Kandidatur der Abgeordneten; eine Parteimiliz unterdrückte jede Opposition und eine vormilitärische Ausbildung der Jugend sollte nach dem Grundsatz „glauben, gehorchen, kämpfen" den „neuen Menschen" eines zukünftigen italienischen Großreiches heranziehen.

Und die Faschisten regierten totalitär, da sie alle Lebensbereiche zu bestimmen versuchten: Die Monarchie blieb zwar bestehen, war aber politisch völlig entmachtet; faschistische Propaganda und rücksichtslose Gewalt brachen vielfach jeglichen individuellen oder den schwach organisierten Widerstand der demokratischen Parteien und der Gewerkschaften; Partei- und Staatsorgane wurden weitgehend identisch.

M 4 **Fasces**
Rutenbündel mit dem Beil, dem Symbol der faschistischen Kampfbünde

Nach der Konsolidierung der Macht im Innern offenbarte Mussolini den aggressiven und imperialistischen Charakter des faschistischen Staates erstmals durch den Einmarsch in das bisher mit Italien befreundete Abessinien. Mit dem Angriff auf Abessinien 1935 begann gleichzeitig die machtpolitische Zusammenarbeit mit dem nationalsozialistischen Diktator Hitler in Deutschland.

Gab es einen europäischen Faschismus? – Gemeinsamkeiten und Unterschiede

Als Prototyp eines faschistischen Staates wurde Italien zum Vorbild für ähnliche Bewegungen vor allem in Deutschland, Österreich, Spanien, Portugal, Griechenland, Ungarn, Polen, Rumänien, Kroatien, der Slowakei und Belgien. Zu den charakteristischen Gemeinsamkeiten dieser Staaten zählte vor allem das neue Verständnis von der Rolle der Partei als einer revolutionären Bewegung, als hierarchisch auf einen Führer ausgerichtete Kampfgemeinschaft und „Elite der Nation". Das Selbstverständnis zeigte sich in der Betonung von Symbolen und Ritualen, im Personenkult um den Führer, in einem übersteigerten Nationalismus und einer Glorifizierung der Geschichte ihrer Völker.

Gemeinsam waren den faschistischen Bewegungen aber auch der Antiliberalismus als militanter Protest gegen jede individuelle Freiheit, gegen den Rechtsstaat und gegen die moderne Kultur und der Antimarxismus.

Diese gemeinsamen Wesenszüge waren in den verschiedenen Ländern unterschiedlich stark ausgeprägt; vor allem die antimarxistischen, antiparlamentarischen, antisemitischen und völkisch-nationalistischen Elemente wurden mit unterschiedlicher Konsequenz verfolgt und in Aktionen umgesetzt.

Für Mussolini war der politische Kampf in erster Linie ein Kampf um die Macht, und in diesem pragmatischen Handeln war der weitgehend untheoretische Charakter des italienischen Faschismus begründet: Mussolini hatte erklärt: „Unser Programm ist einfach. Wir wollen Italien regieren." Die deutsche Form des Faschismus, der Nationalsozialismus, entwickelte dagegen mit seiner vor allem von der Rassenlehre geprägten Ideologie gewissermaßen eine theoretische und weltanschauliche Grundlage. Dies unterscheidet den Nationalsozialismus am deutlichsten von den übrigen Bewegungen des europäischen Faschismus. So kam es in Italien z. B. vor allem vor dem Krieg zu keinen Judenverfolgungen wie in Deutschland. Trotz vieler Ähnlichkeiten und Parallelen realisierte der italienische Faschismus seine totalitären Ansprüche insgesamt gesehen auch weniger konsequent als der deutsche Nationalsozialismus. Die Verbannung politischer Gegner in abgeschiedene Regionen war z. B. eben nicht das Gleiche wie der Abtransport ins Konzentrationslager.

M 5 Der Faschismus – die „Wiedergeburt des italienischen Selbstbewusstseins"

Ziele und Selbstverständnis der Partito Nazionale Fascista drückt das Statut vom Dezember 1929 so aus:
Die Nationale Faschistische Partei ist eine bürgerliche Miliz im Dienste des Staates. Ihr Ziel ist: die Größe des italienischen Volkes zu verwirklichen. Von ihren Ursprüngen an, die mit der Wiedergeburt des italienischen Selbstbewusstseins und mit dem Willen zum Siege in eins gehen, hat sich die Partei immer als im Kriegszustand befindlich betrachtet: zuerst, um diejenigen niederzuschlagen, die den Geist der Nation herabwürdigten; heute und in alle Zukunft, um die Macht des italienischen Volkes zu verteidigen und zu entwickeln. Der Faschismus ist nicht nur eine Vereinigung von Italienern und ein bestimmtes Programm, das verwirklicht oder noch zu verwirklichen ist, sondern er ist vor allem ein Glaube, der seine Bekenner gehabt hat und in dessen Reihen die neuen Italiener als Soldaten wirken, welche von der Anstrengung des siegreichen Krieges und dem darauf folgenden Kampf zwischen Nation und Antination hervorgebracht worden sind.

Nach: E. Nolte: Der Faschismus. Von Mussolini zu Hitler. München 1968, S. 109.

M 7 Faschistischer Terror in Italien

Aus einem Bericht des führenden Sozialisten Matteotti 1921 vor dem italienischen Parlament (1924 wurde Matteotti selbst von Faschisten ermordet):
Mitten in der Nacht, während die Bevölkerung schläft, kommen die Lastwagen mit Faschisten in den kleinen Dörfern an, natürlich von den Häuptern der lokalen Agrarier (Großgrundbesitzer) begleitet, (...) denn sonst wäre es nicht möglich (...), das Häuschen des Ligenführers (= Gewerkschaftsführers) oder das kleine erbärmliche Arbeitsvermittlungsbüro auszumachen. Man nimmt vor einem Häuschen Aufstellung, und es ertönt der Befehl: „Das Haus umzingeln!" Es sind zwanzig oder auch hundert Personen, mit Gewehren und Revolvern bewaffnet. Man ruft nach dem Ligenführer und befiehlt ihm herauszukommen. Wenn er keine

M 6 Plakat zum 3. Nationalkongress der Faschisten 1921

III° CONGRESSO NAZIONALE
FASCISTA
ROMA   NOVEMBRE 1921

Folge leistet, sagt man ihm: „Wenn Du nicht herunter kommst, verbrennen wir das Haus, deine Frau und deine Kinder." Der Ligenführer kommt herunter; wenn [15] er die Tür öffnet, packt man ihn, bindet ihn, schleppt ihn auf den Lastwagen, man lässt ihn die unaussprechlichsten Martern erleiden, indem man so tut, als wolle man ihn totschlagen oder ertränken, dann lässt man ihn irgendwo im Felde liegen, nackt, an einen Baum [20] gebunden.

Nach: E. Nolte: Der Faschismus. Von Mussolini zu Hitler. München 1968, S.43 f.

Fragen und Anregungen ·········

1. Erkläre, an welche Traditionen die Faschisten anknüpfen wollten. (M1, M4)

2. Erläutere, was die Karikatur M3 über die Herrschaft der Faschisten aussagen will.

3. Beschreibe die Methoden der Faschisten, die Macht zu erwerben und auszubauen (VT, M3, M7).

4. Beschreibe den Inhalt des Plakats M6 und stelle fest, inwiefern sich darin die Kernaussagen von M5 widerspiegeln.

5. Fasse in einer Tabelle die Kennzeichen und Merkmale des Faschismus zusammen und stelle diesen – soweit möglich – die jeweils dazu passenden Begriffe für eine Demokratie gegenüber.

2. Deutschland im Sog der Weltwirtschaftskrise

1929	Am 24. Oktober löst ein Kurssturz an der New Yorker Börse („Schwarzer Freitag") eine schwere Wirtschaftskrise aus, die auf fast alle Staaten übergreift.
1930–1932/33	Die Arbeitslosigkeit steigt in Deutschland von ca. 2 auf über 6 Millionen.

USA als „Lokomotive" der Weltwirtschaft

Seit dem Ersten Weltkrieg waren die USA zum Zentrum der Weltwirtschaft geworden. Schon während des Krieges hatte die Stahlindustrie durch die Produktion von Kriegsschiffen und Waffen einen Aufschwung erlebt. Die Zwanzigerjahre brachten dann dem Land eine Zeit höchster Wirtschaftsblüte vor allem durch die Herstellung von Konsumgütern. Durch die Modernisierung der Produktionstechniken konnte die Herstellung vor allem von Autos und Elektrogeräten ständig gesteigert werden. Zugleich erreichten die Aktienkurse neue Rekordmarken. Ein ganzes Volk wurde vom Spekulationsfieber erfasst und versuchte, oft mit Krediten, durch den Kauf von Aktien an den Börsengewinnen teilzuhaben. Zahllose Optimisten glaubten an Aufschwung („Boom") und Wohlstand ohne Ende.

Auch andere Staaten schienen vom amerikanischen Wirtschaftsaufschwung zu profitieren. Wie eine Lokomotive zogen die USA mit Krediten und Investitionen im Ausland den Zug der übrigen Weltwirtschaft auf der Schiene des Wachstums.

Gegen Ende des Jahrzehnts kündigte sich aber in den USA eine wirtschaftliche Wende an. Die Unternehmer hatten zu viele Güter produziert, der Bedarf an vielen Konsumgütern war gedeckt, die Nachfrage ließ nach, die Preise sanken. Auch in der Landwirtschaft gab es durch intensivierte Bodennutzung ein Überangebot an Erzeugnissen: Die Preise sanken und damit die Erlöse der Farmer.

M 1 Geldkreisläufe nach dem Ersten Weltkrieg

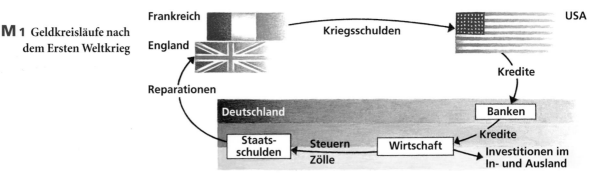

Börsenkrach in New York wird zur Weltwirtschaftskrise

Die meisten Aktionäre reagierten auf die Krise, indem sie ihre Wertpapiere so schnell wie möglich verkaufen wollten, um Kursverluste zu vermeiden. Dies führte im Oktober 1929 an der Börse zu einem heftigen Kurssturz. Am „Schwarzen Freitag" (24. 10.) fielen die Wertpapiere teilweise auf die Hälfte ihres Kurses vom Vortag. Am Ende der folgenden „schwarzen Woche" erreichten die Verluste bis zu 90 Prozent. Viele Banken wurden zahlungsunfähig und gingen in Konkurs, da sie ihre Kredite nicht zurückbekamen und gleichzeitig viele Sparer ihre Geldeinlagen abheben wollten.

Eine unheilvolle Krisenspirale erfasste die gesamte amerikanische Wirtschaft. Die entstehende allgemeine Geldknappheit bewirkte Produktions- und Absatzrückgang sowie Massenentlassungen und Arbeitslosigkeit. Infolge der engen Verflechtung der Weltwirtschaft griff die Krise rasch auf die anderen Industriestaaten über. Die USA forderten kurzfristig ihre Kredite aus Europa zurück und verließen in wichtigen Bereichen als Lieferanten und Käufer den Weltmarkt. Dies führte wiederum zu Fabrikschließungen und Massenarbeitslosigkeit in Europa.

Bereits vor der Weltwirtschaftskrise war die Konjunktur in Deutschland abgeflaut. Industrie und Landwirtschaft waren hoch verschuldet, der Staat musste zur Finanzierung des Haushaltes immer neue Kredite aufnehmen. Die Arbeitslosigkeit war wieder gestiegen. In dieser Situation

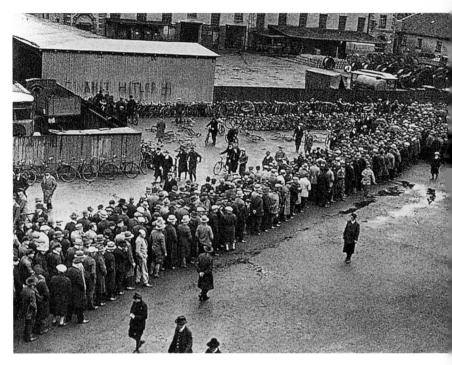

M 2 **Arbeitslose stehen vor dem Arbeitsamt in Hannover an.**
(Foto vom Frühjahr 1932)

wirkte sich die Weltwirtschaftskrise katastrophal aus. Der Abzug amerikanischer Kredite förderte ebenso Konkurse wie der Ausfall von US-Exporteinnahmen, von denen die deutsche Industrie abhängig war. Viele Banken standen vor dem Zusammenbruch, da auch hier die Sparer panikartig ihre Gelder abhoben. Aber auch viele Betriebe, die die amerikanischen Kredite in langfristigen Investitionen angelegt hatten und nun kurzfristig zurückzahlen mussten, gingen zugrunde. Massenarbeitslosigkeit war die Folge. Die Zahl der Arbeitslosen stieg von 1,6 Millionen im September 1929 auf 4,3 Millionen im September 1931. Auf dem Höhepunkt der Krise im Winter 1932/33 waren über 6 Millionen, d. h. jeder dritte Arbeitnehmer, ohne Beschäftigung. Deutschlands Straßenbild war geprägt vom Heer der Arbeitslosen, jede zweite Familie war zeitweise betroffen. Tüchtige Menschen kamen sich überflüssig vor. Vielen fehlte es am Nötigsten. Elend und Verzweiflung wurden öffentlich auf der Straße sichtbar.

Die zu dieser Zeit in Deutschland regierende Große Koalition (SPD, Zentrum, Bayerische Volkspartei, DDP und DVP) unter Reichskanzler Hermann Müller (SPD) war sich uneinig, wie den Auswirkungen der Weltwirtschaftskrise begegnet werden sollte. Der Streit entzündete sich vor allem an der Frage, wie das durch den Anstieg der Zahl der Arbeitslosen entstandene Defizit der Arbeitslosenversicherung finanziert werden sollte. Die SPD wollte höhere Beiträge von Arbeitgebern und Arbeitnehmern erheben, während die DVP als industrienahe Partei eine Kürzung der Zahlungen an die Arbeitslosen forderte. Zuletzt ließen die Parteien die Koalition scheitern, obwohl die Positionen nur ein halbes Prozent auseinander lagen. Die SPD lehnte einen Kompromissvorschlag ab und die Regierung Müller trat am 27. März 1930 zurück. Reichspräsident Hindenburg ernannte den Zentrumspolitiker Heinrich Brüning zum neuen Kanzler, der sich aber auf keine parlamentarische Mehrheit im Reichstag stützen konnte.

Zerfall der Großen Koalition

M 3 Daten zur Weltwirtschaftskrise

a) *Arbeitslosigkeit in den USA (Jahresdurchschnitt)*

1929	1 550 000	3,2 Prozent
1930	4 340 000	8,7 Prozent
1931	8 020 000	15,9 Prozent
1932	12 060 000	23,6 Prozent

b) *Arbeitslosigkeit in Deutschland (Jahresdurchschnitt)*

1929	1 899 000	8,5 Prozent
1930	3 076 000	14,0 Prozent
1931	4 520 000	21,9 Prozent
1932	5 603 000	29,9 Prozent

Zit. nach: Ploetz, Das Dritte Reich, Freiburg 1983, S. 99.

c) *Produktion wichtiger Güter in Deutschland*

Produkt	Angabe in	1913	1919	1925	1930	1932
Steinkohle	Mill. t	190,1	116,7	132,6	142,7	104,7
Roheisen	Mill. t	16,8	6,3	11,6	11,6	5,3
Rohstahl	Mill. t	17,7	7,9	13,8	13,5	7,2
Elektrizität	Mill. kWh	2533	5067	9915	16101	13423
Wohnungen	1000	–	57	179	311	141

Quelle: Statistisches Bundesamt, Wiesbaden, Auszug aus Bevölkerung und Wirtschaft 1872–1972.

d) *Index der industriellen Produktion 1926–1933 in Deutschland*

1926	79		1930	89
1927	101		1931	73
1928	100		1932	59
1929	101		1933	66

Quelle: Statistisches Bundesamt, Wiesbaden, Auszug aus Bevölkerung und Wirtschaft 1872–1972.

M 4 „Nach dem Auslernen stempeln gehen ..."

Schülerinnen und Schüler einer Abschlussklasse über ihre Berufs- und Zukunftsaussichten, 1932:

„(...) ich möchte gern Elektriker werden, aber der Meister darf nun doch keinen Lehrling mehr einstellen, weil er kürzlich wieder zwei Gehilfen entlassen musste. Ich muss nun doch bei meinem Vater im Milchgeschäft bleiben. Aber heute bei der großen Arbeitslosigkeit muss man ja froh sein, wenn man überhaupt etwas hat (...)."

„(...) ich bin manchmal ganz wirr im Kopf vom vielen Vorstellen. Ich bin jeden Tag auf jede Anzeige losgewesen, aber immer war es schon besetzt. Manche sagten auch, ich sei zu schwach: Ich bin nämlich im letzten Kriegsjahr 1917/18 geboren (...)"

„(...) in der nächsten Woche ist unsere Schulentlassung, ich freue mich schon sehr darauf. Ich habe ein schöne Stelle als Friseurlehrling bekommen. Das ist für mich ein großes Glück; denn in meiner Klasse haben von 60 nur 10 etwas bekommen. Ich muss vier Jahre lernen; aber ich hoffe, dass nach dieser Zeit die Arbeitslosigkeit schon wieder abgenommen hat, damit ich nicht gleich nach dem Auslernen stempeln gehen muss."

Nach: W. Abelshauser/A. Faust/D. Petzina (Hg.): Deutsche Sozialgeschichte 1914-1945. Ein historisches Lesebuch. München 1985, S. 333.

M 5 „Für wen die Plakate und Reklamen?"

Der Schriftsteller und Zeitkritiker Kurt Tucholsky richtet seine Kritik an die Unternehmer:

Für wen die Plakate und Reklamen?
Für wen die Autos und Bilderrahmen?
Für wen die Krawatten, die gläsernen Schalen?
Eure Arbeiter können das nicht bezahlen. (...)
Das laufende Band, das sich weiterschiebt,
liefert Waren für Kunden, die es nicht gibt.
Ihr habt durch Entlassung und Lohnabzug sacht
eure eigene Kundschaft kaputt gemacht.
Denn Deutschland besteht – Millionäre sind selten –
aus Arbeitern und Angestellten! (...)

K. Tucholsky: Eine Frage. Gesammelte Werke, Bd. 9 1931. Reinbek 1975, S. 121.

Fragen und Anregungen

❶ Erläutere die Hintergründe und die Auswirkungen des New Yorker Börsenkrachs. (VT, M1, M2, M3, M4, M5)

❷ Stelle fest, inwiefern die wirtschaftliche Ausgangssituation in Deutschland anders als in den USA war. (VT)

❸ Beschreibe die Lage der Menschen in Deutschland während der Weltwirtschaftskrise. (VT, M2, M4, M5)

❹ Lege die Folgen der Krise für die deutsche Wirtschaft und den Arbeitsmarkt dar. (M3)

3. Das Ende der Weimarer Republik

1930	Nach dem Zerfall der Großen Koalition (27. 3.) regiert Reichskanzler Brüning ohne Mehrheit im Reichstag. Hohe Gewinne der NSDAP bei den Wahlen vom 14. September.
1932	Reichspräsident von Hindenburg wird wiedergewählt (10. 4.). Von Papen scheitert als Reichskanzler (1. 6.–2. 12.), ebenso sein Nachfolger von Schleicher (3. 12.–29. 1. 1933).
1933	Am 30. Januar wird Adolf Hitler von Hindenburg zum Reichskanzler ernannt.

M 1 Reichspräsident von Hindenburg
Der General des Ersten Weltkriegs war als Nachfolger Eberts von 1925–1934 im Amt. „Deutsche Zauberwerke AG. – Kein Grund zum Verzagen, solang noch Kanzler am laufenden Band produziert werden." (Karikatur von Karl Arnold, 1933)

Die Unfähigkeit der Parteien zum demokratischen Kompromiss leitete in Deutschland eine verhängnisvolle Entwicklung ein. Die Weltwirtschaftskrise wurde zur Staatskrise. Der neue Kanzler Heinrich Brüning (Zentrum) verfügte im Reichstag über keine Mehrheit und war daher völlig vom Vertrauen des Reichspräsidenten abhängig. Diese vom Reichspräsidenten abhängige Regierung – der mit Notverordnungen nach Art. 48 dem Reichskanzler ermöglicht, ohne Parlamentsmehrheit zu regieren – nennt man Präsidialkabinett.

Die Weltwirtschaftskrise wird zur Staatskrise

Legende:
- Nichtwähler
- Übrige
- NSDAP
- DNVP
- DVP
- DD
- Zentrum
- BVP
- SPD
- USPD
- KPD
- Regierungsparteien
- 20,5% Prozentanteil der Mandate im Reichstag

M 2 Reichstagswahlergebnisse 1919 bis 1933

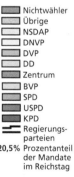

Als Brüning mit einer Gesetzesvorlage im Reichstag erwartungsgemäß scheiterte, setzte sie der Reichspräsident, gestützt auf seine Vollmachten nach Artikel 48 der Verfassung als Notverordnung dennoch durch. Die SPD verlangte die nach der Verfassung mögliche Aufhebung dieser Notverordnung. Brüning erwirkte daraufhin durch den Reichspräsidenten die Auflösung des Reichstages.

Die allgemeine Krisenstimmung brachte in den Neuwahlen vom 14. September 1930 den Radikalen Vorteile. Erdrutschartig verloren die Demokraten. Die NSDAP, die von über 6 Millionen gewählt wurde, erhöhte die Zahl ihrer Sitze von 12 auf 107. Die KPD gewann zu ihren 54 Sitzen im Reichstag 23 dazu. Zu den großen Verlusten der demokratischen Parteien trugen auch erheblich die von Brüning verkündeten Sparpläne bei.

Sparpolitik als Lösung der Krise?

Als einzige Lösung für die Behebung der Wirtschaftskrise sah Brüning einen strikten Sparkurs der Regierung. Für die Ankurbelung der Wirtschaft durch staatliche Programme fehlten die Finanzmittel, zudem fürchtete Brüning bei einer Erhöhung der Staatsausgaben eine erneute Inflation. Also kürzte er durch Notverordnungen die Löhne und die Gehälter der Beamten sowie der Angestellten im öffentlichen Dienst, senkte die Staatsausgaben und die Sozialleistungen, erhöhte gleichzeitig die Steuern und die Einfuhrzölle. Dies sollte die deutschen Waren billiger und international konkurrenzfähiger machen. Andererseits ging aber dadurch auch die Kaufkraft der Bevölkerung zurück und die Produktion musste erneut gedrosselt werden. „Hungerkanzler Brüning verordnet Not!", kommentierte die Bevölkerung verbittert den unpopulären Sparkurs. Dennoch tolerierte aus Furcht vor einem weiteren Anwachsen der radikalen Parteien auch die SPD viele Notverordnungen Brünings. Andererseits stellte die mehrjährige Praxis der Präsidialkabinette, mit Notverordnungen statt Gesetzen zu regieren, einen Missbrauch der Verfassung dar und ebnete den Weg in die Diktatur.

Ende der Reparationen und Sturz Brünings

Brüning wollte die Weltwirtschaftskrise dazu nützen, die Reparationszahlungen zu beenden. Und damit hatte die Regierung auch Erfolg. Die Nachrichten vom Hunger in Deutschland beeindruckten die ehemaligen Siegermächte. Bislang hatten Frankreich und England zur Tilgung ihrer eigenen Kriegsschulden bei den USA die deutschen Reparationen benötigt. Im Jahre 1931 erwirkte der amerikanische Präsident Hoover eine vorübergehende Aussetzung aller internationalen Zahlungsverpflichtungen und damit auch der deutschen Leistungen („Hoover-Moratorium"). Im Sommer 1932 setzte in Lausanne eine internationale Konferenz das Ende der deutschen Reparationszahlungen fest – bis auf eine einmalige Abschlagszahlung von drei Milliarden Mark, die allerdings nie beglichen wurde.

Die Früchte dieses außenpolitischen Erfolges, der von der Republik eine riesige wirtschaftliche und politische Last nahm, erlebte jedoch Brüning nicht mehr im Amt des Reichskanzlers. Als er unrentables Ackerland von Großgrundbesitzern an der östlichen Elbe nicht länger mit Staatshilfen unterstützen, sondern in Kleinparzellen für Landarbeiter umwandeln wollte, fand der Protest der Agrarier gegen diesen – wie sie es nannten – „Agrarbolschewismus" bei Hindenburg Gehör. Ähnlich unbeliebt machte sich Brüning bei nationalistischen Kreisen mit dem Verbot von SA und SS, deren Straßenterror die öffentliche Sicherheit gefährdete. Als neuen Kanzler setzte Hindenburg den Zentrumspolitiker Franz von Papen ein.

Von Papen zu Hitler

Papens „Kabinett der Barone", benannt nach den zahlreichen adeligen Ministern, fehlte jeglicher Rückhalt im Reichstag. Nicht zuletzt deshalb plante der neue Kanzler, statt einer Demokratie einen autoritären Staat einzuführen. Deutlich erkennbar war dies, als Papen während der Wirren des Wahlkampfes in Preußen, dem größ-

M 3 Plakate zur Reichstagswahl, Juli 1932
Von links nach rechts: Zentrumspartei, SPD, KPD, NSDAP

ten Land des Reiches, den Ausnahmezustand erklärte und die sozialdemokratisch geführte Regierung einfach absetzte. Sich selbst ernannte er zum preußischen Ministerpräsidenten und Reichskommissar. Das war ein klarer Bruch der Verfassung. Als Papen in ähnlicher Weise einen Staatsstreich auf Reichsebene und die Ausschaltung des Parlaments vorbereitete, entließ ihn Hindenburg, da er in diesem Falle einen Bürgerkrieg befürchtete.

Inzwischen war die NSDAP zur stärksten Partei im Reichstag geworden und Hitler forderte die Kanzlerschaft. Hindenburg aber ernannte General von Schleicher, der die Wirtschaftskrise mit den Gewerkschaften lösen wollte und sich damit in einen Gegensatz zu den Interessen der Industrie brachte. Zudem intrigierte Papen gegen Schleicher und leitete gemeinsam mit Vertretern der Großindustrie, des Großgrundbesitzes und der DNVP jetzt die Kanzlerschaft Hitlers in die Wege, obwohl dessen Partei bei den Wahlen im November zwei Millionen Stimmen verloren hatte. Papen war überzeugt, dass seine konservativen Gesinnungsfreunde Hitler bei der Kabinettsbildung so „einrahmen" könnten, dass dieser lediglich Sprachrohr ihrer Politik sein werde. Hindenburg ließ seine langjährigen Vorbehalte gegen Adolf Hitler fallen und ernannte ihn am 30. Januar 1933 zum Reichskanzler. In der neuen Regierung stellten die Nationalsozialisten zwar nur drei Minister, darunter aber äußerst wichtige wie den Innenminister. Hitler ging zielstrebig daran, eine Diktatur zu errichten.

Wer wählte Hitler?

Die Wahlerfolge der NSDAP in der Zeit vor der Kanzlerschaft Hitlers hatten verschiedene Ursachen. Einerseits hatte die Partei die Nichtwähler mobilisiert, zum anderen wurde sie zum Sammelbecken der Unzufriedenen. Insgesamt gesehen gab ihre Anhängerschaft der Partei den Charakter einer Volkspartei: Viele Wähler der DNVP wanderten zur noch radikaleren NSDAP. Auch Arbeiter wählten die NSDAP, während Arbeitslose häufiger für die KPD stimmten. Männer waren für die radikalen Parolen eher anfällig als Frauen. Zahlreiche Wähler aus dem Mittelstand (Selbstständige, Beamte, Angestellte) gaben aus Furcht vor einem Verlust ihrer wirtschaftlichen Existenz Hitler ihre Stimme. Die Propaganda der Nationalsozialisten verstand es zudem, ihre Massenversammlungen und Massenaufmärsche wirkungsvoll zu inszenieren. Auch die moderne Technik machten sie sich zunutze. Mit Hilfe des Flugzeugs schaffte es Hitler, scheinbar allgegenwärtig zu sein. Unter der Parole „Hitler über Deutschland" erreichte er allein im Wahlkampf zum Reichspräsidenten 1932 in über 50 Städten Millionen Bürger direkt in Wahlveranstaltungen.

M 4 Machtverlust des Reichstages

	Notverordnungen	Reichstagssitzungen
1930	5	94
1931	44	41
1932	60	13

M 5 Ziele der NSDAP 1929

Joseph Goebbels, Reichspropagandaleiter der NSDAP, verkündete 1928 unter dem Titel „Was wollen wir im Reichstag?":

Wir gehen in den Reichstag hinein, um uns im Waffenarsenal der Demokratie mit deren eigenen Waffen zu versorgen. Wir werden Reichstagsabgeordnete, um die Weimarer Gesinnung mit ihrer eigenen Unterstüt-
5 zung lahm zu legen. Wenn die Demokratie so dumm ist, uns für diesen Bärendienst Freifahrkarten und Diäten zu geben, so ist das ihre eigene Sache. (...) Uns ist jedes gesetzliche Mittel recht, den Zustand von heute zu revolutionieren. Wenn es uns gelingt, bei diesen
10 Wahlen sechzig bis siebzig Agitatoren (= Aufhetzer) unserer Partei in die verschiedenen Parlamente hineinzustecken, so wird der Staat selbst in Zukunft unseren Kampfapparat ausstatten und besolden. (...) Wir kommen als Feinde! Wie der Wolf in die Schafherde ein-
15 bricht, so kommen wir.

Nach: W. Michalka und G. Niedhart (Hg.): Die ungeliebte Republik. München 1981, S. 251.

M 6 Trügerische Hoffnung

Am 30. 1. 1933 trug eine Hamburger Lehrerin in ihr Tagebuch ein:

Hitler ist Kanzler! Und was für ein Kabinett!!! Wie wir es im Juli nicht zu erträumen wagten. Hitler, Hugenberg, Seldte, Papen!!! An jedem hängt ein großes Stück meiner deutschen Hoffnung. Nationalsozialisti-
5 scher Schwung, deutschnationale Vernunft, der unpolitische Stahlhelm und der von uns unvergessene Papen. Es ist so unausdenkbar schön. (...) Was Hindenburg da geleistet hat!

Nach: W. Treue (Hg.): Deutschland in der Weltwirtschaftskrise in Augenzeugenberichten. München 1976, S. 403.

M 7 „Wir erkennen den verheißungsvollen Beginn einer Zeit."

Eingabe führender Personen aus Wirtschaft, Industrie und Großgrundbesitz an Reichspräsident Hindenburg, Mitte November 1932:

Mit Eurer Exzellenz bejahen wir die Notwendigkeit einer vom parlamentarischen Parteiwesen unabhängigeren Regierung, wie sie in dem von Eurer Exzellenz formulierten Gedanken eines Präsidialkabinetts zum Ausdruck kommt. (...) Wir erkennen in der nationalen Bewegung, die durch unser Volk geht, den verheißungsvollen Beginn einer Zeit, die durch Überwindung des Klassengegensatzes die unerlässliche Grundlage für einen Wiederaufstieg der deutsche Wirtschaft erst schafft. Wir wissen, dass dieser Aufstieg noch viele Opfer erfordert. Wir glauben, dass diese Opfer nur dann willig gebracht werden können, wenn die größte Gruppe diese nationalen Bewegung führend an der Regierung beteiligt wird. Die Übertragung der (Regierung) an den Führer der größten nationalen Gruppe wird (...) Millionen Menschen, die heute abseits stehen, zu bejahender Kraft mitreißen.

Nach: P. Longerich (Hg.): Die Erste Republik. Dokumente zur Geschichte des Weimarer Staates. München 1992, S.488 f.

M 8 „Das Verhängnis"
(Zeichnung von A. Paul Weber, 1932)

Fragen und Anregungen

❶ Beschreibt die Ziele der NSDAP 1929. Diskutiert, wie unser Staat heute auf ein solches „Programm" reagieren würde. (M5)

❷ Erläutere Ursachen für die Wahlergebnisse der NSDAP seit 1928. Beachte dabei auch die Ergebnisse der anderen Parteien. (VT, M2, M3)

❸ Erkläre, welche Gefahren für die Demokratie die Präsidialregierungen und die Notverordnungen brachten. (VT, M1, M4)

❹ Lege dar, welche „Erwartungen" in Deutschland mit der Kanzlerschaft Hitlers verbunden waren. (M6, M7 und M8)

Historische Kontroversen untersuchen

Warum scheiterte die Weimarer Republik?

M 1 Sebastian Haffner schreibt zum Untergang von Weimar 1978:

Ein Staat zerfällt ja nicht ohne weiteres durch Wirtschaftskrise und Massenarbeitslosigkeit; sonst hätte zum Beispiel auch das Amerika der großen Depression mit seinen 13 Millionen Arbeitslosen in den Jahren 1930–1933 zerfallen müssen. Die Weimarer Republik ist nicht durch Wirtschaftskrise und Arbeitslosigkeit zerstört worden, obwohl sie natürlich zur Untergangsstimmung beigetragen haben, sondern durch die schon vorher einsetzende Entschlossenheit der Weimarer Rechten, den parlamentarischen Staat zugunsten eines unklar konzipierten autoritären Staats abzuschaffen. Sie ist auch nicht durch Hitler zerstört worden: Er fand sie schon zerstört vor, als er Reichskanzler wurde, und er entmachtete nur die, die sie zerstört hatten.

Nach: S. Haffner: Anmerkungen zu Hitler. München 1978, 78 f.

M 2 Karl Dietrich Bracher meint dazu 1984:

Folgende Aspekte der Deutung möchte ich besonders hervorheben: 1. Es war weder einfach eine kapitalistische Verschwörung noch eine sozialistische Revolution, sondern der Machtwille eines radikalen Ideologen und einer populistischen (sich an das Volk wendenden), heilsversprechenden Sammelbewegung inmitten der resignierenden Parteien einer ungeliebten Demokratie und einer zutiefst verunsicherten Bevölkerung, der 1933 zur nationalsozialistischen Alleinherrschaft in Deutschland und wenige Jahre später zur Weltherrschafts- und Rassenvernichtungspolitik des Zweiten Weltkrieges geführt hat.

Zit. nach: K. D. Bracher: Zeitgeschichtliche Kontroversen. München 1984, S.115 f.

M 3 Der Engländer Allan Bullock schreibt 1991:

Auf offene Ohren stieß Hitler bei den Angehörigen der ehemaligen politischen Elite, die verbittert den Verlust ihres Einflusses und ihrer gesellschaftlichen Vorrangstellung beklagte, bei jenen Teilen des alten Mittelstandes, die sich durch den Prozess der Modernisie- 5 rung bedroht sahen – namentlich durch die nach vorn drängende Arbeiterklasse, durch die sie ihren Lebensstandard und ihren Sozialstatus gefährdet sahen –, und bei vielen Angehörigen der jüngeren Generation, denen der Mangel an Lebenschancen zu schaffen 10 machte und die sich nach einer Zukunftsaufgabe sehnten, die leidenschaftlichen Einsatz lohnte.

Nach: A. Bullock: Hitler und Stalin. Berlin 1991, S. 353 f.

M 4 Ausschaltung des Reichstags
(Collage des deutschen Künstlers John Heartfield, 1932)

Methodische Arbeitsschritte:

1. Fasse mit eigenen Worten zusammen, welche Position der Autor vertritt.
2. Finde heraus, wie er seine Auffassung begründet.
3. Stelle die unterschiedlichen Positionen einander gegenüber und untersuche, ob auch Gemeinsamkeiten festgestellt werden können.
4. Setze dich kritisch mit den verschiedenen Aussagen auseinander und begründe, warum dich eine bestimmte Aussage überzeugt oder nicht.
5. Formuliere deine eigene Position und begründe sie.

Fragen und Anregungen ···

❶ Untersuche die Texte anhand der vorgegebenen Arbeitsschritte und halte die Ergebnisse schriftlich fest. Erkundige dich auch nach dem Inhalt des Artikels 48 der Weimarer Verfassung.

❷ Erläutere, welche Bedeutung die Handhabung des Artikels 48 für den Karikaturisten Heartfield (M4) hat. Vergleiche die Aussage der Karikatur mit den Textaussagen. (M1 bis M3)

4. Die „Weltanschauung" des Nationalsozialismus

M 1 Das Firmenschild der NSDAP
(Karikatur von Jacobus Belsen aus
„Der Wahre Jakob", 1931)

**Hoffnungen und
Zustimmung**

Als Reichspräsident Hindenburg am 30. Januar 1933 Adolf Hitler als Reichskanzler eingesetzt und mit der Regierungsbildung beauftragt hatte, schauten viele Deutsche mit großen Hoffnungen, aber auch mit Ängsten nach Berlin. Nicht alle vertrauten den neuen Machthabern, manche befürchteten das Ende der Demokratie, sie warnten vor Terror und Kriegsgefahr. Doch die Mehrheit schenkte der Wahlpropaganda der Nationalsozialisten Glauben. 1933 schien vielen Deutschen Hitler der richtige Mann zu sein, die Arbeitslosigkeit zu beseitigen, die deutsche Wirtschaft entscheidend zu stärken, den Versailler Vertrag vollständig zu überwinden und Deutschland zu einstiger Größe zurückzuführen.

**Ideologie der National-
sozialisten: Rassenlehre
und Antisemitismus**

Doch wodurch war der Nationalsozialismus angeblich in der Lage, alle Probleme besser zu bewältigen als andere? Auf welche Grundlagen stützte sich seine Politik? Eine geschlossene Weltanschauung besaß er nicht; vielmehr wurden unwissenschaftliche Vorstellungen und Vorurteile über die Entwicklung der Menschheit, der Völker und Nationen aufgegriffen und verkündet.

Die beiden wichtigsten Grundpfeiler der nationalsozialistischen Denkweise waren die Rassenlehre und der damit zusammenhängende Antisemitismus. Danach wurden die Menschen in höchst ungleiche Rassen eingeteilt: hochwertige, weniger wertvolle, aber noch kulturfähige, minderwertige und wertlose.

Auf die oberste Stufe wurde die arische Rasse gestellt. Zu ihr rechnete man die germanischen Völker, insbesondere die Deutschen. Sie zeichneten sich angeblich dadurch aus, dass sie groß, blond und blauäugig sowie tapfer, heldenhaft und opferbereit wären. Als wertlose Rasse und größter Gegensatz zu den Ariern wurden die Juden eingestuft (Antisemitismus). Sie waren angeblich Schuld an allen Übeln der Welt. Sie galten als Drahtzieher des amerikanischen Weltkapitalismus ebenso wie des sowjetischen Weltbolschewismus. Ihnen wurde unterstellt, sie wollten die deutsche Kultur vernichten und strebten die Weltherrschaft an.

**Sozialdarwinismus und
Nationalismus**

In Anlehnung an die Lehre Darwins, dass es im Tierreich eine natürliche Auslese gibt und nur die anpassungsfähigsten überleben, wurde der Schluss gezogen, dass nur die höherwertigen Rassen im Lebenskampf bestehen würden. Alle anderen hätten sich entweder der Herrenrasse unterzuordnen oder müssten untergehen. Nach dieser Theorie des Sozialdarwinismus waren die Deutschen als Nation dazu bestimmt, über andere zu herrschen. In dieser Verbindung von Rassismus, Antisemitismus, Nationalismus und Sozialdarwinismus glaubten die Nationalsozialisten, eine Begründung dafür gefunden zu haben, dass sie das deutsche Volk in eine glorreiche Zukunft führen könnten – und viele glaubten nur zu gerne daran.

Eng damit verbunden waren Versprechungen, den Deutschen mehr Lebensraum zu geben. Das hieß zum einem, sich für den verlorenen Krieg zu revanchieren und die durch den Versailler Vertrag verlorenen Gebiete zurückzuholen, zum anderen aber, fremde Gebiete vor allem im Osten zu erobern. Rechtfertigt wurde dies ebenfalls mit der Rassenlehre: Die im Osten lebenden slawischen Völker galten als minderwertig und somit der deutschen Herrenrasse untertan.

Lebensraumtheorie

Um das „internationale Judentum auszurotten" und „neuen Lebensraum im Osten" schaffen zu können, musste das deutsche Volk zu einer alle Schichten umfassenden, rassisch reinen, kämpferischen „Volksgemeinschaft" verbunden sein, in der nur ein Wille gelten sollte, der Wille des Führers. Nur so würde das deutsche Volk den Kampf siegreich beenden. Um den Grundsatz „Gemeinnutz geht vor Eigennutz" durchzusetzen, sollte an der Spitze von Volk und Staat der Führer eine unumschränkte Befehlsgewalt besitzen. Die übrigen Führer und Unterführer sollten von oben ernannt, nicht gewählt werden. Der oberste Führer sollte die ganze Verantwortung tragen, die anderen nur die Befehle konsequent befolgen. Gegenseitige Treue sollten „Führer" und „Gefolgschaft" verbinden. Die Artgleichheit der Rasse garantiere, dass die Allmacht des Führers nicht zu Tyrannei und Willkür würde. Die demokratische und parlamentarische Regierungsform wurde konsequent abgelehnt. Hitler hielt sie für schwächlich und sah in ihr „eine der schwersten Verfallserscheinungen der Menschen"

„Volksgemeinschaft" und Führerprinzip

All diese ideologischen Grundgedanken hatte Hitler im Parteiprogramm der NSDAP sowie in dem während seiner Festungshaft 1924 in Landsberg entstandenen Buch „Mein Kampf" niedergeschrieben. Dabei hatte er vor allem auf Gedankengut zurückgegriffen, das er in seiner Jugend in Wien kennen gelernt hatte.

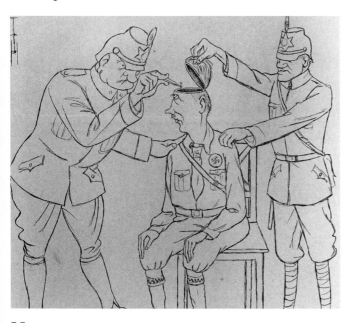

M 2 Ergebnislose Haussuchung
(Karikatur aus der satirischen Zeitschrift „Simplicissimus", 1930)
Der Karikaturist bezieht sich auf die Inhalte von „Mein Kampf".

M 3 Hitler als Redner, 1934
Gestik und Mimik waren genau – z. B. vor einem Spiegel – einstudiert.

Hitler – der „Führer"

Hitler wurde 1889 in Braunau am Inn (Österreich) geboren. Nach dem Schulabschluss lebte er ohne einen Beruf auszuüben in Linz und ab 1907 in Wien. Sein Versuch, ein Studium an der Wiener Kunstakademie zu beginnen, scheiterte. Zeitweise hielt er sich in Obdachlosenasylen und Männerheimen auf. In dieser Zeit las er viel, vor allem Schriften, die Fremdenhass, Antisemitismus und Rassismus ebenso verbreiteten wie überhöhten deutschen Nationalismus und die Idee, dass ein auserwählter Führer allen Deutschen eine glückliche Zukunft bringen werde.

In München trat er 1914 freiwillig in das bayerische Heer ein und nahm am Weltkrieg teil. Nach Kriegsende schloss er sich der bis dahin unbedeutenden, aber stark antisemitischen Deutschen Arbeiterpartei an.

Dank seines großen rhetorischen Talents und seiner charismatischen Wirkung auf Menschenmassen wurde er zum Propagandaobmann und trat in raschen Folge in öffentlicher Reden auf. Die 1920 in NSDAP umbenannten Partei verstand sich bald als „Hitlerbewegung" mit Hitler als „Führer". Ab Mitte der Zwanzigerjahre gelang es Hitler mit seinen Angriffen gegen den Versailler Vertrag, gegen die Demokratie, gegen die Juden und die Kommunisten immer mehr Anhänger zu gewinnen. Denn er sprach damit das aus, was ohnehin die meisten dachten: Gegen den Versailler Vertrag war fast jeder Deutsche, für die Demokratie setzten sich nur wenige ein, der Antisemitismus hatte eine lange Tradition und die Juden waren als Sündenböcke für alles Unheil willkommen. Kommunisten wurden als Anhänger der russischen Bolschewisten verachtet.

Nationalsozialismus

Der Begriff bezeichnet die völkische, antisemitische, nationalistische Bewegung in Deutschland (1919–45), die sich 1920 als Nationalsozialistische Deutsche Arbeiterpartei (NSDAP) organisierte und die unter Führung Adolf Hitlers in Deutschland 1933 eine Diktatur errichtete. Mit dem Begriff soll zudem die Zielsetzung der Nationalsozialisten umschrieben werden, unter strikter Ablehnung des internationalen marxistischen Sozialismus die eigene Nation durch innere soziale Versöhnung zur klassenlosen „Volksgemeinschaft" zu entwickeln.

Antisemitismus

Der Begriff wurde seit dem Ende des 19. Jh. die allgemeine Bezeichnung für negative Einstellungen gegen die als Minderheit in verschiedenen Staaten lebenden Juden. Eine Voraussetzung des Antisemitismus bildete die in vorchristlicher Zeit einsetzende Zerstreuung der Juden und seit dem Mittelalter deren gesellschaftliche Absonderung als Folge religiöser Eigenheiten (Beschneidung, Speiseverbote, Reinheitsvorschriften u. a.). Die religiöse Sonderstellung führte dazu, dass die Juden keine politischen Rechte erhielten; sie waren von den Zünften ausgeschlossen, konnten daher nur bestimmte Berufe (Handel, Geldverleih u. a.) ergreifen und mussten in besonderen Stadtvierteln (Gettos) leben. Zu Judenverfolgungen kam es in Europa besonders zur Zeit der Kreuzzüge, bei unerklärbaren Seuchen oder bei Wirtschaftskrisen, deren Urheber die Juden gewesen sein sollten. Viele Juden flüchteten nach Osten (Polen, Galizien, Litauen), später in die USA. Mit den Ideen der Aufklärung (Menschenrechte, Freiheit des Individuums) begann seit dem Ende des 18. Jh. mit der Aufhebung der Sondergesetze die rechtliche Gleichstellung der Juden (Judenemanzipation). Der politische Einfluss, der wirtschaftliche Reichtum sowie die überdurchschnittliche Vertretung in hervorgehobenen Berufsgruppen (Wissenschaftler, Künstler oder auch Politiker) führten in der zweiten Hälfte des 19. Jh. zusammen mit dem aufkommenden Nationalismus zum modernen Antisemitismus. Neue antisemitische Parteien und Schriften entstanden. Der Nationalsozialismus betonte im Gegensatz zum früheren religiösen oder wirtschaftlichen Antisemitismus vor allem den sog. „rassischen" Gegensatz.

M 4 Auszüge aus Hitlers „Mein Kampf":

a) Über den Rassismus

Menschliche Kultur und Zivilisation sind auf diesem Erdteil unzertrennlich gebunden an das Vorhandensein des Ariers. (...) Als Eroberer unterwarf er sich die niederen Menschen und regelte dann deren praktische Betätigung unter seinem Befehl, nach seinem Wollen und für seine Ziele. (...) Die Blutsvermischung und das dadurch bedingte Senken des Rassenniveaus ist die alleinige Ursache des Absterbens aller Kulturen. (...) Was nicht gute Rasse ist auf dieser Welt, ist Spreu. (...) Den gewaltigsten Gegensatz zum Arier bildet der Jude. (...) Er ist und bleibt der ewige Parasit (...), wo der auftritt, stirbt das Wirtsvolk nach kürzerer oder längerer Zeit ab. (...)

So ist der Jude heute der große Hetzer zur restlosen Zerstörung Deutschlands. Wo immer wir in der Welt über Angriffe gegen Deutschland lesen, sind Juden ihre Fabrikanten (...).

A. Hitler: Mein Kampf. München 1925, S. 317 ff.

b) Über die Lebensraumpolitik

Damit ziehen wir Nationalsozialisten bewusst einen Strich unter die außenpolitische Richtung unserer Vorkriegszeit. Wir setzen dort an, wo man vor sechs Jahrhunderten endete. Wir stoppen den ewigen Germanenzug nach Süden und Westen Europas und weisen den Blick nach dem Land im Osten. Wir schließen endlich ab die Kolonial- und Handelspolitik der Vorkriegszeit und gehen über zur Bodenpolitik der Zukunft.

Wenn wir aber heute in Europa von neuem Grund und Boden reden, können wir in erster Linie nur an Russland und die ihm untertanen Randstaaten denken. Das Schicksal selbst scheint uns hier einen Fingerzeig geben zu wollen. Indem es Russland dem Bolschewismus überantwortete, raubte es dem russischen Volk jene Intelligenz, die bisher dessen staatlichen Bestand herbeiführte und garantierte.

A. Hitler: Mein Kampf. München 1936, S. 742.

c) Über das Führerprinzip

Der Staat muss in seiner Organisation, bei der kleinsten Zelle der Gemeinde angefangen bis zur obersten Leitung des gesamten Reiches, das Persönlichkeitsprinzip verankert haben. Es gibt keine Majoritätsentscheidungen, sondern nur verantwortliche Personen. (...) Der 5 Grundsatz, der das preußische Heer seinerzeit zum wundervollsten Instrument des deutschen Volkes machte, hat in übertragenem Sinne dereinst der Grundsatz des Aufbaues unserer ganzen Staatsauffassung zu sein: Autorität jedes Führers nach unten und 10 Verantwortlichkeit nach oben.

A. Hitler: Mein Kampf. München 1936, S. 500 f.

M 5 Antisemitische Bestseller

Rassistische Bücher waren oft Bestseller. Über eine Million Deutsche lasen zwischen 1917 und 1922 ein rassistisches Buch mit dem Titel „Die Sünde wider das Blut". Darin geht es u. a. auch um die „Verunreinigung" der deutschen Frauen durch Juden. Wie sich das die Nationalsozialisten vorstellten, erläutert Julius Streicher:

Artfremdes Eiweiß ist der Same eines Mannes anderer Rasse. Der männliche Same wird bei der Begattung ganz oder teilweise von dem weiblichen Mutterboden aufgesaugt und geht so in das Blut über. Ein einziger Beischlaf eines Juden bei einer arischen Frau genügt 5 um deren Blut für immer zu vergiften. Sie hat mit dem „artfremden Eiweiß" auch die fremde Seele in sich aufgenommen. Sie kann nie mehr, auch wenn sie einen arischen Mann heiratet, rein arische Kinder bekommen, sondern nur Bastarde, in deren Brust zwei 10 Seelen wohnen und denen man körperlich die Mischrasse ansieht. Auch deren Kinder werden wieder Mischlinge, das heißt hässliche Menschen von unstetem Charakter und mit Neigungen zu körperlichen Leiden. 15

Nach: P.-J. Wulf: Das Dritte Reich und seine Denker. Berlin 1959, S. 424.

Fragen und Anregungen ·····················

❶ Formuliere, was die Karikaturen M1 und M2 ausdrücken wollen.

❷ Überlege dir, welche möglichen Aussagen des Redners Hitler durch seine Gestik und Mimik hervorgehoben werden sollten. (M3)

❸ Fasse die Kernaussagen des Textes mit eigenen Worten zusammen. (M4)

❹ Überlege dir, warum rassistische Bücher mit ähnlichen Inhalten wie M5 zu Bestsellern werden konnten.

5. „Machtergreifung" und „Gleichschaltung" – der Weg in die Diktatur

27. Februar 1933	Der Reichstag brennt.
28. Februar 1933	Die Grundrechte werden durch die „Reichstagsbrandverordnung" außer Kraft gesetzt.
23. März 1933	Der Reichstag hebt mit dem „Ermächtigungsgesetz" die Gewaltenteilung auf.
April 1933	Die Länder werden „gleichgeschaltet".
2. Mai 1933	Die Gewerkschaften werden aufgelöst.
Juni/Juli 1933	Die SPD wird verboten, DNVP, DVP, Zentrum und Bayerische Volkspartei lösen sich selbst auf. Ein Gesetz verbietet die Neubildung von Parteien. SPD und KPD arbeiten im Exil.
30. Juni 1934	Hitler lässt hohe SA-Führer und politische Gegner ermorden.
2. August 1934	Nach Hindenburgs Tod vereint Hitler die Ämter des Reichspräsidenten und des Reichskanzlers. Die Wehrmacht wird auf Hitler persönlich vereidigt.

M 1 Das Hakenkreuz
(Karikatur aus „Der wahre Jakob", Anfang 1933)

Das Ende des Rechtstaates

Nach der Ernennung Hitlers zum Reichskanzler am 30. Januar 1933, ein Vorgang, den die Nationalsozialisten als „Machtergreifung" feierten, setzte Hitler für den 5. März 1933 eine Neuwahl des Reichstags an. Damit wollte er auf dem schnellsten Wege eine deutliche Mehrheit der Abgeordneten erhalten.

Eine Woche vor dem Wahltermin wurde in Berlin das Reichstagsgebäude in Brand gesteckt. Verurteilt wurde der holländische Kommunist van der Lubbe. Die Nationalsozialisten nutzen die Situation und sprachen von einer großen kommunistischen Verschwörung. Bereits einen Tag später legte Innenminister Frick (NSDAP) dem gesamten Kabinett, dem nur drei NSDAP-Minister angehörten, die „Verordnung zum Schutz von Volk und Staat" („Reichstagsbrandverordnung") vor. Das Kabinett stimmte ohne Gegenstimme zu, der Reichspräsident unterzeichnete es ohne Zögern. Damit waren die verfassungsmäßigen Grundrechte aufgehoben, jeder Deutsche konnte nun scheinbar legal ohne richterliche Verfügung und beliebig lange in Haft gehalten werden. In den nächsten Tagen wurden 40 000 Personen verhaftet. Deutschland hatte aufgehört, ein Rechtsstaat zu sein.

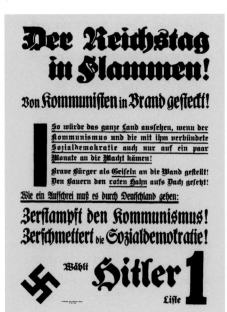

M 2 Reichstagsbrand
(Plakat der NSDAP zum Reichstagswahlkampf vom 5. März 1933)

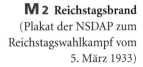

M 3 Verhaftungen der politischen Gegner
Mitglieder der KPD und SPD nach der Verhaftung im
April 1933 in einer SA-Kaserne.

M 4 Der „Tag von Potsdam" (21. 3. 1933)
Reichskanzler und Reichspräsident reichen sich die Hände.
Diese wohl eher zufällige Aufnahme wurde später als Pro-
pagandapostkarte weit verbreitet.

Trotz Propaganda und Unterdrückung brachte die Reichstagswahl am 5. März **Die Demokratie wird ab-**
1933 der NSDAP nicht die absolute Mehrheit. Sie erhielt 43,9% der Stimmen und **geschafft**
hatte auch zusammen mit der DNVP (8%) nicht die für Verfassungsänderungen
notwendige Zweidrittelmehrheit. Noch war Hitlers Macht nicht unumschränkt.
Die Nationalsozialisten wollten den Reichstag deshalb dazu bringen, von selbst auf
sein Gesetzgebungsrecht zu verzichten und dieses auf vier Jahre der Regierung zu
übertragen. Dazu brauchten sie allerdings eine Zweidrittelmehrheit – ein scheinbar
unmögliches Vorhaben, das aber durch Versprechungen und persönliche Bedro-
hungen dennoch gelang.
Am 21. März wurde der neue Reichstag ganz bewusst in der Potsdamer Garnisons-
kirche eröffnet. Diese Kirche war ein Sinnbild der Macht und Größe Preußens in
der Zeit Friedrichs des Großen und vor allem des Deutschen Kaiserreiches. Diese
Erinnerung an die „glorreiche" Preußenzeit kam an: Bürgerlich-konservative
Kreise zeigten sich vom neu geschaffenen „Dritten Reich" ebenso beeindruckt wie
Vertreter des Adels vor allem im Offizierskorps der Reichswehr und ein Großteil
der sogenannten kleinen Leute.
Zwei Tage nach diesem „Tag von Potsdam" wurde mit der notwendigen Zweidrittelmehrheit das „Gesetz zur Behebung der Not von Volk und Reich" verabschiedet.
Mit diesem „Ermächtigungsgesetz" übertrug der Reichstag der Regierung Hitler
das Recht, Gesetze ohne Zustimmung des Parlaments zu erlassen. Als einzige Partei
lehnte die SPD das „Ermächtigungsgesetz" ab. Den 81 KPD-Abgeordneten waren
schon vorher die Mandate aberkannt worden, die meisten saßen bereits in Haft.

Nun hatten die Nationalsozialisten die Möglichkeit, ihre Macht auszubauen. Die **Die „Gleichschaltung"**
„Gleichschaltung" begann: Der noch vorhandene Föderalismus wurde beseitigt, **beginnt**
die Länderregierungen durch nationalsozialistische Länderkabinette ersetzt. In den
Gemeinden kontrollierten Nationalsozialisten die Bürgermeister oder verdrängten
sie. Die politischen Parteien mussten sich auflösen. An den Schulen und Hochschulen wurden missliebige Beamte aus ihren Ämtern entfernt. Gewerkschaften
und Arbeitgeberverbände mussten sich in der nationalsozialistischen „Deutschen

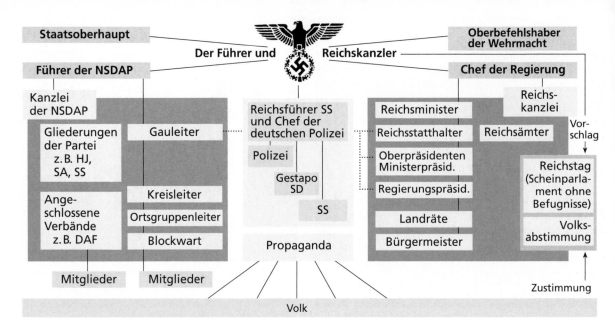

Staatsoberhaupt		**Der Führer und**	**Reichskanzler**		**Oberbefehlshaber der Wehrmacht**
Führer der NSDAP					**Chef der Regierung**

M 5 Das Herrschaftssystem der Nationalsozialisten

Die Doppelung von Ämtern führte zwar zu einer oft unübersichtlichen Überschneidung der Aufgaben und Machtbereiche, die Beibehaltung der alten Instanzen wirkte aber beruhigend auf die Bevölkerung – und Hitler hatte als „Führer und Reichskanzler" sowieso absolute Macht über alle Entscheidungen. Dazu kam, dass die Macht der Parteiämter (Gauleiter, Kreisleiter, Ortsgruppenleiter) immer mehr gegenüber den alten Ämtern (Länderregierungen, Landräten, Bürgermeistern) zunahm. Deutlich wird dies v. a. beim Gauleiter. Dieser stand ursprünglich nur an der Spitze der im ganzen Reich in Gaue eingeteilten NSDAP. Ab 1934 wurden die Gauleiter von Hitler zu Reichsstatthaltern ernannt und bildeten damit als Vertreter des Führers dessen Aufsichtsorgane über die Landesregierungen. Die SS (= Schutzstaffel) wurde seit 1929 innerhalb der SA als Leibwache Hitlers aufgebaut. Sie war 1933 nur 33 000 Mann stark, kontrollierte aber v. a. nach der Ausschaltung Ernst Röhms die zentralen Machtapparate der Partei und des Staates. Damit war die Macht der SS im Staate umfassend.

Arbeitsfront" (DAF) zwangsvereinigen. Vereine und Verbände außerhalb der nationalsozialistischen Formationen waren verboten. Presse, Rundfunk, Film, Kunst und Kulturleben wurden zu Werkzeugen der NS-Propaganda umfunktioniert.

Der Prozess der „Gleichschaltung" verlief häufig unter Drohungen und Gewalt. Für immer mehr Deutsche brauchte es aber weder Propaganda oder Einschüchterung, um sie für den Nationalsozialismus zu gewinnen. Zunehmend wuchs die Zahl derjenigen, die den „Zug der Zeit" nicht verpassen wollten und freiwillig zu willfährigen Helfern Hitlers wurden.

Viele traten nun in die NSDAP ein und die Zahl derjenigen wuchs, die ohne jeden Befehl von oben den „Führerwillen" erfüllen wollten und danach handelten. Dazu zählten Institutionen, Vereine und Verbände ebenso wie Bürgermeister, Lehrer und Beamte oder Professoren, Künstler und sogar hohe kirchliche Würdenträger. Verblendeter Idealismus und karriere- bzw. vorteilsorientierter Opportunismus gingen dabei Hand in Hand.

Mord in den eigenen Reihen

Eine Gefahr für Hitlers Machtposition ging also nicht von der Bevölkerung aus, eher schon von den eigenen Reihen. Die SA (= Sturm-Abteilung), 1921 vorwiegend aus ehemaligen Freikorps-Soldaten als Kampfverband der NSDAP gegründet, hatte sich unter Ernst Röhm zu einer eigenständigen politischen Kraft entwickelt. Röhm sah sich als zweiter Mann im Reich, denn seine SA hatte Hitler „an die Macht geprügelt". Er war daher über die Verteilung der Macht im Staate mehr als enttäuscht. Röhm forderte offen mehr staatliche Führungspositionen für sich und wollte vor allem seine SA mit der Reichswehr und zu einem „revolutionären Volksheer" unter eigener Führung verschmelzen. Dagegen wehrte sich die Führung der Reichswehr, deren fachliches Können die Nationalsozialisten für ihre Aufrüstungspläne brauchten. Gegen Röhms Pläne waren neben Hitler auch die führenden Nationalsozialisten. Gemeinsam beschlossen sie die Ausschaltung von Röhm und der SA-Führung. In Bad Wiessee wurde Röhm mit seinen engsten Mitarbeitern am 30. Juni 1934 verhaftet und durch ein SS-Kommando in München erschossen. Dasselbe Schicksal erfuhren auch alte Gegner Hitlers. Den Mord an insgesamt fast 400 Personen bezeichneten die Nationalsozialisten nachträglich als Staatsnotwehr, die einem Putsch Röhms zuvorgekommen sei. Sie rechtfertigten das Vorgehen durch ein nachträgliches Gesetz und Hitler beanspruchte, „des deutschen Volkes oberster Gerichtsherr" zu sein.

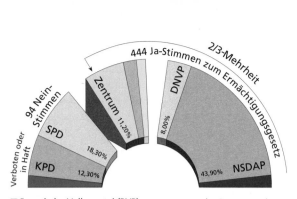

M 6 Der Reichstag nach den Wahlen vom 5. März 1933 und die Abstimmung zum „Ermächtigungsgesetz"

Als Reichspräsident Hindenburg am 2. August 1934 starb, machte Hitler sich selbst als „Führer und Reichskanzler" zum Staatsoberhaupt, womit er den Oberbefehl über die Wehrmacht übernahm. Die Reichswehr leistete nun einen persönlichen Eid auf den Führer. Was später für die Kriegsführung und die Widerstandsbewegung so fatale Folgen haben sollte, war ein freiwilliges Angebot der Reichswehrführung. Hitler hatte nun die Ämter des Parteiführers, des Reichskanzlers, des Staatsoberhauptes und des Oberbefehlshabers der Wehrmacht. Damit besaß er die unumschränkte Macht in Deutschland.

Nach Hindenburgs Tod – die unumschränkte Diktatur

❓ „Machtergreifung"

Die NSDAP feierte den 30. Januar als Tag der „Machtergreifung". Doch nicht sie hatte die Macht „ergriffen". Hindenburg hatte Hitler lediglich die Kanzlerschaft und die Aufgabe der Regierungsbildung übertragen. Das war keine Revolution, es war ein Regierungswechsel auf formaljuristisch legalem Wege. Erst im Prozess der „Gleichschaltung" der nächsten Monate vollzog sich die eigentliche Machtergreifung.

❓ „Gleichschaltung"

Mit diesem Schlagwort wird die Unterordnung aller wichtiger Organisationen (z. B. Gewerkschaften, Verbände, Medien) des öffentlichen Lebens unter die nationalsozialistische Politik und ihrer Ideologie (z. B. Führerprinzip) bezeichnet. Auch die Länder des Reiches verloren ihre Eigenständigkeit.

❓ „Drittes Reich"

Der Begriff entstammt dem Mittelalter (12. Jh.) und bezeichnete die Utopie eines Idealreiches. In der Krise von 1923 machte der Geschichtsphilosoph Moeller van den Bruck (1876–1925) den Begriff durch sein Buch „Das Dritte Reich" wieder populär. Er beschrieb darin seinen Idealstaat als ein Reich über allen Parteien. Die Nationalsozialisten benützten anfangs den Begriff propagandistisch als politisches Schlagwort. Das alte „Heilige Römische Reich Deutscher Nation" galt als erstes Reich, das Kaiserreich von 1871–1918 als zweites und das nationalsozialistische Reich als drittes. Ab 1939 wurde die offizielle Verwendung des Begriffs untersagt und seitdem vom „Großdeutschen Reich" gesprochen.

M 7 „Freiheit und Leben kann man uns nehmen..."

Der Abgeordnete Wels begründet die Ablehnung des Ermächtigungsgesetzes durch die SPD:

Freiheit und Leben kann man uns nehmen, die Ehre nicht. Nach den Verfolgungen, die die Sozialdemokratische Partei in der letzten Zeit erfahren hat, wird billigerweise niemand von ihr verlangen oder erwarten
5 können, dass sie für das hier eingebrachte Ermächtigungsgesetz stimmt. Die Wahlen vom 5. März haben den Regierungsparteien die Mehrheit gebracht und damit die Möglichkeit gegeben, streng nach Wortlaut und Sinn der Verfassung zu regieren. Wo diese Mög-
10 lichkeit besteht, besteht auch die Pflicht (...).

Nach: Dokumente der Deutschen Politik und Geschichte von 1848 bis zur Gegenwart. IV. Bd.: Die Zeit der nationalsozialistischen Diktatur 1933-1945. Aufbau und Entwicklung 1933–1938. Berlin u. München o. J., S. 29 ff.

M 8 Das „Gesetz zur Behebung der Not von Volk und Staat" (Ermächtigungsgesetz) vom 24. März 1933:

Artikel 1. Reichsgesetze können außer in dem in der Reichsverfassung vorgesehenen Verfahren auch durch die Reichsregierung beschlossen werden.(...)

Artikel 2. Die von der Reichsregierung beschlossenen Reichsgesetze können von der Reichsverfassung abweichen, soweit sie nicht die Einrichtung des Reichstags und des Reichsrats als solche zum Gegenstand haben. Die Rechte des Reichspräsidenten bleiben unberührt.

Artikel 3. Die von der Reichsregierung beschlossenen Reichsgesetze werden vom Reichskanzler ausgefertigt und im Reichsgesetzblatt verkündet. (...)

Artikel 4. Verträge des Reiches mit fremden Staaten, die sich auf Gegenstände der Reichsgesetzgebung beziehen, bedürfen für die Dauer der Geltung dieser Gesetze nicht der Zustimmung der an der Gesetzgebung beteiligten Körperschaften. Die Reichsregierung erlässt die zur Durchführung dieser Verträge erforderlichen Vorschriften.

Artikel 5. Dieses Gesetz tritt mit dem Tage seiner Verkündung in Kraft. Es tritt mit dem 1. April 1937 außer Kraft, es tritt ferner außer Kraft, wenn die gegenwärtige Reichsregierung durch eine andere abgelöst wird.

Nach: Dokumente der Deutschen Politik und Geschichte von 1848 bis zur Gegenwart. IV. Bd.: Die Zeit der nationalsozialistischen Diktatur 1933-1945. Aufbau und Entwicklung 1933–1938, Berlin u. München o. J., S. 40.

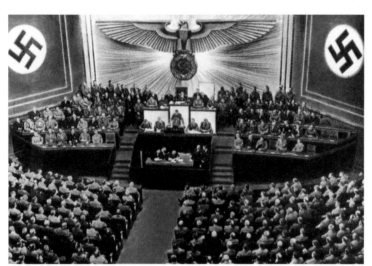

M 9 Reichstagssitzung in der Krolloper
Sie dienten nach dem „Ermächtigungsgesetz" als wirkungsvolle Kulisse für die Reden des Führers. Vor jeder Sitzung wurde das Deutschlandlied gesungen. Debatten fanden nicht mehr statt.

Fragen und Anregungen

❶ Deute die Karikatur M1.

❷ Erläutere, welche Folgen der Reichstagsbrand für den laufenden Wahlkampf und die Abschaffung der Demokratie hatte. (VT, M2, M3)

❸ Erkläre die propagandistische Wirkung des Tages von Potsdam. (VT, M4)

❹ Stelle zusammen, welche demokratischen Grundlagen der Weimarer Verfassung durch die Nationalsozialisten zerstört worden sind. Ordne jeweils die entsprechenden Ereignisse zu, die dazu führten. (VT, M5, M6, M7 und M8)

❺ Erläutere, warum die Ämtervielfalt und die sich daraus ergebende Konkurrenz der Kompetenzen dem Führerprinzip nicht widersprach, sondern sogar besonders entgegenkam. (M5)

6. „Kanonen statt Butter" – ein Wirtschaftswunder?

1933	Die staatlichen Arbeitsbeschaffungsprogramme beginnen. Die Arbeitslosigkeit sinkt rasch.
1935	Die allgemeine Wehrpflicht wird eingeführt. Alle 18-jährigen Jugendlichen haben ein halbes Jahr Reichsarbeitsdienst (RAD) zu leisten.
1936	Ein Vierjahresplan für die Wirtschaft hat das Ziel der Autarkie und soll Deutschland kriegsfähig machen.

Arbeitsbeschaffungs-programme

Die Nationalsozialisten hatten vor und besonders seit der Weltwirtschaftskrise dem Volk „Arbeit und Brot" versprochen. Sie wussten, dass die Bevölkerung die Regierung vor allem nach ihren wirtschaftlichen Erfolgen beurteilen würde. Vorrangiges Ziel war daher zuerst die Beseitigung der Arbeitslosigkeit. Aber die führenden Nationalsozialisten hatten auch weiterreichende Ziele: Deutschland sollte für ihre Expansionspolitik militärisch aufgerüstet und wirtschaftlich unabhängig (autark) gemacht werden.

Als Sofortprogramme gegen die Arbeitslosigkeit wurden staatliche Großprojekte entwickelt, bei denen statt Maschinen der Masseneinsatz von Menschen möglich war.

Dabei profitierten die Nationalsozilisten davon, dass verschiedene Programme bereits in der Weimarer Republik begonnen worden waren. Einen Schwerpunkt der Arbeitsbeschaffungsprogramme bildete so z. B. der Bau von Autobahnen, für den bald über 100 000 Arbeiter beschäftigt waren. Die Autobahnen wurden zu einem großen propagandistischen Erfolg und bis heute behauptet sich die Legende, Hitler habe die Autobahn erfunden, um die Arbeitslosigkeit zu beseitigen. Der Prototyp der Autobahn, die Berliner AVUS (Automobil-Verkehrs- und -Übungsstraße), war allerdings schon 1921 fertiggestellt worden. Weitere Großprojekte waren die Neugestaltung der Reichshauptstadt Berlin, der Bau des Reichsparteitagsgeländes in Nürnberg oder der Ausbau des Königsplatzes in München. Dazu kamen der Wohnungsneubau und die Altbaurenovierung sowie ab 1937 vor allem der Bau von Kasernen und Rüstungsbetrieben.

Im Juni 1935 trat das „Reichsarbeitsdienstgesetz" in Kraft, das für alle 18-jährigen Jugendlichen ein halbes Jahr Arbeitsdienst vorschrieb. 200 000 bis 300 000 Jungen und Mädchen befanden sich so ständig in den RAD-Lagern. Die jungen Männer arbeiteten für z. B. bei der Trockenlegung von Mooren oder im Hochwasserschutz. Die „Arbeitsmaiden" waren meist als landwirtschaftliche Hilfskräfte oder bei kinderreichen Familien eingesetzt. Bei einer täglichen Entlohnung von 25 Pfennigen entstand dem Staat keine nennenswerte finanzielle Belastung, der Arbeitsmarkt aber war entlastet.

M 1 „Spatenappell"
Angehörige des Reichsarbeitsdienstes beim Appell.

M 2 Gigantomanie in der Architektur
Die geplante Kuppelhalle am „Großen Platz"
in Berlin, davor maßstabgetreu nachgebildet das
Reichstagsgebäude und das Brandenburger Tor.
Die kupferbedeckte Kuppel sollte 230 Meter hoch
werden und im Inneren 160 000 bis 180 000
stehende Menschen fassen.

**Vierjahrespläne als
Kriegsvorbereitung**

Nach dem 1936 verkündeten ersten Vierjahresplan sollte die deutsche Wirtschaft in
vier Jahren „kriegsfähig" und die Wehrmacht „einsatzfähig" sein; zum anderen
sollte Deutschland durch eine weitgehende Selbstversorgung in den Bereichen Lebensmittel und Rohstoffe vom Ausland unabhängig sein.

Die im „Reichsnährstand" zentral organisierten Bauern erhielten genaue Anweisungen über Anbau, Preis, Ablieferung und Verkauf. Die Förderung heimischer
Rohstoffe stieg. Dabei kamen für besonders schwere Arbeiten, z. B. im Steinbruch,
bereits früh KZ-Häftlinge zum Einsatz.

Obwohl auch die Herstellung synthetischer Stoffe (z. B. Gummi, Treibstoff und
Kohle) stieg, blieb Deutschland bei wichtigen Rohstoffen (Erdöl, hochwertigen
Eisenerzen, Buntmetallen u. a.) weiterhin auf den Import angewiesen.

Dem gesamtwirtschaftliche Ziel der Aufrüstung musste sich auch der Konsum der
Bevölkerung unterordnen. Die Kaufkraft der Bevölkerung blieb niedrig, da Löhne
und Gehälter den Tiefstand nach den Sparmaßnahmen der Regierung Brüning
(vgl. S. 18) nicht überstiegen.

Ein Wirtschaftswunder?

Trotz anhaltend niedriger Konsummöglichkeiten und häufiger Knappheit an Ver-
sorgungsgütern fühlten sich die meisten Deutschen am Beginn eines Wirtschaftswunders. Die Popularität des Führers stieg weiter. Nur wenigen war es möglich, die
Schattenseiten der nationalsozialistischen Wirtschaftspolitik zu erkennen. Die Ar-
beitslosenzahlen waren zwar rasch gesunken, die Statistiken dazu aber auch ge-
schönt: Die Wiedereinführung der Wehrpflicht trug z. B. ebenso dazu bei wie das
Hinausdrängen der Frauen aus dem Arbeitsleben. Jede Frau sollte ihre Erfüllung in
der Rolle als Mutter finden (vgl. S. 41).

Zudem wurde die Finanzierung der Aufrüstung immer deutlicher zu einer schweren Belastung. Da die jährlichen Einnahmen des Reiches dafür bei weitem nicht
ausreichten, bezahlte Reichsbankpräsident Hjalmar Schacht die Produzenten mit
„Wechseln" (befristete Zahlungsversprechen), die der Staat spätestens nach 5 Jahren einlösen sollte. Als sich die Einlösung der Wechsel verzögerte, trat Schacht zurück. Die Nationalsozialisten nahmen nun immer mehr langfristige Anleihen auf
und setzten einen Mehrdruck von Papiergeld durch. Geldentwertung und steigende
Staatsverschuldung waren die Folge. Die scheinbar erfolgreiche Wirtschaftspolitik
hätte im Frieden geradewegs in den Bankrott geführt. Längst hatten daher die
Nationalsozialisten geplant, diese Probleme durch Kriege und Eroberung neuer
Wirtschafts- und Rohstoffräume zu lösen.

M 3 Entwicklung der Tarif-Stundenlöhne (in Pfennig)

	1929	1932	1936	1939
Facharbeiter	101,1	81,6	78,3	79,1
Hilfsarbeiter	79,4	64,4	62,3	62,8
Facharbeiterin	63,4	53,1	51,6	51,5
Hilfsarbeiterin	52,7	43,9	43,4	44,0

(R. Erbe: Die nationalsozialistische Wirtschaftspolitik 1933–1939 im Licht der modernen Theorie. Zürich 1958, S. 36 ff.)

M 5 Durchschnittlicher Jahresverbrauch in einem Vier-Personen-Haushalt

	1928	1937
Fleisch (kg)	146,5	118,5
Eier (Stück)	472	258
Milch (l)	481	358
Kartoffel (kg)	507,8	530,3
Gemüse (kg)	127,3	117,8

M 4 „Hurra, die Butter ist alle"

(Fotomontage von John Heartfield)

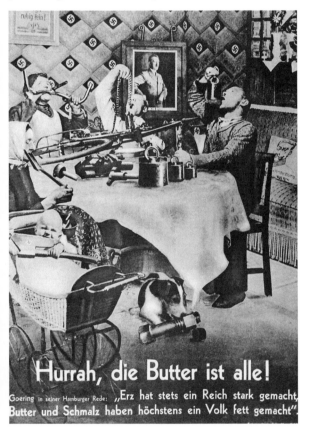

M 6 Arbeitslosigkeit, Rüstung, Staatsverschuldung

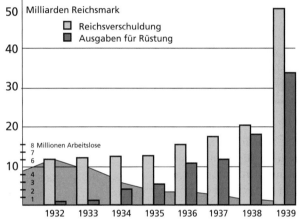

M 7 Schweinefleisch ist für den Spießer da."

Zur Ernährungslage sagte Goebbels 1936:

Und wenn es heute in der Ernährungslage des deutschen Volkes eine Schwierigkeit gibt, dann wird sie bestimmt nicht dadurch überwunden, indem genörgelt wird (...). Ich bin der Meinung, wenn das Schweinefleisch knapp ist, dann sagen die Parteigenossen: Wir essen kein Schweinefleisch, denn das Schweinefleisch ist für den Spießer da. Ich kann mir heute vorstellen, dass keiner der alten Parteigenossen sich aufregt, weil es keine Eier gibt. Er isst dann eben keine Eier. 5

Nach: P. Meier-Benneckenstein (Hg.): Dokumente der Deutschen Politik, Bd. IV, Nr.1.

Fragen und Anregungen ....

❶ Stelle fest, inwieweit sich die wirtschaftlichen Maßnahmen auf den Lebensstandard der Bevölkerung bzw. die Kriegsrüstung auswirkten. (VT, M3–M7)

❷ Erkläre den Zusammenhang zwischen Kosten der Aufrüstung sowie Staatsverschuldung. (VT, M6)

❸ Beschreibe die Entwicklung des Lebensstandards 1928–1939. (M3, M4, M5, M7)

❹ Finde Argumente, um die heute noch viel gehörte Behauptung, Hitler habe die Arbeitslosigkeit beseitigt, zu entkräften.

7. Volksgemeinschaft und Führerkult

„Du bist nichts, dein Volk ist alles"

Ohne Angst vor Arbeitslosigkeit ein besseres Leben führen zu können, war das eine, was sich die meisten Deutschen vom Nationalsozialismus erhofften; eine andere Hoffnung war, dies in einem Volk ohne große sozialen Unterschiede und Ungerechtigkeiten tun zu können. Die nationalsozialistische Parole der Volksgemeinschaft übte daher auf fast alle Bevölkerungsgruppen eine große Anziehungskraft aus. Arbeiter hofften auf die Abschaffung der Klassenunterschiede, die Mittelschichten und die Bauern wollten von einem sozialen Abstieg bewahrt werden.

Die Nationalsozialisten versprachen den Deutschen zwar diese Volksgemeinschaft, doch es blieb bei einem Versprechen. Ziel der Nationalsozialisten war nicht die Freiheit und Gleichheit der Deutschen – im Gegenteil: Volksgemeinschaft hieß bei den Nationalsozialisten Gleichschaltung auch der privaten und beruflichen Bereiche. Jeder „Volksgenosse" sollte in vielfältigen nationalsozialistischen Organisationen eingegliedert werden, damit er dort im Sinne des Nationalsozialismus sein Leben und Denken grundlegend ändere.

M 1 Das Führerbild
So sollten sich die Deutschen Hitler als Staatsmann einprägen. Dieses Bild hing in Klassenzimmern, Amtsräumen, Geschäften und auch Wohnzimmern.

So entstanden das Nationalsozialistische Kraftfahrer-Korps (NSKK), der Nationalsozialistische Studentenbund oder die Nationalsozialistische Frauenschaft. An die NSDAP angeschlossene und von NSDAP-Funktionären geführte Organisationen waren u. a. der Nationalsozialistische Lehrerbund, der Nationalsozialistische Deutsche Ärztebund, der Nationalsozialistische Rechtswahrerbund, der Reichsnährstand der Bauern, der Nationalsozialistische Bund Deutscher Techniker. Die Nationalsozialistische Volkswohlfahrt und das Winterhilfswerk halfen zwar Bedürftigen, dafür sollte aber jeder spenden. Wer dies nicht tat oder nicht der ihn betreffenden Organisation beitrat, wer nicht an deren Veranstaltungen teilnahm, der machte sich verdächtig, Gegner des nationalsozialistischen Staates zu sein. Gemäß der Parole „Du bist nichts, dein Volk ist alles!" sollten durch die Organisationen der Volksgemeinschaft jegliche Individualität und Personalität der einzelnen Menschen aufgehoben und jeder als gleich denkendes und handelndes Wesen im Volke aufgehen. Das Volk aber repräsentierte der Führer, der damit weit über die Masse herausgehoben wurde.

„Führer befiehl, wir folgen"

„Er ist die Wahrheit selbst. Er hat die Gabe, das zu sehen, was den Augen anderer Menschen verborgen bleibt", sagte Propagandaminister Goebbels . Die Verherrlichung Hitlers wurde planmäßig aufgebaut. Jeder sollte sich dem Glauben an den Führer unterordnen. Um von vornherein jeden Zweifel an der Richtigkeit der Führerbefehle auszuschließen, wurden ihm übermenschliche Eigenschaften zugeschrieben. Der Kult um den Führer machte ihn zum „Ersatzgott" und den Nationalsozialismus zur „Ersatzreligion". Der Aufbau des Führerkults geschah aber nicht nur durch organisierte Propaganda der Nationalsozialisten oder durch Druck von oben. Die meisten Deutschen steigerten sich selbst geradezu in eine Hysterie hinein, wenn der Führer irgendwo auftrat oder wenn Staat oder Gemeinden „Führers Geburtstag" feierten. Die Dynamik des Führerkults entwickelte sich von oben und von unten und erreichte damit das, was die Nationalsozialisten wollten: Der Führer wurde für viele zum Symbol für die Einheit und den Zusammenhalt des deutschen Volkes.

Geflügelte Worte wie „Der Führer wird es schon wissen!" oder „Der Führer wird es schon richtig machen!" zeigen, wie sehr die meisten Deutschen seiner Unfehlbarkeit vertrauten. Dies wird auch dadurch deutlich, dass erkennbares Unrecht oder unbezweifelbare Verbrechen der Nationalsozialisten oft mit der Aussage entschuldigt wurden: „Wenn das der Führer wüsste ..."

M 2 Reichsparteitag in Nürnberg, 1936

Die Inszenierung: Das Gelände wurde nachts durch Scheinwerfer wirkungsvoll beleuchtet; Fackel-, Fahnen- und Standartenträger zogen auf; Trommelwirbel und Fanfarenstöße ertönten; uniformierte Parteimitglieder bildeten geschlossene Blocks, andere ein Spalier, durch das der Führer dem Podium zuschritt.

M 3 „Wir haben unseren Führer gesehen!"

Eine Jungmädelführerin berichtet über ihre Begegnung mit dem Führer:

„Wir haben unseren Führer gesehen!" erzählten wir immer wieder strahlend und berichteten jedem, der davon hören wollte. (...) Von weitem sahen wir seinen Kopf. Alles zuckte in mir, ich konnte kaum etwas sagen, denn zum ersten Mal sah ich unseren Führer, ihn, der Deutschland vor seinem sicheren Untergang errettete. (...) Wir alle sahen den Führer an, aber keine von uns konnte seinen Blick ertragen. Er schien unsere innersten Gedanken zu lesen, nickte leicht mit dem Kopf, und ich glaube, jede von uns Mädels hat sich in diesen Sekunden geschworen, dass sie ihm ewig die Treue halten und immer für seine Sache kämpfen wird.

Nach: E. Martin: Glauben und rein sein. WDR 1994.

M 4 „Dem Führer entgegen arbeiten ..."

Der Staatssekretär im preußischen Landwirtschaftsministerium sagte am 21. Februar 1934 in Berlin:

Jeder, der Gelegenheit hat, das zu beobachten, weiß, daß der Führer sehr schwer von oben her alles das befehlen kann, was er für bald oder für später zu verwirklichen beabsichtigt. Im Gegenteil, bis jetzt hat jeder an seinem Platz im neuen Deutschland dann am besten gearbeitet, wenn er sozusagen dem Führer entgegen arbeitet. (...)

Sehr oft (...) ist es so gewesen, daß schon in den vergangenen Jahren einzelne immer nur auf Befehle und Anordnungen gewartet haben. (...) Wer aber dem Führer in seiner Linie und zu seinem Ziel richtig entgegen arbeitet, der wird bestimmt wie bisher so auch in Zukunft den schönsten Lohn darin haben, daß er eines Tages plötzlich die legale Bestätigung seiner Arbeit bekommt. [15]

Nach: Ian Kershaw: Hitler 1889–1936. Stuttgart, 2. Auflage 1998, S. 665 (Übers. v. J. P. Krause u. J.-W. Rademacher).

M 5 Eintopfessen

Einmal monatlich sollten alle Eintopf essen und das so gesparte Geld dem Winterhilfswerk spenden.

Fragen und Anregungen

1 Erläutere, was die Nationalsozialisten mit ihrer These von der „Volksgemeinschaft" bezweckten. Setze die Bilder M2 und M5 dazu in Beziehung. Von welchen Gefühlen sollte der Einzelne jeweils erfasst werden?

2 Versuche anhand des VT und der Materialien M1–M3 die Wirkung Hitlers auf die Massen zu erklären.

3 Erläutere die Aufforderung in M4, jeder sollte „dem Führer entgegen arbeiten".

Mittel und Methoden der Propaganda erkennen

Die Propaganda ist allgegenwärtig ...

Bereits im März 1933 wurde ein „Ministerium für Volksaufklärung und Propaganda" unter Joseph Goebbels eingerichtet. Eine der Hauptaufgaben des Ministeriums war es, das Volk durch Radio, Film und andere Medien sowie durch vielfältige Veranstaltungen „bei der Stange zu halten". Diese Doppelseite kann nur einige Beispiele der propagandistischen Mittel und Methoden zur Manipulation (Beeinflussung) der Deutschen aufzeigen. Neben vielen anderen Bereichen wurden auch Massenaufmärsche, Presse, die Wochenschau im Kino und vor allem die Schulbücher für fast alle Fächer dafür eingesetzt.

M 1 Volksempfänger
Seit 1934 wurde dieses preiswerte Radio hergestellt. 1936 besaßen es bereits 30 Millionen Deutsche. Ausländische Sendungen konnten damit nicht empfangen werden.

M 2 „Bereitschaft"
(Plastik von Arno Breker, 1939)
Solche Werke wurden als „Deutsche Kunst" gefeiert.

M 3 „Mutter und Kind"
Diese Zeichnung von Werner Scholz wurde als „Entartete Kunst" bezeichnet, 1932.

M 4 Ein Theaterzug auf dem Lande (ohne Datum)

M 5 Ein Kinderfest 1933 in der Wohnsiedlung Berlin-Weißensee

M 6 KdF-Reisen

Die Organisation „Kraft durch Freude" führte preisgünstig die Freizeit- und Urlaubsgestaltung durch.

M 7 Wunschkonzert
(Filmplakat, 1940)

M 8 „So und nicht so"
(Plakat für Verschönerungs-Feldzüge in den Betrieben)

M 9 Der ewige Jude
(Plakat zu einer Ausstellung, 1937)

Fragen und Anregungen

❶ Stelle fest, welche Mittel der Propaganda eingesetzt wurden.

❷ Nenne die Bereiche des öffentlichen Lebens, die die Propaganda damit erfasste.

❸ Erläutere, welche Bevölkerungsgruppen jeweils die Adressaten der verschiedenen Propagandamittel waren.

❹ Erkläre, welche Wirkung diese Propagandamittel auf die jeweilige Bevölkerungsgruppe ausüben sollten und auch ausübten.

❺ Lege dar, welche Mittel besonders wirkungsvoll waren, die Masse der Bevölkerung zu gewinnen.

❻ Überlege dir, welche Mittel der Propaganda auch in Kriegszeiten dazu beitrugen, das Volk „bei der Stange zu halten".

❼ Erkläre, inwiefern auch Feindbilder als Mittel und Methode der Propaganda wirken können.

❽ Diskutiert, inwieweit durch die aufgezeigten Mittel von einer allgegenwärtigen Propaganda gesprochen werden kann.

8. „Und sie werden nicht mehr frei ...''

Erziehungsziele

Von Anfang an war es den Nationalsozialisten wichtig, die Jugend zu gewinnen. Schon im Kindergarten und in der Grundschule wurden sie im Sinne der Nationalsozialisten erzogen, damit sie sich später vollkommen mit dem Staat identifizieren. Begriffe wie Vaterland, Ehre, Treue oder Disziplin spielten in allen Unterrichtsfächern eine große Rolle – ebenso wie das Fach Sport und allgemeine körperliche Ertüchtigung. Dazu kam Rassenkunde als schulisches Pflichtfach.

Im Verhalten mussten die Schülerinnen und Schüler vor allem allen Anordnungen der Lehrkräfte gegenüber gehorsam sein. Mit dem gleichen Recht wie Eltern und Schule – sogar oft noch wirksamer – wirkte seit 1936 auch die Organisation der Hitlerjugend (HJ) bei der Erziehung der Jugendlichen mit.

Von der Parteijugend zur Staatsjugend

Die HJ war 1926 als nationalsozialistische Jugendorganisation gegründet worden und war bis Anfang 1933 auf 100 000 Mitglieder angewachsen. Ende 1934 war sie bereits eine Massenorganisation von 3,5 Millionen Jugendlichen, vor allem weil in dieser Zeit alle anderen Jugendorganisationen zwangsweise „gleichgeschaltet", also eingegliedert wurden. Organisationen, die sich verweigerten, wurden – mit Ausnahme der katholischen Gruppen – verboten . Manche Jugendgruppen schlossen sich allerdings auch freiwillig an. Ab 1936 mussten alle deutschen Kinder ab 10 Jahren („Pimpfe") dem „Deutschen Jungvolk" (DJ) bzw. den „Deutschen Jungmädeln" (JM), von 14 Jahren bis 18 Jahren der Hitlerjugend (HJ) bzw. dem „Bund Deutscher Mädel" (BDM) beitreten.

Viele Jugendliche waren in den ersten Jahren mit Eifer und Begeisterung bei der HJ, denn sie bot durch Zeltlager, Geländespiele, Lagerfeuer, Ausflüge und Heimabende oder andere Unternehmungen Abenteuer mit Freunden und Abwechslung vom täglichen Einerlei. Viele Jugendlichen fühlten sich auch durch das Prinzip „Jugend muss durch Jugend geführt werden" (d. h. ein Gruppenführer war kaum älter als die Mitglieder) in ihrem Streben nach Selbstständigkeit angesprochen.

Manche ältere Mitglieder dachten sicher aber auch schon an ihre persönlichen Karriere, denn engagierte Mitarbeit in der HJ oder beim BDM waren einem Weiterkommen an den höheren Schulen oder Universitäten förderlich. Die Jugendorganisationen unterstanden dem Reichsjugendführer Baldur von Schirach.

Der Aufbau der Organisationen folgte von oben nach unten streng nach dem Führerprinzip. Das heißt am Beispiel der HJ: Dem Obergebietsführer waren ca. 750 000 Jungen, dem Gebietsführer ca. 150 000, dem Bannführer ca. 3 000, dem Unterbannführer ca. 600, dem Gefolgschaftsführer ca. 150, dem Scharführer ca. 50, dem Kameradschaftsführer ca. 15 und schließlich dem Rottenführer 5 Jungen unterstellt.

Das Deutsche Jungvolk, die Deutschen Jungmädel und der Bund Deutscher Mädel besaßen eine gleichgeartete Organisationsform. Die Mädchen wurden in städtischen Haushalten oder bei Arbeiten in der Landwirtschaft vor allem für die Haushaltsführung und ihre Rolle als Mutter vorbereitet. Für die Jungen dagegen ging nach vier Jahren HJ der nationalsozialistische Weg weiter zum RAD, zur NSDAP, dann zur Wehrmacht, zur SA bzw. zur SS oder zu einer der verschiedenen NS-Organisationen. So wie Hitler gesagt hatte: „Und sie werden nicht mehr frei, ihr ganzes Leben (...).''

M 1 Uniformen

Oben: Jungvolk und Jungmädel (ab 10 Jahre).
Mitte: Hitlerjugend und Bund Deutscher Mädel (ab 14 Jahre).
Unten: Arbeitsdienst (ab 18 Jahre).

M 2 Körperertüchtigung im Bund Deutscher Mädel

M 5 Jungvolk beim Kleinkaliberschießen

M 3 Hitler 1926 über Erziehung

Die nationalsozialistischen Erziehungsziele erläutert Hitler so:

Der völkische Staat hat (…) seine gesamte Erziehungsarbeit in erster Linie nicht auf das Einpumpen bloßen Wissens einzustellen, sondern auf das Heranzüchten kerngesunder Körperbildung. (…) Hier aber wieder an der Spitze die Entwicklung des Charakters, besonders die Förderung der Willens- und Entschlusskraft, verbunden mit der Erziehung zur Verantwortungsfreudigkeit, und erst als letztes die wissenschaftliche Schulung. (…) Vor allem aber, der junge, gesunde Knabe soll auch Schläge ertragen lernen. (…) Nicht im ehrbaren Spießbürger oder der tugendsamen alten Jungfer sieht (der Staat) sein Menschheitsideal, sondern in der trotzigen Verkörperung männlicher Kraft und in Weibern, die wieder Männer zur Welt zu bringen vermögen.

A. Hitler: Mein Kampf. Band 2, München 1926, S. 452 ff.

M 4 „Der Wagen des Führers"

Originaltreue Nachbildung von Hitlers Auto als Kinderspielzeug, 1940.

M 6 „... die Schikane hatte Methode"

Ein Mann über seine Zeit als „Pimpf" im DJ:

Zwölfjährige Hordenführer (vgl. Rottenführer bei der HJ) brüllten zehnjährige Pimpfe zusammen und jagten sie über die Schulhöfe, Wiesen und Sturzäcker. Die kleinsten Aufsässigkeiten, die harmlosesten Mängel an der Uniform, die geringste Verspätung wurde mit [5] Strafexerzieren geahndet. Aber die Schikane hatte Methode. Uns wurden von Kindesbeinen an Härte und blinder Gehorsam eingedrillt.

Nach: H. Focke, U. Reimer und M. Strocka: Alltag unterm Hakenkreuz. Hamburg 1979, S. 45.

M 7 Rassenlehre in einem Kinderbuch, 1938

Die Kapitelüberschrift im Buch lautet: „Woran erkennt man einen Juden?" Im Original steht unter dem Bild: „Die Judennase ist an der Spitze gebogen."

M 8 „Wir lernen, was feldmarschmäßig ist"

Ein ehemaliger „Pimpf" berichtet über seine Zeit im „Deutschen Jungvolk":

Aus der Stadt heraus und bis zum Wald marschieren wir. Vor dem Wald löst sich die Einheit auf. Wir durchstreifen ihn schleichend, stets darauf bedacht, uns vor einem fiktiven Feind zu verbergen. Kein Wort fällt. (...)
5 Kurz vor dem Lagerplatz, der als „vom Feind besetzt" gilt, brechen wir mit Gebrüll zum Sturmangriff aus dem Gebüsch. Natürlich besiegen wir den Feind und schlagen da, wo er gelegen hat, unsere Zelte auf. (…) Später schlafen wir in den Zelten ein. Wir schlafen
10 ruhig: (...) Das Kameradschaftsgefühl gibt Sicherheit. Am Sonntag das obligate Geländespiel, das Training im unerbittlichen Freund-Feind-Gefühl. (...) Abends kommen wir nach Hause, müde, aber glücklich. Mancher trägt stolz am Kopf eine Beule in die Wohnküche, Mut-
15 ter ist entsetzt, Vater ist stolz (...).

Nach: Fritz Langour: Anschleichen, Tarnen, Melden. Ein Pimpf erinnert sich. In: Ein Volk, ein Reich, ein Führer. Band 2, bearb. von Christian Zentner. München 1975, S. 406 ff.

M 9 Androhung der Entlassung

Ein Fähnleinführer des Deutschen Jungvolks schrieb am 15. Juli 1936 an eine Familie in Duisburg folgenden Brief:

Da Ihr Sohn Herbert schon längere Zeit es nicht für nötig fand, am Jungvolkdienst teilzunehmen, möchte ich Sie höflichst auf das Reichsjugendgesetz aufmerksam machen, aufgrund dessen Ihr Sohn verpflichtet ist,
5 zum Dienst zu kommen, ebenso wie er zur Schule gehen muss. Falls er noch einmal ohne triftigen Grund fehlt, werde ich sofort (...) beantragen, dass Ihr Sohn aus den Reihen des Jungvolks in der HJ ausgestoßen wird. Was das für das spätere Fortkommen des Jungen
10 bedeutet, kann er selbst noch gar nicht erfassen, darum wende ich mich auch an Sie. Ich bitte Sie nochmals höflichst (...) den Jungen zum Dienst zu schicken, andernfalls muss ich das Nötige einleiten.
Heil Hitler!

Nach: Stadtarchiv Duisburg: Duisburg im Nationalsozialismus – Eine Dokumentation zur Ausstellung des Stadtarchivs. DEK 1982/83.

M 10 Rassenlehre im Unterricht

Reichserziehungsminister Rust über rassisches Denken im Unterricht, 1935:

Zweck und Ziel der Vererbungslehre und Rassenkunde im Unterricht muss es sein, vor allem die Folgerungen daraus für alle Fach- und Lebensgebiete zu ziehen und nationalsozialistische Gesinnung zu wecken. (...) Bei der Besprechung der europäischen Rassen und insbesondere der Rassenkunde des deutschen Volkes muss das nordisch bestimmte Rassengemisch des heutigen deutschen Volkes gegenüber andersrassigen, fremdvölkischen Gruppen, besonders dem Judentum gegenüber, herausgestellt werden. (...) Aus dem Rassegedanken ist weiterhin die Ablehnung der sogenannten Demokratie oder anderer Gleichheitsbestrebungen (...) abzuleiten und der Sinn für den Führergedanken zu stärken. Die Weltgeschichte ist als Geschichte der rassisch bestimmten Volkstümer darzustellen. (...) Dass vor allem Leibesübungen eine überragende Bedeutung zukommt, versteht sich von selbst.

Nach: Grundriss der Geschichte. Bd. 2, Stuttgart 1985, S. 163.

M 11 Nicht immer herrschte Kasernenton

Über ihre Schulzeit berichtet 1998 Helga Breil. Sie war ehemalige Schülerin an der Helene-Lange-Realschule in Essen:

Eines Tages wurden die Kreuze aus jedem Klassenzimmer herausgeholt. Das übliche Gebet vor dem Unterricht wurde verboten, stattdessen sollten nationalsozialistische Lieder gesungen werden. Erst später wurde mir bewusst, wie viel Mut meine Lehrerinnen bewiesen, die einfach die Anweisungen missachteten und weiterhin das Morgengebet beibehielten. Mir sind nur drei Lehrer in Erinnerung, die mit dem Hitlergruß vor die Klasse traten, bei den anderen blieb es beim „Guten Morgen, meine lieben Kinder". (...) Im Geschichtsunterricht hatten wir zwar Bücher von der Schule bekommen, meine Lehrerin benutzte sie nie, sie gab sich große Mühe, stellte selbst Texte zusammen und diktierte sie uns.

Nach: Stadtarchiv Duisburg: Duisburg im Nationalsozialismus – Eine Dokumentation zur Ausstellung des Stadtarchivs. DEK 1982/83.

Fragen und Anregungen

❶ Überprüfe, inwieweit sich Hitlers Erziehungsziele in der Praxis der Ausbildung der DJ und der HJ widerspiegeln. (M2, M3, M6)

❷ Fasse zusammen, wie die nationalsozialistische Rassenlehre damals in der Schule behandelt werden sollte. (M7, M10)

❸ Überlege, was die Nationalsozialisten mit solchem Kinderspielzeug wie in M4 dargestellt schon bei Kleinkindern erreichen wollten.

❹ Erläutere, wie manche Lehrerinnen und Lehrer versuchten, der nationalsozialistischen Beeinflussung zu entgehen. (M11)

9. „Viele Kinder für das Reich"

Der Volksmund gab dem BDM (Bund Deutscher Mädel) die Bedeutung „Bald Deutsche Mutter" und traf damit den Nagel auf den Kopf, was die nationalsozialistische Frauenpolitik betraf. Bis zum Beginn des Krieges war für die Nationalsozialisten die Rolle der Frau im Staat und in der Gesellschaft eindeutig bestimmt: Der Frau wurde vorrangig die Aufgabe der fürsorglichen Mutter und der treuen Gattin zugewiesen. „Das Ziel der weiblichen Erziehung hat unverrückbar die kommende Mutter zu sein" – hieß es in „Mein Kampf" und die nationalsozialistische Propaganda und Frauenpolitik richtete sich danach.

Massive Werbung und vielfache Verbote sollten die Frauen zum Verzicht auf Berufstätigkeit und Studium bewegen. Und die Nationalsozialisten hatten mit ihren Kampagnen auch Erfolg. Günstige Ehestandsdarlehen veranlassten ca. 380 000 berufstätige Frauen, aus dem Berufsleben auszuscheiden, um als Hausfrauen und Mütter „artgemäß" zu leben. Zudem erschwerte es die Propaganda gegen die „Doppelverdiener" verheirateten Frauen, sich im Beruf zu halten. Verheiratete Beamtinnen wurden entlassen, seit 1936 war den Frauen der Beruf der Richterin oder Anwältin verboten. Geduldet waren nur Kindergärtnerinnen und Berufe im Pflegedienst oder in der Landwirtschaft. Die Zahl der Studienanfängerinnen an den Hochschulen war auf 10% aller neu eingeschriebenen Studenten beschränkt.

M 1 Das Ehrenkreuz der Deutschen Mutter

Andererseits wurde die Aufforderung, „dem Führer Kinder zu schenken", durch öffentliche Ehrungen gefördert. Für Mütter mit vier, sechs bzw. acht Kindern gab es Orden, das Ehrenkreuz der deutschen Mutter (Mutterverdienstkreuz) in Bronze, Silber und Gold. Der nationalsozialistische Mutterkult machte aus der Mutter eine Heldin, eine „Quelle der Nation", eine „Wegbereiterin des Sieges". Sie trug die Verantwortung für die „Erhaltung der arischen Rasse".

Mutterkult – Orden für „arisch reine" Kinder

Nicht erwünscht waren allerdings Kinder, die „erbkrank" (z. B. mit Down-Syndrom oder Bluterkrankheit) oder nicht „arisch rein", d. h. nicht von deutschen Eltern waren. Über die „Erbkrankheit" von Kindern entschieden eigens geschaffene Gerichte, die viel Spielraum für willkürliche Auslegungen hatten. Die Gerichte konnten die Zwangssterilisation anordnen, was bis Mitte 1937 in fast 100 000 Fällen geschah.

Das Ziel eines zunehmenden Kinderreichtums erreichten die Nationalsozialisten trotz des Mutterkultes nicht. 1939 entfielen im Durchschnitt auf eine Ehe etwa gleich viele Kinder wie vor 1933. Auch das nationalsozialistische Idealbild der Frau als Mutter entfernte sich, je näher der Krieg heranrückte, immer mehr von der Wirklichkeit. Um die Industrieproduktion aufrecht erhalten zu können, sollten bald auch Frauen in Männerberufen arbeiten. Vor allem während des Krieges wurden immer häufiger Mädchen und Frauen in der Rüstungsindustrie eingesetzt, um die Männer für den Krieg frei zu machen.

Schütze Mutter und Kind, das kostbarste Gut deines Volkes!

M 2 Plakat der Nationalsozialistischen Frauenschaft

M 3 Des Volkes Lebensquell

(Gemälde von Richard Heymann, 1942)
Ein Lieblingsthema der NS-Kunst war das Familienglück der Frau. Die ländliche Umgebung soll die Harmonie von Natur und Familie zeigen.

M 4 „Frau als Gebärmaschine"

Eine emigrierte Deutsche schrieb 1939 aus Paris:
Jahrelang haben die Nazis sich als Retter der deutschen Familie ausgegeben und Märchen darüber verbreitet, dass andere Ideologien die Familien zerstören. Während in anderen Ländern der Wohlstand der Fami-
5 lien gesichert wird, werden in Hitlers Reich durch die Kriegspolitik die Familien gewaltsam auseinander gerissen und zerstört. Nicht nur die täglichen Sorgen, sondern auch der Zwang und Druck der Wehrwirtschaft belasten und verfolgen die Frauen. (...) Die Ehe
10 ist für die Nazis keine Gemeinschaft zweier Menschen,

die das Glück ihrer Familie und ihre Zukunft gestalten und darum gerne Kinder haben wollen. Im Dritten Reich wird die Ehe als Zuchtanstalt und die Frau als Gebärmaschine betrachtet.

Nach: Der deutschen Frauen Leid und Glück. Paris 1939, S. 47.

M 5 Der „ewige Wert unseres Volkes"

Im Völkischen Beobachter vom 13. 09. 1936 schreibt Hitler über die Leistung von Frauen:
Wenn heute eine weibliche Juristin noch so viel leistet und nebenan eine Mutter wohnt mit fünf, sechs, sieben Kindern, die alle gesund und gut erzogen sind, dann möchte ich sagen: Vom Standpunkt des ewigen Wertes unseres Volkes hat die Frau, die Kinder bekommen und erzogen hat und die unserem Volk damit das Leben in die Zukunft wiedergeschenkt hat, mehr geleistet: mehr getan!

„Völkischer Beobachter" vom 13. 09. 1936.

M 6 Mann sucht Frau

Heiratsannonce aus den Münchener Neuesten Nachrichten:
Zweiundfünfzig Jahre alter, rein arischer Arzt, Teilnehmer an der Schlacht bei Tannenberg, der auf dem Lande zu siedeln beabsichtigt, wünscht sich männlichen Nachwuchs durch eine standesamtliche Heirat mit einer gesunden Arierin, jungfräulich, jung, bescheiden, sparsame Hausfrau, gewöhnt an schwere Arbeit, breithüftig, flache Absätze, keine Ohrringe, möglichst ohne Eigentum.

Nach: W. Hug (Hg.): Geschichtliche Weltkunde, Quellenbuch, Bd. 3. Frankfurt/M. 1983, S.151.

M 7 Frau sucht Mann

Heiratsannonce aus dem Völkischen Beobachter:
Deutsche Minne: BDM-Mädel, gottgläubig, aus bäuerlicher Sippe, artbewusst, kinderlieb, mit starken Hüften, möchte einem deutschen Jungmann Frohwalterin seines Stammhalters sein (Niedere Absätze – kein Lippenstift). Nur Neigungsehe mit zackigem Uniformträger.

„Völkischer Beobachter" vom 12. 8.1934.

Fragen und Anregungen ··

❶ Lege dar, welche Rolle der Frau in M2–M5 zugewiesen wird und setze dich mit dem nationalsozialistischem Frauenbild auseinander.

❷ Beschreibe M3 und finde heraus, inwiefern die dargestellte Rollenverteilung dem national-

sozialistischen Idealbild einer Familie entspricht. Welche Mittel hat der Maler dafür verwendet?

❸ Erläutere, wie M6 und M7 das nationalsozialistische Frauenbild widerspiegeln. Was sagen die Annoncen über die Wirkung der Politik aus?

10. Deutsche gegen Deutsche: Entrechtung – Verfolgung – Ermordung

1. April 1933	Die NSDAP organisiert einen Boykott jüdischer Geschäfte.
15. September 1935	Die „Nürnberger Gesetze" schließen die Juden aus Staat und Gesellschaft aus. Als „Artfremde" werden auch Sinti und Roma verfolgt.
9. November 1938	Reichspogromnacht: Die SA geht gewaltsam gegen Juden vor.

M 1 Judenstern
Ab 1941 mussten alle Juden in Deutschland dieses Zeichen tragen.

Die „Reichstagsbrandverordnung" von 1933 diente den Nationalsozialisten als Legitimation für die systematische Verfolgung politischer Gegner (v. a. Kommunisten, Sozialdemokraten, Gewerkschafter) und missliebiger Minderheiten, die nach dem Willen der Nationalsozialisten nicht zur Volksgemeinschaft gehörten. Das Spitzelwesen der Geheimen Staatspolizei (Gestapo), aber auch Denunzianten in der Bevölkerung trugen dazu bei, dass viele Deutsche ohne Anklage und Prozess in „Schutzhaft" genommen wurden. Die Nationalsozialisten begründeten die sogenannte „Schutzhaft" als präventive Maßnahme, um die Staatssicherheit nicht zu gefährden.
Bald reichten die Gefängnisse für die vielen „Schutzhäftlinge" nicht mehr aus. An vielen Orten wurden ab 1933 von der SA Konzentrationslager (s. S. 66) errichtet, in die die verhafteten Menschen für einige Zeit eingeliefert wurden oder in denen sie für immer verschwanden. Die Existenz der Lager war keineswegs geheim, sie sollten ja auch zur Abschreckung dienen. In den Konzentrationslagern waren die Häftlinge und alle von der Volksgemeinschaft ausgegrenzten Deutschen schutzlos der Willkür der SS, die ab 1934 die Lager übernahm, ausgeliefert.

„Schutzhaft" – Konzentrationslager – „Nürnberger Gesetze"

Von der Volksgemeinschaft ausgeschlossen und verfolgt wurden im nationalsozialistischen Rassenwahn besonders die Juden. Seit dem „Ermächtigungsgesetz" hatten die Nationalsozialisten die Möglichkeit, die Verfolgung zu „legalisieren". Als Jude galt jeder, der jüdische Eltern oder Großeltern hatte. 1933 lebten in Deutschland etwa 500 000 Juden.
Schon am 1. April 1933 begann die Verfolgung der Juden in zahlreichen Städten mit einem Boykott jüdischer Geschäfte. 1935 schufen dann die „Nürnberger Gesetze" eine Grundlage, die bürgerliche Existenz aller Deutschen jüdischer Herkunft planmäßig zu vernichten und sie aus der Volksgemeinschaft völlig auszuschließen. Ebenso wie die Juden wurden bald darauf auch Sinti und Roma als „Artfremde" behandelt.

M 2 Es beginnt mit Boykott
SA-Leute am 1. April 1933 als Boykottposten vor einem jüdischen Geschäft in Berlin.

Zerstörung, Raub und Mord – sie nannten es „Reichskristallnacht"

In der Nacht vom 9. zum 10. November 1938 organisierten die Nationalsozialisten die bis dahin größte Verfolgung der Juden (Novemberpogrom). In Paris hatte ein 17-jähriger Jude aus Protest gegen die Ausweisung seiner Eltern nach Polen einen deutschen Diplomaten erschossen. Goebbels erklärte diese Tat eines Einzelnen als ein Verbrechen des „internationalen Judentums". Die SA zerstörte jüdische Gotteshäuser und etwa 7 500 jüdische Geschäfte. Auf das Glitzern der zertrümmerten Schaufenster im Feuerschein der brennenden Synagogen bezog sich der von der NSDAP hämisch verwendete Ausdruck „Reichskristallnacht". Aber es blieb nicht bei Brand und Raub: Tausende Juden wurden von der SA durch die Straßen geprügelt, etwa hundert kamen dabei ums Leben. Mehr als 20 000 wurden in den nächsten Tagen in Konzentrationslager eingeliefert. Die NSDAP erklärte das Novemberpogrom als spontane Aktion des „Volkszorns".

Neue Schikanen und Verlust des Eigentums

Nach dem Novemberpogrom setzten die Behörden immer neue Schikanen durch. So wurde den Juden verboten, öffentliche Verkehrsmittel zu benutzen, Bücher und Zeitungen zu kaufen, Autos und Motorräder zu besitzen, Haustiere zu halten, Bäder, Theater, Museen, Konzerte und Kinos zu besuchen sowie bestimmte Parkanlagen und den „deutschen Wald" zu betreten.

Schließlich griffen die Nationalsozialisten auch nach dem Eigentum der Juden. Jüdische Besitzer mussten ihre Geschäfte und Betriebe, schließlich sogar ihren Privatbesitz zu Schleuderpreisen verkaufen oder mit der Enteignung rechnen. „Käufer" waren „verdiente" Nationalsozialisten, Geschäftsleute und Unternehmer. Aber auch andere Deutsche konnten zu „Schnäppchenpreisen" jüdisches Eigentum erwerben. Die Verfolgung der Juden brachte für manche zudem oft berufliche Vorteile, so z. B. für Ärzte oder Anwälte, Beamte und Angestellte in der Verwaltung oder Lehrern und Professoren an den Schulen und Hochschulen: Ihnen eröffneten sich nach der Entlassung der Juden neue Karrieremöglichkeiten.

Emigration als Rettung?

Zwar emigrierten bereits 1933 die ersten Juden aus Furcht vor Unterdrückung aus Deutschland. Die allermeisten aber blieben. Viele fühlten sich seit Generationen als Deutsche und waren z. T. auch zum christlichen Glauben übergetreten. Sie konnten sich nicht vorstellen, in einem zivilisierten Land wie Deutschland als Deutsche von Deutschen verfolgt zu werden. Die „Nürnberger Gesetze" lösten dann 1935 die erste fluchtartige Auswanderungswelle aus, rund ein Drittel der Juden (ca. 170 000) verließ bis zum Novemberpogrom Deutschland. Danach setzte eine neue Massenflucht ein. Noch einmal gelang es 150 000 Juden, nach Frankreich, der Schweiz, den Niederlanden oder nun besonders auch nach Palästina, England und Amerika zu entkommen. Der Besitz musste zurückgelassen, die Flucht von Verwandten oder Freunden finanziert werden. Verschiedene ausländische Staaten begannen sich zu weigern, weitere Juden aufzunehmen. Vielen Juden ohne Beziehungen zum Ausland oder ohne Geldmittel blieben alle Fluchtwege verschlossen; sie hofften auf ein Ende der Verfolgungen, ohne zu ahnen, welches Schicksal ihnen bevorstand. Während die NSDAP anfangs gegen Bezahlung einer „Reichsfluchtsteuer" die Auswanderung ermöglicht hatte, erließ sie 1941 ein Auswanderungsverbot. Fast 170 000 Juden waren trotz aller Verfolgungen noch im Reich.

M 3 „Rassenschande"
Ein Paar wird öffentlich gedemütigt und zur Schau gestellt, Cuxhafen, März 1933

Mit Gewalt und Terror verfolgt wurden alle, die die Nationalsozialisten „Artfremde" und „Volksschädlinge" nannten. Zu ihnen zählten sie auch Sinti und Roma (damals und noch lange danach diskriminierend „Zigeuner" genannt). Sie wurden verhaftet und zur Zwangsarbeit in Arbeitslager gebracht. Männer, Frauen und Mädchen wurden zwangssterilisiert. Kinder erhielten Schulverbot, Erwachsene Berufsverbote, ihr Vermögen wurde eingezogen. Der Rassismus der Nationalsozialisten führte schließlich für Sinti und Roma genau so zum Völkermord wie für Juden (vgl. S. 66).

Von der Volksgemeinschaft ausgegrenzt und in Konzentrationslager gebracht wurden auch die Menschen, deren Glaubensrichtung (z. B. Zeugen Jehovas), Gesinnung (z. B. Pazifisten) oder Lebensführung (z. B. Homosexuelle oder Obdachlose) den Nationalsozialisten nicht passte.

Es genügte aber schon, ein Schriftsteller oder Künstler zu sein, der nicht die Anschauungen der Nationalsozialisten vertrat: Berufsverbot war die Folge. Am 10. Mai 1933 verbrannten nationalsozialistische Studenten in vielen deutschen Universitätsstädten „undeutsche, volksfremde und jüdische" Bücher öffentlich bei Marschmusik auf Scheiterhaufen. Verbrannt wurden unter vielen anderen die Bücher von Ernst Bloch, Bertold Brecht, Thomas Mann, Stefan Zweig, Erich Kästner und Anna Seghers. Viele bedeutende Wissenschaftler, Schriftsteller und Künstler flohen aus Deutschland oder wurden von der Regierung „ausgebürgert".

So wie die Nationalsozialisten bestimmten, was als Kunst zu gelten hatte und was als „entartet", so entschieden sie auch über „lebenswertes" und „unwertes Leben". Schon bald nach 1933 verboten sie psychisch kranken, missgebildeten oder geistig behinderten Deutschen zu heiraten und Kinder zu bekommen. Frauen und Männer mit „Erbkrankheiten" wurden zwangssterilisiert. 1939 trat ein Gesetz in Kraft nach dem „unwertes Leben" planmäßig vernichtet werden konnte. In verschiedenen Heil- und Pflegeanstalten wurden über 100 000 Behinderte ermordet. Die Nationalsozialisten nannten diesen Massenmord hämisch „Euthanasie-Programm" (griech. „euthanasia", d. h. „schöner Tod"). Nach öffentlichen Protesten (vgl. S. 71) stellten sie zwar offiziell die Tötungen ein, die Ermordung von betroffenen Menschen ging aber auf andere Art (Medikamente, Nahrungsmittelentzug) weiter.

Gegen das „Euthanasie-Programm" regte sich öffentlicher Protest, auf viele andere Terroraktionen der Nationalsozialisten reagierte die Mehrheit der Bevölkerung zwar mit Betroffenheit und Scham – aber schweigend. Vor allem Gewaltverbrechen und Morde lehnten die meisten ab – aber sie lehnten sich nicht dagegen auf, riskierten keinen öffentlichen Widerstand. Und so konnten die Nationalsozialisten ihr zerstörerisches Werk und ihren zunehmend radikaleren Terror fortsetzen: Die Basis der Nationalsozialisten forderte ein immer schärferes Vorgehen vor allem gegen die Juden und die Regierung erfüllte diesen Druck von unten durch eine Flut neuer diskriminierender Gesetze von oben.

Ausgegrenzt, verfolgt, ermordet

M 4 „Entartet ..."? (Broschüre von Hans Severus Ziegler, 1939)

M 5 „Hier trägst Du mit ..." (Aus der „Illustrierten Monatsschrift für das deutsche Volkstum", 1936)

M 6 Bücherverbrennung (Holzschnitt des im Exil in Paris lebenden Heinz Kiwitz, 1938)

M 7 „Ungeziefer vernichten"

Im antisemitische Wochenblatt „Der Stürmer" veröffentlicht Gauleiter Julius Streicher den Brief einer Schülerin:

Gauleiter Streicher hat uns so viel von den Juden erzählt, dass wir sie ganz gehörig hassen. Wir haben in der Schule einen Aufsatz geschrieben unter dem Titel: „Die Juden sind unser Unglück" (...) Leider sagen
5 heute noch viele: „Die Juden sind auch Geschöpfe Gottes. Darum müsst ihr sie auch achten. Wir aber sagen: „Ungeziefer sind auch Tiere und trotzdem vernichten wir es."

Nach: Kurt Zentner: Illustrierte Geschichte des Dritten Reiches. München 1965, S.178.

M 8 „Es ist höchste Zeit ..."

Ein Deutscher beschwert sich 1936:

Wie ich heute Morgen feststellen musste, waren im Hansabad 3 Juden und zwar 1 Jude und 2 Jüdinnen. Es ist mir unverständlich, dass Juden dort zugelassen sind. Der Wärter sagte, es bestände dort kein Judenverbot.
5 Es ist aber höchste Zeit, dass ein solches Verbot in Kraft tritt, da auch in anderen Städten derartige Verbote für Juden bestehen. Vielleicht lässt sich dieses auch in Bremen durchführen.

Nach: Inge Marßolek und René Ott: Bremen im 3. Reich. Anpassung – Widerstand – Verfolgung. Bremen 1986, S.175.

M 9 Pass von Susanne Blumenthal

Der Pass jüdischer Bürger wurde mit einem großen „J" gekennzeichnet. Frauen mussten den weiteren Vornamen Sara annehmen, Männer den Vornamen Israel.

M 10 „... habe ich geschwiegen"

Der protestantische Pfarrer Martin Niemöller, 1938–1945 im KZ, schrieb:

Als die Nazis die Kommunisten holten,
habe ich geschwiegen.
Ich war ja kein Kommunist.
Als sie die Sozialdemokraten einsperrten,
habe ich geschwiegen.
Ich war ja kein Sozialdemokrat.
Als sie die Katholiken holten,
habe ich nicht protestiert,
ich war ja kein Katholik.
Als sie mich holten
gab es keinen mehr, der protestieren konnte.

Nach: Stern, Nr. 26, 1976.

„Nürnberger Gesetze"

Der Begriff gilt als Bezeichnung für das „Reichsbürger-Gesetz" und das „Gesetz zum Schutze des deutschen Blutes und der deutschen Ehre", die anlässlich des Nürnberger Parteitags der NSDAP am 15. 9. 1935 verabschiedet wurden. Danach sollten die „vollen politischen Rechte" zukünftig nur den Inhabern des „Reichsbürgerrechts" zustehen, das nur an „Staatsangehörige deutschen oder artverwandten Blutes" verliehen werden sollte. Die Nürnberger Gesetze verbreiterten die juristische Basis für die Diskriminierung und Verfolgung der Juden in Deutschland. Nun konnten jüdische Beamte entlassen, jüdischen Ärzten, Apothekern und Anwälten die Berufszulassung entzogen werden. Jüdische Studenten sahen sich vom Studium ausgeschlossen, bereits Schulkinder wurden in der Schule isoliert und schließlich in besonderen „Judenschulen" konzentriert. Mit Juden zu verkehren oder Geschäftsverbindungen zu unterhalten, war verboten. Als „Rassenschande" unter Androhung von langen Zuchthausstrafen verboten waren ebenso Ehen oder außereheliche Beziehungen zwischen Juden und Nichtjuden. Jeder Deutsche musste als Vorbedingung für die Eheschließung oder eine Anstellung im öffentlichen Dienst einen „Ahnenpass" mit dem Nachweis „arischer" Abstammung über mindestens drei Generationen beibringen.

M 11 Konzentrationslager

Ein ehemaliger Häftling berichtet:

Herr Z. besaß ein kleines Geschäft mit drei Angestellten in Deutschland. Er wurde im Juni 1938 (...) ohne wirklichen oder auch nur vorgetäuschten Grund verhaftet. (...) Ankunft morgens 6 Uhr 30 in Weimar. Empfang durch die SS mit Beschimpfungen und Schlägen: „Judenhunde, Schufte, nun haben wir euch!" (...) Buchenwald. Furchtbare Zustände im Lager: an manchen Stellen Schmutz und Schlamm bis zu den Knien. (...) Dreihundertfünfzig der Neuangekommenen werden im Keller der Baracken untergebracht. Die Strohsäcke lagen in vier Reihen, und je drei Männer mussten sich ein solches Ruhelager teilen (...) verboten auf dem Rücken zu liegen, widrigenfalls Schläge mit dem Knüppel. (...) Lagerordnung:

„Die Wache hat den Befehl, ohne Warnung zu schießen, wenn irgendjemand sich nach ihrer Richtung bewegt. Jede Kugel kostet 12 Pfennig, und dies ist gerade die Summe, die ein Jude wert ist, nicht mehr und nicht weniger!"

Stundenplan: Aufstehen 3 Uhr 30, sehr schlechte Luft; furchtbarer Geruch: Wasser tropft von den winzigen Kellerfenstern. Antreten in Reih und Glied um 4 Uhr 30. Kaffeeverteilung um 4 Uhr 45 auf dem Platz, wo der Galgen und die Prügelblöcke stehen. (...) Diejenigen, die sich krank gemeldet haben, treten heraus, werden abgesondert und vom Kommandanten inspiziert. Er behandelt (sie) sofort mit der Reitpeitsche in Gegenwart der anderen: „Juden haben nicht krank zu werden" (...). Viele setzen ihren Leiden dadurch ein Ende, dass sie einen Fluchtversuch vortäuschen, um erschossen zu werden.

Nach: Dokumente über die Behandlung deutscher Staatsangehöriger. London 1940, S. 11 ff.

M 12 Deportation von Sinti und Roma
(Foto, 1940)

Der Name Sinti ist wahrscheinlich von ihrer Heimat in der Region Sindh in Nordwestindien abgeleitet. Mit Roma werden Stämme außerhalb des deutschen Sprachraums, vor allem aus Südosteuropa, bezeichnet.

M 13 „Die Ortschaft ist somit judenfrei."

Aus dem Monatsbericht der Gendarmerie-Station Reichenhall, 29. Dezember 1938:

Am 13. 12. 1938 vergiftete sich die in Bayerisch Gmain wohnhaft gewesene 67-jährige verwitwete Jüdin und Schauspielersgattin Klara Dapper mit Veronal, weil man ihr in der Nacht vom 12./13. 12. vor ihre Haustür in Bayerisch Gmain von bis jetzt unbekannten Tätern 5 einen Zettel mit der Aufschrift gehängt hatte: „Alle Juden endlich einmal heraus!" Die Dapper hatte in Bayerisch Gmain ein Wohnhaus, das ihr Eigentum war. Die Ortschaft ist somit judenfrei.

Nach: Bayern in der NS-Zeit. München 1977, S. 479.

Fragen und Anregungen ···

❶ Stelle zusammen, aus welchen Gründen Menschen zu Opfern des Terrors werden konnten (VT und M1–M13).

❷ Suche nach Gründen, warum die Nationalsozialisten ihren Terror gegen Andersdenkende und Minderheiten ohne größeren Widerstand der Bevölkerung durchführen konnten. (VT, M2, M4, M7, M8, M10, M13)

❸ Erkläre das/die Motiv(e), die zur Beschwerde in M 8 geführt haben könnten. Ziehe dazu auch M7 heran.

❹ Erläutere, welche(s) Ziel(e) die Methoden hatten, nach denen die Häftlinge in Konzentrationslagern behandelt wurden. (M11)

11. Bayern im NS-Staat: München – Nürnberg – KZ Dachau

München: „Hauptstadt der Bewegung" – Ein Rundgang durch die Stadt

Bayerns Landeshauptstadt war wie kaum eine andere deutsche Großstadt mit der Frühgeschichte und dem Aufstieg des Nationalsozialismus verbunden. Dies wollte auch Adolf Hitler zum Ausdruck bringen, als er am 2. August 1935 der Stadt den Titel „Hauptstadt der Bewegung" verlieh. Die Bedeutung vieler Gebäude, Straßen und Plätze für den Nationalsozialismus kann von jedem Besucher bei einem etwa zweistündigen Rundgang durch die Stadt erfahren und nachvollzogen werden. Der Rundgang kann am Platz der Opfer des Nationalsozialismus beendet werden.

Marienplatz (1)

Im Alten Rathaus am Marienplatz hielt Joseph Goebbels am 9. November 1938 eine Hetzrede gegen die Juden und gab damit das Signal zu den Judenverfolgungen der Reichspogromnacht in ganz Deutschland.

Platzl (2)

Im Hofbräuhaus wurde im Februar 1920 die Deutsche Arbeiterpartei (DAP) in Nationalsozialistische Deutsche Arbeiterpartei (NSDAP) umbenannt.

Maximilianstraße (3)

Das Hotel „Vier Jahreszeiten" an der Maximilianstraße war Sitz der Thule-Gesellschaft, einem völkisch-rassistisches Netzwerk, das viele einflussreiche Personen umfasste und den Aufstieg Hitlers und des Nationalsozialismus förderte.

Feldherrnhalle (4)

Am 9. November 1923 versuchte Hitler durch einen Demonstrationszug das Scheitern seines Putschversuchs abzuwenden. Mit seinen Anhängern marschierte er vom Bürgerbräukeller (dem heutigen Gasteig) über die Ludwigsbrücke und durch die Residenzstraße. An der Feldherrnhalle wurde der Zug jedoch von der Landespolizei durch Schüsse aufgehalten. Nach 1933 wurde für die Nationalsozialisten, die dabei ums Leben kamen, an der Feldherrnhalle eine „Ehrenwache" postiert. Von den Passanten wurde gegenüber der Wache der „Hitlergruß" erwartet.

Galeriestraße/Hofgarten (5)

In den Hofgartenarkaden an der Galeriestraße wurde 1937 – zeitgleich mit der Eröffnung „Haus der Deutschen Kunst" – eine Ausstellung „Entartete Kunst" zusammengestellt, die die Kunst der Moderne als „Verfall der Kunst" diffamierte.

Prinzregentenstraße (6)

Bei der Grundsteinlegung zum „Haus der Deutschen Kunst" im Oktober 1933 erhielt München von Hitler den „Ehrentitel" „Hauptstadt der Deutschen Kunst" verliehen. Nach der Eröffnung im Juli 1937 waren hier Kunstwerke zu sehen, die nationalsozialistischen Vorstellungen entsprachen.

Brienner Straße (7)

Einflussreiche Münchner Förderer ermöglichten Hitler Ende der 20er Jahre den Erwerb des Palais Barlow in der Brienner Straße. Seit 1930 diente es der NSDAP als Parteizentrale, genannt „Braunes Haus". Gegenüber dem „Braunen Haus" befand sich die Päpstliche Nuntiatur. Im „Wittelsbacher Palais" in der Brienner Straße hatte seit 1933 die Bayerische Politische Polizei ihren Sitz, die später als Teil der Gestapo zur regionalen Terrorzentrale wurde. Auch andere Institutionen der Nationalsozialisten fanden z. T. durch „Arisierung" ihren Sitz in der Brienner Straße: u. a. DAF, KdF, Haus der Deutschen Ärzte.

Arcisstraße (8)

Im „Führerbau" fanden Konferenzen mit ausländischen Politikern statt, u. a. wurde hier das Münchner Abkommen (s. S. 56) geschlossen.

Berlin wurde zwar zunehmend zur Machtzentrale der Nationalsozialisten, München erfüllte aber wichtige Repräsentationsbedürfnisse. Dazu diente v. a. das klassizistische Ambiente des Königsplatzes. Viele Organisationen hatten daher im Umfeld des Königsplatzes ihre Zentrale oder zumindest eine Nebenstelle. Auf dem Königsplatz fand 1933 die reichsweit organisierte Bücherverbrennung statt. Seit 1935 wurde der Platz baulich stark verändert: Ursprünglich bedeckten Granitplatten (1988 wieder entfernt) den Boden; Parteibauten veränderten das ursprüngliche Ensemble ebenso wie ein Ehrentempel mit ständiger Wache für die Toten des Hitlerputsches von 1923. Der Ort diente nun v. a. Massenversammlungen. Gegenwärtig wird für München ein NS-Dokumentationszentrum geplant, das auf dem Gelände des ehemaligen „Braunen Hauses" errichtet werden soll.
Über den Stand der Planungen informiert www.ns-dokumentationszentrum-muenchen.de und www.muenchen.de/ns-dokumentationszentrum.

Königsplatz (9)

Als alte Reichsstadt war Nürnberg schon in der Weimarer Republik ein „Traditionsort" der Nationalsozialisten, die damit an die Zeit der mittelalterlichen „Kaiserherrlichkeit" anknüpfen wollten. Seit 1923 trafen sich in der Stadt mit dem Hintergrund einer großen Vergangenheit rechtsextreme Gruppen. 1927 und 1929 versammelten sich dann die Nationalsozialisten im Luitpoldhain zu ihren so genannten „Reichsparteitagen". 1933 erklärte Hitler Nürnberg zur „Stadt der Reichsparteitage". Eine Woche lang versammelten sich bis zu einer Million Anhänger des Nationalsozialismus auf dem Reichsparteitaggelände und in der Altstadt zu Aufmärschen, Paraden und den Reden Hitlers. 1935 wurden hier die „Nürnberger Gesetze" verkündet.
Um den Menschenmassen die Teilnahme an etwas Erhabenem, Großem, Bedeutendem zu vermitteln und eine geradezu sakrale Atmosphäre zu schaffen, gleichzeitig aber auch die Bedeutungslosigkeit des einzelnen Individuums zu demonstrieren, wurden Parteitagsbauten in riesigen Dimensionen errichtet. Der von Hitler beauftragte Architekt Albert Speer beanspruchte dazu ein Gelände von 11 km². Noch heute umfassen die Baureste eine Fläche von vier Quadratkilometer.

www.museen.nuernberg.de/dokumentationszentrum/themen/reichstagsgelaende

Nürnberg – „Stadt der Reichsparteitage"

M 1 „Nürnberg, die deutsche Stadt"
(Ausstellungsplakat, 1937)

M 2 Plan des Reichsparteitagsgeländes
(Postkarte, 1937)

Das KZ Dachau – Gedenkstätte für die Opfer des Nationalsozialismus

So wie sich München als „Hauptstadt der Bewegung" und Nürnberg als „Stadt der Reichsparteitage" besonders gut dafür eignen, im Rahmen einer Exkursion den Lernstoff des Unterrichts zu vertiefen, so gilt dies vor allem für das KZ Dachau als Gedenkstätte für die Opfer des Nationalsozialismus. Thematische Schwerpunkte der Exkursion können sein: der „Bunker", das Krematorium und verschiedene Vitrinen, vor allem auch die weitgehend im Originalzustand erhaltenen bzw. wiederhergestellten Räume wie z.B. die Schlosserei, der Schubraum (Einlieferung), der Desinfektionsraum und das Häftlingsbad.

1933 – das „KZ-Modell Dachau": Das süddeutsche Lagersystem entsteht

Am 22. März 1933 wurde das Konzentrationslager Dachau laut Heinrich Himmler als „erstes staatliches Konzentrationslager" auf dem Gelände einer stillgelegten Munitionsfabrik eröffnet. Ende 1933 hatte das Lager eine Kapazität von 2700 Gefangenen. Schon am 10. April 1933 wurde die Bayerische Landespolizei in der Verwaltung durch eine SS-Einheit abgelöst, die eine drakonische Lagerordnung und -organisation entwickelte. Diese reichte von Schlägen als „Willkommens-Prozedur" bis zu Folterungen und Ermordung der Häftlinge. Damit entschied die SS praktisch über Leben und Tod der Häftlinge, denn Hinrichtungen konnten ohne Gerichtsverfahren durchgeführt werden.

Das KZ als Instrument der Rassenpolitik

Anfangs überwogen im KZ Dachau die politischen Häftlinge, bald aber kamen auch „Bettler", „Asoziale", Zeugen Jehovas, Homosexuelle, Sinti und Roma und vor allem Juden dazu (siehe S. 66, M3). Antisemitismus, Rassismus und Hass auf jeden politischen Gegner standen im Zentrum der Ausbildung der SS. Dementsprechende Vorschriften der Behandlung der Häftlinge wurden dann auch von den anderen Lagern in Deutschland übernommen. Das KZ Dachau als Instrument der Rassenpolitik ließ vor allem seit 1938 die Häftlingszahlen sprunghaft steigen. Daher mussten die Häftlinge den Lagerkomplex ständig erweitern. Bei Kriegsende hatte das KZ Dachau einen Umfang von eineinhalb Quadratkilometern.

Arbeit und Sterben

Die Arbeit der Häftlinge diente anfangs vor allem dazu, sie durch sinnlose Tätigkeiten zu demütigen und zu quälen. Bald mussten sie aber die Bewirtschaftung des Lagers übernehmen oder wurden in sogenannten Außenkommandos eingesetzt. Ab 1938 begann die SS, die Arbeitskraft der Häftlinge zielstrebig für die verschiedensten Wirtschaftsbetriebe und besonders für die Rüstungsproduktion zu nutzen. Die arbeitsfähigen Gefangenen wurden nun in neu errichtete Außenlager transportiert. Das Stammlager Dachau entwickelte sich als Zentrum eines Systems von Außenlagern, das ganz Süddeutschland und Teile Österreichs umfasste. Die zunehmende Überbelegung des Lagers (Ende 1942: ca. 10000, Ende 1944: über 63000) verschlechterte die Lebensbedingungen dramatisch. Die arbeitsfähigen Gefangenen setzte die SS in den Außenlagern unter extremen Arbeitsbedingungen ein: So kamen z. B. in Kaufering von den ca. 30000 Häftlingen durch die Strapazen der Arbeit und verschiedenen Krankheiten (u. a. Typhus) weit über 10000 ums Leben. Am 29. April 1945 befreiten Truppen der US-Armee die Häftlinge in Dachau.

Die KZ-Gedenkstätte

Nach 1945 wurde das Lager Dachau als Internierungslager für deutsche Gefangene genutzt, ab 1948 diente es als Wohnsiedlung für Flüchtlinge. Da nach Abriss der Barackensiedlung nur noch weniges wie z.B. das Krematorium als Gedenkort erhalten geblieben war, kämpften seit 1955 ehemalige Häftlinge für die Errichtung einer Gedenkstätte. 1965 konnte diese als Symbol für die nationalsozialistischen Verbrechen endlich eröffnet werden. Mehr als 20 Millionen Menschen aus fast allen Ländern der Erde haben sie bis heute besucht. Weitere Informationen dazu erhältst du unter www.gedenkstaettenpaedagogik-bayern.de.

M 3 KZ-Dachau: Außenlager und Arbeit der Häftlinge

Ampfing bei Mühldorf (Bunkerbau)
Asbach-Bäumenheim (Flugzeugproduktion)
Augsburg-Haunstetten (Flugzeugproduktion)
Augsburg-Pfersee (Flugzeugproduktion)
Augsburg-Kriegshaber (Rüstungsproduktion)
Bad Ischl (Barackenbau)
Bad Tölz (Bauarbeiten, Hausarbeiten)
Blaichach (Fertigung von Motoren)
Burgau (Flugzeugproduktion)
Dachau Außenkommandos (Zulieferbetrieb für Messerschmitt und BMW, Fleischwaren und Konservenfabrik, Porzellanmanufaktur Allach)
Eching/Neufahrn (Bau eines Flugplatzes)
Ellwangen (Bauarbeiten)
Eschelbach/Wolnzach (Parteikanzlei-Außenstelle)
Feldafing (Bau der Reichsschule der NSDAP)
Fischbachau (Straßenbau)
Fischen im Allgäu (Flugzeugproduktion)
Fischhorn (Großglocknerstraße, Bauarbeiten)
Friedrichshafen am Bodensee (Raketenteile)
Gablingen (Flugzeugproduktion)
Garching-Hochbrück (Bauarbeiten)
Garmisch-Partenkirchen (Bauarbeiten)
Gendorf/Burgkirchen/Alz (IG Farben)
Germering (Aufräumarbeiten nach Bombenangriffen)
Gmund am Tegernsee (Stollenbau)
Hausham (Frauen: Heilkräuterkultur, Männer Feldarbeit, Bauarbeiten)
Heidenheim a. d. Brenz (Bauarbeiten)
Heppenheim/Bergstrasse (Saatzucht)
Hof-Moschendorf (Instandsetzung von Kriegsgerät)
Horgau (Flugzeugproduktion)
Hurlach, Kaufering IV (Bunkerbau)
Itter (Bauarbeiten, Bedienung von Sonderhäftlingen)
Karlsfeld (Bauarbeiten)
Kaufbeuren (Flugzeugmotore)
Kaufering, Kaufering III (Bunkerbau)
Kempten (Produktion von Flugzeugteilen)
Kempten-Kottern (Flugzeugproduktion)
Landsberg (Bunkerbau)
Landsberg-Erpfting, Kaufering VII (Bunkerbau)
Landshut (Bau eines Nachschublagers)
Lauingen (Flugzeugproduktion)
Lochau bei Bregenz (Versuchslabor für Blutgerinnungsmittel)
Markt Schwaben (Bauarbeiten)
Mauerstetten-Steinholz (Bauarbeiten)
Mettenheim bei Mühldorf (Bunkerbau)
Mittergars (Bunkerbau)
München (Instandhaltungsarbeiten Parteikanzlei der NSDAP, Hilfsarbeiten, Baracken-Elemente, Bau- bzw. Zementplatten, Instandhaltungsarbeiten Wittelsbacher Palais, Bombenräumung, Gartenbau, Bau-, Aufräum- und Instandhaltungsarbeiten für SS-Lebensborn, Katastropheneinsatz, Aufräumarbeiten für Reichsbahn)
München-Allach (Flugzeugmotore, Bunkerbau, Reparatur von Lokomotiven)
München-Freimann (Bauarbeiten)
München-Giesing (Bomben- u. Elektroteile, Zünderfertigung)
München-Neuaubing (Flugzeugbau)
München-Riem (Bauarbeiten auf dem Flugplatz Riem)
München-Sendling (Bauarbeiten)
Neustift i. Stubaital (Bauarbeiten)

Nürnberg (Bauarbeiten)
Oberilzmühle/Salzweg bei Passau (Bauarbeiten)
Obermeitingen, Kaufering IX (Bauarbeiten am Flugplatz Lagerlechfeld)
Oberstdorf-Birgsau (Bauarbeiten)
Ottobrunn (Bauarbeiten)
Pabenschwandt/Plainfeld (Hausarbeit, Gartenarbeit im SS-Versuchsgut)
Penzing bei Landsberg (Fliegerhorst)
Plansee/Breitenwang (Hotel)
Raderach, Stadt Friedrichshafen (Raketenbau)
Radolfzell (Bauarbeiten)
Salzburg (Aufräumarbeiten, Bauarbeiten)
Saulgau (Raketenbau)
Schlachters-Biesings/Sigmarszell (medizinische Versuche)
Schloss Lind bei Neumar (Landwirtschaft)
Schönau-Königssee (Renovierungsarbeiten)
Seehausen am Staffelsee (Bauarbeiten)
Seestall/Fuchstal, Kaufering VIII (Bauarbeiten, Bau von Messgeräten)
St. Gilgen a. Wolfgangsee (Bauarbeiten)
St. Johann i. Tirol (Bau eines SS-Erholungsheims)
St. Lambrecht (Bauarbeiten)
Steinhöring (Frauen: Hausarbeiten, Männer: Bauarbeiten im SS-Lebensbornheim)
Stephanskirchen-Haidholzen (Flugmotore)
Strobl-Gschwandt (Bauarbeiten)
Sudelfeld/Bayrischzell (Hausarbeiten im SS-Erholungsheim/Lazarett)
Thalham/Obertaufkirchen (Erd-, Bauarbeiten)
Thansau/Rohrdorf (Aufräumarbeiten)
Traunstein (Ausbesserungsarbeiten im SS-Genesungsheim)
Trostberg (Reparaturarbeiten)
Türkheim, Kaufering VI (Bauarbeiten)
Überlingen (Stollenbau)
Ulm-Söflingen (Bau von U-Booten)
Unterfahlheim/Nersingen (Satzfischzucht)
Utting, Kaufering X (Fertigbetonteile)
Valepp/Schliersee (Wegebau)
Weißsee/Uttendorf, (Bau einer Staumauer)

M 4 Das 1968 errichtete Internationale Mahnmal von Glid Nandor

Woran könnte die Bronzeskulptur erinnern?

Fragen und Anregungen

1 Markiere in einem Stadtplan Münchens die angegebenen Gebäude, Straßen und Plätze und stelle als Vorbereitung für eine Exkursion die günstigste Verbindung für einen Rundgang dar.

2 Suche in einer geeigneten Straßenkarte von Süddeutschland und Österreich die genannten Orte, markiere sie und stelle so die Ausdehnung des Lagersystems Dachau fest.

12. Den Krieg im Visier – die Außenpolitik bis 1937

1933	Das Konkordat (Übereinkunft, Vertrag) mit dem Papst erhöht das Ansehen des Regimes.
1934	Deutschland und Polen unterzeichnen einen Nichtangriffspakt.
1935	Deutschland und England einigen sich über ein Flottenabkommen.
1936	Deutschland marschiert in das entmilitarisierte Rheinland ein.

M 1 „Der Mann mit den zwei Gesichtern"
(Französische Karikatur von 1933)

Deutschland – ein friedlicher Partner?

Die Außenpolitik der Nationalsozialisten verfolgte bis 1937 vor allem zwei Ziele: Der Versailler Vertrag sollte revidiert und die alte Macht und Größe Deutschlands wiederhergestellt werden. Das entsprach auch den Erwartungen der allermeisten Deutschen. Die militärische Schwäche zwang die deutsche Außenpolitik zunächst zu wiederholten Friedensbeteuerungen und Vertragsabschlüssen, während andererseits die Aufrüstung vorangetrieben wurde. Die erste Aufsehen erregende Vereinbarung bildete das Konkordat mit dem Vatikan. Darin sicherten die Nationalsozialisten den deutschen Katholiken die freie Ausübung ihres Glaubens und der Kirche ihr Eigentum zu. 1934 wurde überraschend ein Nichtangriffspakt mit Polen geschlossen. Polen hatte sich bemüht, bei den Westmächten Unterstützung gegen Deutschland zu gewinnen, von dem es sich seit 1933 bedroht fühlte. Als die Verhandlungen gescheitert waren, suchte Polen durch diesen Vertrag Sicherheit.
Im Januar 1935 fand entsprechend einer Bestimmung des Versailler Vertrags im Saarland eine Abstimmung darüber statt, ob das Land Frankreich angeschlossen, unter Verwaltung des Völkerbundes verbleiben oder wieder zu Deutschland gehören sollte.
90,3 Prozent aller stimmberechtigten Bürger entschieden sich für eine Rückkehr zu Deutschland.

Konfrontation und Vertragsbrüche

Neben diplomatischen Schachzügen setzte das NS-Regime auf offene Konfrontation. 1933 trat Deutschland aus dem Völkerbund aus. Offizieller Anlass dafür war, dass dem Deutschen Reich auf der Genfer Abrüstungskonferenz die militärische Gleichberechtigung versagt wurde. Nun konnte sich Hitlerdeutschland der Kontrolle des Völkerbundes entziehen und die Aufrüstung verstärkt vorantreiben. Dem diente auch die Wiedereinführung der allgemeinen Wehrpflicht im März 1935, womit sich zudem ein lang gehegter Wunsch der Reichswehrführung erfüllte. Deutschland verstieß damit offen gegen die Bestimmungen des Versailler Vertrages, doch die ausländischen Regierungen beließen es bei einem Protest. Im Gegensatz zu Frankreich war England sogar bereit, einige Forderungen nach einer Rücknahme des Versailler Vertrages als berechtigt anzuerkennen. So schlossen England und Deutschland im Juni 1935 ein Flottenabkommen. Darin wurde der deutschen Flotte gegenüber der britischen eine Stärke im Verhältnis von 35 : 100, bei den U-Booten von 50 : 50 zugestanden. In den Augen der deutschen Bevölkerung war Deutschland auf dem Weg, die alte Macht und Größe in Europa wiederzugewinnen.

Die bisherige Unentschlossenheit und Uneinigkeit der Westmächte verlockte die deutsche Regierung zu einem weiteren Schritt zur Revision des Vertrages von Versailles. Sie kündigte den Vertrag von Locarno und ließ deutsche Soldaten ins entmilitarisierte Rheinland einmarschieren. Führende Generäle der Wehrmacht hatten vor diesem Schritt gewarnt. Doch wiederum konnte sich der Westen auf keine konkreten Gegenmaßnahmen einigen und Hitler verbuchte die Besetzung des Rheinlandes als seinen persönlichen Erfolg. Mehr und mehr hielt er sich nun in seinen Entscheidungen für unfehlbar.

Die Besetzung des Rheinlandes

1936 gelang es den Nationalsozialisten, für weiter reichende Ziele erste Bundesgenossen zu finden. Nachdem General Franco, der Führer der spanischen Faschisten, gegen eine linke „Volksfront"-Regierung geputscht hatte, brach in Spanien ein Bürgerkrieg aus. Italien und Deutschland stellten sich gemeinsam auf Francos Seite. Kurz darauf vereinbarten beide Staaten in der sog. „Achse Berlin-Rom" eine enge Zusammenarbeit und steckten ihre Interessengebiete ab. Das Mittelmeer sollte in Zukunft als italienisches, Osteuropa als deutsches Einflussgebiet gelten. Mit der expansiven Großmacht Japan einigte sich die deutsche Regierung, gemeinsam gegen die Kommunistische Internationale, deren Zentrum Moskau war, vorzugehen.

Neue Bündnispartner

Zweifellos wurde die Außenpolitik Deutschlands bis 1937 von vielen Zeitgenossen sowohl im Inland als auch im westlichen Ausland als Erfolg gesehen. Allerdings gab es auch warnende Stimmen und diese mehrten sich. Für den größten Teil der deutschen Bevölkerung aber hatte Deutschland an politischer und militärischer Bedeutung und damit an Ansehen in der Welt gewonnen. Der Versailler Vertrag war ohne kriegerische Auseinandersetzungen weitgehend revidiert worden. Dies trug vor allem auch zur Steigerung der Popularität der Person Hitlers bei. Die neu gewonnene Geltung Deutschlands und seines Führers zeigte sich auch bei den Olympischen Spielen 1936 in Berlin. Die ganze Welt schaute auf Deutschland. Ausländische Sportler und Zuschauer schwärmten vom „olympischen Geist" der Spiele. Die Propaganda der Nationalsozialisten hatte es verstanden, der Welt ein Deutschland zu zeigen, in dem der Wohlstand zuzunehmen schien und die Bürger in der Mehrheit zufrieden waren. Die negativen Seiten des nationalsozialistischen Regimes wurden bewusst verdeckt.

Deutschlands Außenpolitik – ein Erfolg?

M 2 **Die zerstörte nordspanische Stadt Guernica**
In Spanien erprobten die Nationalsozialisten erstmals ihre Luftwaffe und demonstrierten damit militärische Stärke. Deutsche Bombardements der „Legion Condor" trugen wesentlich zum Sieg des faschistischen Generals Franco bei.

M 3 **Olympisches Silber im Fechten für Helene Mayer**
Sie war eine von zwei Sportlern jüdischer Herkunft, die als Alibi in die deutsche Mannschaft aufgenommen wurden, nachdem die USA wegen der antisemitischen Politik des NS-Regimes mit dem Boykott der Spiele gedroht hatten.

M 4 Außenpolitik – Was erfährt die militärische Führung?

Vier Tage nach seiner Ernennung zum Reichskanzler, am 3. Februar 1933, legte Hitler in einer geheimen Ansprache zum ersten Male vor Reichswehrgeneralen seine außenpolitischen Ziele dar. Ein Teilnehmer notierte:

Nach außen. Kampf gegen Versailles. Gleichberechtigung in Genf; aber zwecklos, wenn Volk nicht auf Wehrwillen eingestellt. Sorge für Bundesgenossen. Wirtschaft! Der Bauer muss gerettet werden! Sied-
5 lungspolitik! Künft. Steigerung d. Ausfuhr zwecklos. Aufnahmefähigkeit d. Welt ist begrenzt u. Produktion ist überall übersteigert. Im Siedeln liegt die einzige Mögl., Arbeitslosenheer z. T. wieder einzuspannen. Aber braucht Zeit u. radikale Änderung nicht zu erwar-
10 ten, da Lebensraum für d(eutsches) Volk zu klein. (...) Aufbau der Wehrmacht wichtigste Voraussetzung für Erreichung des Ziels: Wiedererringung der pol. Macht. Allg. Wehrpflicht muss wieder kommen. (...) Wie soll pol. Macht, wenn sie gewonnen ist, gebraucht wer-
15 den? Jetzt noch nicht zu sagen. Vielleicht Erkämpfung neuer Export-Mögl., vielleicht – und wohl besser – Eroberung neuen Lebensraums im Osten u. dessen rücksichtslose Germanisierung. (...) Wehrmacht wichtigste u. sozialistischste Einrichtung d. Staates. (...)
20 Gefährlichste Zeit ist die des Aufbaus der Wehrmacht. Da wird sich zeigen, ob Frankreich Staatsmänner hat; wenn ja, wird es uns Zeit nicht lassen, sondern über uns herfallen (vermutlich mit Ost-Trabanten).

Nach: Vierteljahrshefte für Zeitgeschichte, 1954, S. 435.

M 5 Was erfährt die Öffentlichkeit?

Nach der Wiedereinführung der allgemeinen Wehrpflicht beteuerte Hitler am 17. Mai 1935 im Reichstag:
Unser Nationalismus ist ein Prinzip, das als Weltanschauung grundsätzlich allgemein verpflichtet. Indem wir in grenzenloser Liebe und Treue an unserem eigenen Volkstum hängen, respektieren wir die nationalen Rechte auch der anderen Völker aus dieser selben Gesinnung heraus und möchten aus tiefinnerstem Herzen mit ihnen in Frieden und Freundschaft leben. Wir kennen daher nicht den Begriff des „Germanisierens" (...).

Nach: W. Conze (Hg.): Der Nationalsozialismus 1934–1945, Totaler Führerstaat und nationalsozialistische Eroberungspolitik. Stuttgart 1984, S. 40 f.

M 6 „Werden die Deutschen wieder Krieg anfangen?"

Lord Arthur J. Balfour, konservativer britischer Staatsmann, 1902–1905 Premierminister, 1916–1919 Außenminister, erklärt im Oktober 1933 in einem Zeitungsinterview:
Werden die Deutschen wieder Krieg anfangen? Ich denke, daran kann es keinen Zweifel geben und (...) ich bin davon fest überzeugt, dass wir eines Tages die Deutschen aufrüsten lassen oder sie sogar selbst bewaffnen müssen. Angesichts der (...) furchtbaren Gefahr im Osten ist ein unbewaffnetes Deutschland wie (...) eine reife Pflaume, die darauf wartet, von den Russen gepflückt zu werden. Eine der großen Gefahren für den Frieden in Europa ist heute der total waffenlose Zustand Deutschlands.

Nach: B. Engelmann: Einig gegen Recht und Freiheit. Deutsches Anti-Geschichtsbuch, 2. Teil. Frankfurt/M. 1977, S. 240.

M 7 „Friedensrede"
(Amerikanische Karikatur zur Rede Hitlers am 17. Mai 1933)

Fragen und Anregungen

❶ Stelle eine Liste der einzelnen Schritte der nationalsozialistischen Außenpolitik bis 1937 zusammen. Untersuche, wodurch die Ergebnisse der Außenpolitik begünstigt wurden und wie im In- und Ausland darauf reagiert wurde. (VT, M2, M3)

❷ Erkundige dich im Internet, wie der Maler Picasso den Luftangriff auf Guernica dargestellt hat.

❸ Vergleiche die Aussagen von M4 und M5 und stelle die Unterschiede einander gegenüber. Suche Gründe für die unterschiedlichen Aussagen.

❹ Erkläre, wie in der französischen und amerikanischen Karikatur die Außenpolitik Hitlers eingeschätzt wird. (M1, M7)

❺ Erläutere, welche Position der britische Staatsmann Lord Balfour zur zukünftigen Außenpolitik Deutschlands einnimmt und stelle fest, welche Gründe er dafür anführt. (M6)

❻ Verfasst in Gruppenarbeit einen Kommentar zur deutschen Außenpolitik aus englischer, französischer und deutscher Sicht.

13. Annexion, Aggression und Kriegsbeginn

März 1938	Mit der Annexion (Einverleibung) Österreichs entsteht das „Großdeutsche Reich".
September 1938	England, Frankreich und Italien ermöglichen auf einer Konferenz in München Deutschland den Einmarsch in das Sudetenland.
1939	Deutsche Truppen marschieren in der Tschechoslowakei ein. Hitler und Stalin schließen einen Nichtangriffspakt.
1. September 1939	Deutsche Truppen greifen Polen an: der Zweite Weltkrieg beginnt.

Auch bei den nächsten außenpolitischen Schritten glaubten die Nationalsozialisten sich der Zustimmung der meisten Deutschen sicher sein zu können: Unter Berufung auf das Selbstbestimmungsrecht der Völker sollten die deutschsprachigen Bevölkerungsteile der angrenzenden Staaten in einem Großdeutschen Reich vereint werden.

Die Annexion Österreichs ...

In Österreich gab es schon zur Zeit der Monarchie eine starke deutschnationale Bewegung, die ein engeres Zusammengehen mit dem wirtschaftlich starken Deutschland zum Ziel hatte. Trotz des Verbots einer Vereinigung durch den Versailler Vertrag griffen die deutschen Nationalsozialisten diese Idee auf und unterstützten 1934 die österreichischen Nationalsozialisten bei dem Versuch, in Österreich durch einen Putsch und den Mord am österreichischen Bundeskanzler Engelbert Dollfuß die Macht zu übernehmen. Dieser Versuch scheiterte. Mussolini ließ Soldaten am Brenner aufmarschieren und verhinderte dadurch eine stärkere Unterstützung der Putschisten durch deutsche Truppen. Nach Gründung der „Achse Rom-Berlin" (1936) ging Österreich dieser Schutz verloren. Nun wurden 1938 die deutschen Nationalsozialisten aktiv. Sie drohten mit dem Einmarsch deutscher Truppen. Damit setzten sie die österreichische Regierung so unter Druck, dass diese zuerst der Aufnahme einiger österreichischer Nationalsozialisten in die Regierung und dann der Ernennung des Führers der österreichischen NSDAP, Arthur Seyß-Inquart, zum Bundeskanzler Österreichs zustimmte. Dieser bat in einem mit der deutschen Regierung verabredeten „Hilferuf" um die Entsendung deutscher Truppen zur Sicherung von „Ruhe und Ordnung". Der deutsche Einmarsch geriet zu einem Triumphzug. Viele Österreicher waren aus nationalen Gründen für ein Zusammengehen mit Deutschland, andere erhofften sich einen wirtschaftlichen Aufschwung. Eine Volksabstimmung bestätigte mit 99 Prozent die Vereinigung von Österreich und Deutschland zum „Großdeutschen Reich". Fast unbemerkt blieb, dass gleichzeitig mit dem Jubel Tausende von Juden und politischen Gegnern verhaftet und in Konzentrationslager gebracht wurden.

M 1 Wien begrüßt den Führer
Hitler fährt am 12. März 1938 durch das von deutschen Truppen besetzte Wien.

... und Zerschlagung der Tschechoslowakei

Wenige Monate nach der Annexion Österreichs forderte die deutsche Regierung das Selbstbestimmungsrecht für die in der Tschechoslowakei lebenden Sudetendeutschen.

Die tschechoslowakische Regierung lehnte dies jedoch ab. Als die deutsche Regierung mit Krieg drohte, schaltete sich der englische Premierminister Neville Chamberlain ein, um zwischen Berlin und Prag zu vermitteln. Hitler aber bekräftigte seine Forderungen und drohte weiter mit Krieg. Mussolini gelang es schließlich, diesen zu verhindern und für den 29. und 30. 9. 1938 eine Konferenz nach München einzuberufen. Tschechische Politiker waren nicht eingeladen. England, Italien, Frankreich und Deutschland beschlossen im sog. „Münchner Abkommen", dass die Tschechoslowakei das Sudetenland an Deutschland abtreten müsse. Der übrigen Tschechoslowakei wurde die staatliche Existenz garantiert. Doch bereits im März 1939 ließ die deutsche Regierung Truppen in die Tschechoslowakei einmarschieren. Widerstand wurde nicht geleistet, denn Deutschland hatte gedroht, Prag zu bombardieren. Tschechien wurde zum „Reichsprotektorat Böhmen und Mähren", die Slowakei erklärte sich für souverän, unterstellte sich aber dem Schutz des Deutschen Reiches. Dieser Bruch des Münchner Abkommens verdeutlichte England und Frankreich, dass mit Verträgen und Zugeständnissen die Aggressionen der Nationalsozialisten nicht zu stoppen war. Sie gaben daher die bisherige Politik der Zugeständnisse an Hitler (Appeasement-Politik, engl. „to appease" = beruhigen, beschwichtigen) auf und erklärten Polen ihren Beistand, sollte es zu einem Angriff durch Deutschland kommen.

Der Weg in den Krieg

Geblendet von den bisherigen „Erfolgen" glaubte die deutsche Regierung immer noch, es mit schwachen Staatsmännern zu tun zu haben, deren Demokratien keinen Krieg riskieren würden. Immer offener drängten daher die Nationalsozialisten auf Krieg, um im Osten Land zu erobern. Ihr erstes Ziel war dabei Polen.

Zunächst sollte die seit dem Versailler Vertrag Freie Stadt Danzig wieder an das Deutsche Reich kommen. Zudem sollte Ostpreußen, das von Deutschland seit 1919 durch polnisches Gebiet („polnischer Korridor") getrennt war, durch eine exterritoriale (d. h. der deutschen Hoheit unterliegende) Straßen- und Eisenbahnverbindung mit dem Deutschen Reich verbunden werden. Polen lehnte diese ohnehin nur vorgeschobenen Forderungen ab.

Übergriffe gegenüber Deutschen in Polen nahm die deutsche Regierung zum Anlass, mit militärischer Gewalt zu drohen. England und Frankreich hätten dann Polen zu Hilfe kommen müssen. Deutschland wollte aber einen Zweifrontenkrieg vermeiden. Deshalb kam im Falle eines deutschen Angriffs auf Polen dem Verhalten der Sowjetunion große Bedeutung zu. Nachdem Bündnisverhandlungen Frankreichs und Englands mit der Sowjetunion gescheitert waren, trat am 23. August ein, womit niemand gerechnet hatte: Die antifaschistische Sowjetunion und das antibolschewistische Deutschland schlossen einen Nichtangriffspakt auf die Dauer von 10 Jahren. In einem geheimen Zusatzprotokoll machten sie Polen sowie die baltischen Staaten zur künftigen gemeinsamen Beute. Deutsche Truppen marschierten am 1. September in Polen ein, sowjetische am 17. September in Ostpolen. Die Nationalsozialisten hatten den Zweiten Weltkrieg begonnen. Der Einmarsch in Polen löste in der deutschen Bevölkerung Bestürzung und gedrückte Stimmung aus. Von einer Begeisterung wie beim Beginn des Ersten Weltkriegs war nirgendwo etwas zu spüren.

M 2 „Fragt sich, wie lange die Flitterwochen dauern werden?"
(Karikatur von Clifford K. Berryman im Washington Star vom 9. Oktober 1939)

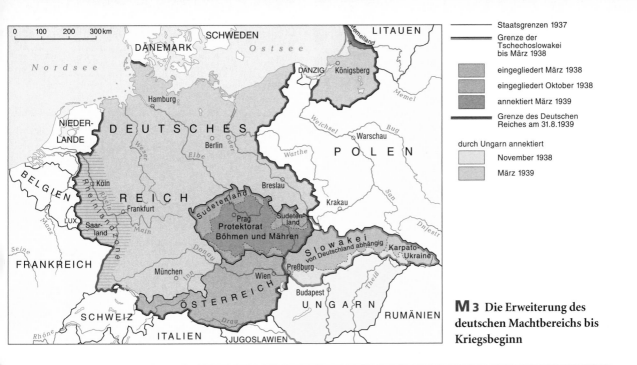

M 3 Die Erweiterung des deutschen Machtbereichs bis Kriegsbeginn

Map legend:
- Staatsgrenzen 1937
- Grenze der Tschechoslowakei bis März 1938
- eingegliedert März 1938
- eingegliedert Oktober 1938
- annektiert März 1939
- Grenze des Deutschen Reiches am 31.8.1939
- durch Ungarn annektiert
  - November 1938
  - März 1939

Münchner Abkommen

Das am 30. September 1938 von Großbritannien (Premierminister Chamberlain), Frankreich (Ministerpräsident Daladier), Italien (Mussolini) und Deutschland (Hitler) unterzeichnete Abkommen verpflichtete die Tschechoslowakei vom 1. bis 10. Oktober 1938 die Sudetengebiete zu räumen, die gleichzeitig von deutschen Truppen besetzt wurden. Hitler erklärte, keine weiteren territorialen Ansprüche mehr zu haben. Großbritannien und Frankreich garantierten der Tschechoslowakei die Existenz ihres Reststaates.

M 4 „Er ist der George Washington Deutschlands ..."

Lloyd George (seit 1890 liberaler englischer Unterhausabgeordneter, Premierminister 1916–1922) im „Daily Express" vom 17. September 1936:

Ich bin eben von einem Besuch in Deutschland zurückgekehrt. Ich habe jetzt den berühmten deutschen „Führer" gesehen. (...) Was immer man von seinen Methoden halten mag – es sind bestimmt nicht die eines parlamentarischen Landes –, es besteht kein Zweifel, dass er einen wunderbaren Wandel im Denken des Volkes herbeigeführt hat.

Zum ersten Mal nach dem Krieg herrscht ein allgemeines Gefühl der Sicherheit. Die Menschen sind fröhlicher. Über das ganze Land verbreitet sich die Stimmung allgemeiner Freude. Es ist ein glückliches Deutschland. Diesen Wandel hat ein Mann vollbracht. Er ist der geborene Menschenführer (...).

Er ist gegen Kritik immun wie ein König in einem monarchistischen Staat. Er ist noch mehr. Er ist der George Washington Deutschlands, der Mann, der seinem Land die Unabhängigkeit von allen Bedrückern gewann. Die Aufrichtung einer deutschen Hegemonie in Europa, Ziel und Traum des alten Militarismus vor dem Krieg, liegt nicht einmal am Horizont des Nationalsozialismus. Deutschlands Bereitschaft zu einer Invasion in Russland ist nicht größer als die zu einer militärischen Expedition auf den Mond. [20]

Nach: P. W. Fabry: Mutmaßungen über Hitler. Urteile von Zeitgenossen. Königstein/Ts. 1979, S. 216 f.

M 5 „Zynismus und Hinterhältigkeit"

Am 16.3. 1939 meinte Robert Coulondre, der französische Botschafter in Moskau:

Die Tschechoslowakei (...) besteht nicht mehr. (...) Alle Staaten, die Wert auf ihre Unabhängigkeit und Sicherheit legen, müssen unverzüglich (...) Schlussfolgerungen gegenüber dem durch seine Erfolge berauschten Deutschland ziehen, das seine auf rassischen Grundsätzen aufgebauten Forderungen mit einem Imperialismus reinsten Wassers vertauscht hat. Das Vorgehen, dem die Tschechoslowakei soeben zum Opfer gefallen ist, trägt den typischen Stempel hitlerischer Unternehmungen, d. h. Zynismus und Hinterhältigkeit der Planung, Geheimhaltung der Vorbereitung und Brutalität der Ausführung. [10]

Nach: Geschichte in Quellen, Bd. 6. München 1970, S. 377.

M 6 Einmarsch der deutschen Truppen in Prag im März 1939

M 8 Die Freie Stadt Danzig feiert am 19. September 1939 die Eingliederung in das „Großdeutsche Reich".

M 7 Ein Datum von großer historischer Bedeutung

Der sowjetische Außenminister Molotow äußerte sich am 31. August 1939 zum Hitler-Stalin-Pakt:

Der Entschluss, zwischen der Sowjetunion und Deutschland einen Nichtangriffspakt abzuschließen, wurde gefasst, nachdem die militärischen Verhandlungen mit England und Frankreich infolge der unüber-
5 steigbaren Meinungsverschiedenheiten in einen Engpass gerieten. Unter der Berücksichtigung, dass wir auf den Abschluss eines gegenseitigen Beistandspaktes nicht rechnen konnten, mussten wir uns die Frage nach anderen Möglichkeiten stellen, um den Frieden
10 zu garantieren und die Drohung eines Krieges zwischen Deutschland und der Sowjetunion auszuschalten (...).
Der 23. August, an dem der deutsch-sowjetische Nichtangriffspakt unterzeichnet wurde, muss als ein Datum
15 von großer historischer Bedeutung betrachtet werden. Der Nichtangriffspakt zwischen Sowjet-Russland und Deutschland bedeutet einen Umschwung in der Geschichte Europas und nicht nur Europas allein.

Nach: E. Krautkrämer (Hg.): Internationale Politik im 20. Jahrhundert, Bd. I. Frankfurt/M. 1976, S. 157 f.

M 9 Eine Einladung Stalins an Deutschland

Der amerikanische Journalist William L. Shirer schrieb am 23. August in Berlin in sein Tagebuch:

Gegen zwei Uhr morgens erhielten wir den Text des russisch-deutschen Pakts. Er geht viel weiter, als irgend jemand träumen konnte. Er stellt in Wirklichkeit eine Allianz dar und entsprechend den getroffenen Festlegungen enthält er die Einladung Stalins, des angeblichen Erzfeinds des Nazismus und jeglicher Aggression, an Deutschland, in Polen einzumarschieren und dort aufzuräumen. Die Anhänger der Bolschewisten sind konsterniert. Verschiedene deutsche Redakteure (...), die noch vorgestern hysterisch über die rote Gefahr geschrieben haben, kommen herein, bestellen Champagner und bezeichnen sich als alte Freunde der Sowjets! Dass Stalin so unverhohlene Machtpolitik betreibt und damit den Nazis in die Hände spielt, überwältigt (...) uns. (...) Wird, nehmen wir an, ein französischer Kommunist, den man sechs Jahre gelehrt hat, den Nazismus über alles zu hassen, nun Moskaus Umarmung von Hitler einfach schlucken?

Nach: W.L. Shirer: Berliner Tagebuch. Leipzig/Weimar 1991, S. 191 (Übers. v. J. Schebera).

Fragen und Anregungen ···

❶ Beschreibe die Reaktionen der österreichischen, der tschechischen und der Danziger Bevölkerung auf den Einmarsch deutscher Truppen. Suche Gründe für die Gemeinsamkeiten und Unterschiede. (M1, M6, M8)

❷ Erkläre die Ziele, Möglichkeiten und Gefahren der englischen Appeasement-Politik (VT). Suche Gründe dafür, warum in der Auseinandersetzung mit Diktaturen bis in unsere Zeit eine Appeasement-Politik in Politik und Öffentlichkeit kontrovers diskutiert wird.

❸ Erkläre, warum Lloyd George und Coulondre zu so unterschiedlicher Bewertung der nationalsozialistischen Politik und ihres Führers kommen. (M4 und M5)

❹ Setze dich mit Molotows Begründung des Pakts mit Deutschland kritisch auseinander. (M7) Beziehe dabei auch die Aussagen von M2 und M9 mit ein.

14. Eroberung – Ausbeutung – Vernichtung: der Zweite Weltkrieg bis 1943

3. September 1939	England und Frankreich erklären Deutschland den Krieg.
22. Juni 1941	Deutschland greift die Sowjetunion an.
8. Dezember 1941	Die USA treten in den Krieg ein.
31. Januar 1943	Die 6. deutschen Armee kapituliert in Stalingrad.

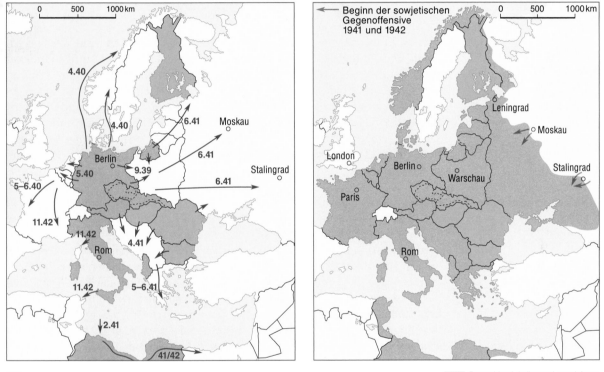

M 1 **Der Krieg in Europa 1939–1942**
(1) Die Phase der deutschen „Blitzkriege". (2) Die größte Ausdehnung der deutschen und italienischen Mächte im Jahre 1942.

■ Deutschland, Italien und annektierte Territorien bei Kriegsbeginn (Karte 1) und im Herbst 1942 (Karte 2)

■ mit Deutschland ab 1941 verbündete Staaten

Nach dem deutschen Überfall auf Polen erfüllten England und Frankreich zwar ihre Bündnisverpflichtungen und erklärten Deutschland den Krieg, sie griffen aber selbst noch nicht in das Kriegsgeschehen ein. Polen musste allein einen Zweifrontenkrieg gegen Deutschland und der Sowjetunion führen. Innerhalb weniger Wochen überrollten deutsche Panzerverbände das Land, das gemäß dem Hitler-Stalin-Pakt zwischen Deutschland und der Sowjetunion geteilt wurde. Unmittelbar nach den deutschen Wehrmachtstruppen zog die SS in das eroberte Gebiet ein: Sie verschleppte viele Polen zur Zwangsarbeit nach Deutschland, richtete in den Städten jüdische Gettos ein und begann systematisch mit der Ermordung vor allem von Juden, aber auch von Adeligen, Geistlichen, Wissenschaftlern und Technikern. Die gesamte polnischen Elite sollte vernichtet werden.

„Blitzkriege"

59

Nach der Eroberung Polens verlagerte sich der Krieg nach Nord- und Westeuropa. Um die Versorgung Deutschlands mit Erz aus Schweden und Nickel aus Finnland zu sichern, besetzten deutsche Truppen Dänemark und unter hohen Verlusten Norwegen. Im Westen war für die „Blitzkriege" gegen Holland, Belgien und Frankreich das Zusammenwirken von Luftlandetruppen und Panzerverbänden von entscheidender Bedeutung. Bei Dünkirchen wurden 225 000 Engländer und 112 000 Franzosen eingeschlossen. Sie konnten sich zwar über den Kanal nach England retten, die Niederlage Frankreichs aber war damit besiegelt. Am 14. Juni 1940 marschierten deutsche Truppen in Paris ein.

Der Krieg weitet sich in ganz Europa aus

Englands Widerstandswille blieb weiterhin ungebrochen. Der deutsche Versuch, den Luftkrieg über England zu gewinnen, durch Bombardierungen die englische Industrie zu schwächen und die Bevölkerung zu demoralisieren, schlug fehl. Die geplante Invasion musste verschoben und schließlich ganz aufgegeben werden.

Um nun zumindest Englands Vormacht im Mittelmeer zu brechen und die Nachschubwege für das rumänische Öl zu sichern, besetzten die deutschen Truppen Jugoslawien sowie Griechenland und kamen den italienischen Divisionen in Nordafrika zu Hilfe.

Ohne England besiegt und damit den Rücken frei zu haben, griff Deutschland am 22. Juni 1941 mit etwa 3 Millionen Soldaten die Sowjetunion an. Neben Italien schlossen sich auch Rumänien, Ungarn, die Slowakei und Finnland dem deutschen Angriff an. Ein Sieg über die Sowjetunion sollte für Deutschland die Lieferung von vielfältigen Rohstoffen sichern und vor allem die lange geplante Eroberung von Lebensraum im Osten ermöglichen. Die Kampfkraft der sowjetischen Roten Armee wurde als gering eingeschätzt, ein Blitzkrieg von etwa acht Wochen erwartet.

Der Krieg im Osten: Ausbeutung und Vernichtung

Der Beginn des Krieges schien dieser Meinung der deutschen Kriegführung recht zu geben: Anfang Dezember standen die deutschen Truppen 40 km vor Moskau. Dabei waren in verschiedenen Gebieten des sowjetischen Vielvölkerstaates – etwa den baltischen Staaten oder der Ukraine – die Truppen sogar als Befreier von der Diktatur Stalins begrüßt worden. Dies sollte sich aber rasch ändern: Die Nationalsozialisten führten den Krieg gegen die Sowjetunion nicht, um einen Staat zu besiegen, sondern um das eroberte Land auszubeuten und die für sie „rassisch minderwertige" Bevölkerung zu vernichten. Der Vernichtungskampf im Osten kostete mehr als 20 Millionen Russen das Leben, und dies nicht vor allem an der Front, sondern besonders im von Deutschen eroberten sogenannten Hinterland. Hauptverantwortlich für den millionenfachen Mord waren in erster Linie die SS und der deutsche Polizeiapparat. Teilweise waren auch reguläre Wehrmachtstruppen daran beteiligt. Viele russische Kriegsgefangene wurden unmittelbar nach der Gefangennahme erschossen oder kamen in den Gefangenenlagern ums Leben. Juden und kommunistische Funktionäre wurden systematisch von der SS aufgespürt, in Konzentrationslager eingeliefert und ermordet.

Zu den Opfern zählte auch die russische Zivilbevölkerung. Als Vergeltung für Aktionen russischer Partisanen wurden oft alle Menschen eines betroffenen Gebiets ermordet oder als Zwangsarbeiter nach Deutschland bzw. in die Konzentrationslager verschleppt. Terror gegen die Bevölkerung war auch die Antwort gegen die in fast allen anderen von deutschen Truppen besetzten Ländern entstandenen Widerstandsgruppen. Auch dort kämpften Partisanen hinter der Front mit Sabotageakten, mit passivem Widerstand oder mit Überfällen auf deutsche Dienststellen oder Truppen. Die SS antwortete mit harten Vergeltungsmaßnahmen. Orte wurden zerstört, Männer, Frauen und Kinder verschleppt oder erschossen. Lidice in der Tschechischen Republik, Kalavryta in Griechenland und Oradour-sur-Glane in Frankreich sind Beispiele dafür.

Widerstand und Vergeltung

Endgültig zum Weltkrieg wurde der Krieg, als 1941 die USA eintraten. Die Vereinigten Staaten verhielten sich seit langem nicht mehr neutral, denn sie versorgten die Gegner Deutschlands mit Kriegsmaterial. Noch widersetzte sich allerdings die amerikanische Öffentlichkeit einem offenen Kriegseintritt. Dies änderte sich, als Japan ohne Kriegserklärung einen Teil der vor Pearl Harbor (Hawaii) ankernden amerikanischen Flotte angriff und zerstörte. Seit 1932 führten die Japaner in Ostasien Krieg und eroberten große Gebiete. Als die USA daraufhin ein Rohstoffembargo über Japan verhängten, antwortete dieses mit einem Angriff auf Pearl Harbor. Am 8. Dezember 1941 erklärten die USA und England an Japan den Krieg. Am 11. Dezember erfolgte entsprechend dem Dreimächtepakt, den Deutschland 1940 mit Italien und Japan geschlossen hatte, die deutsche Kriegserklärung an die USA.

Die Wende des Krieges

Neben dem Kriegseintritt der USA gilt heute die Schlacht um die russische Stadt Stalingrad als Wende des Krieges. Dort wurde die 284 000 Mann starke 6. deutsche Armee von russischen Truppen eingekesselt und musste am 31. Januar 1943 kapitulieren. 160 000 deutsche und rumänische Soldaten waren gefallen, auf 90 000 wartete die russische Gefangenschaft, nur etwa 10 000 sollten diese überleben.
Es folgte eine Wende an allen Fronten. Im Mai 1943 musste das deutsche Afrikakorps kapitulieren, im Juli landeten die Alliierten auf Sizilien, was den Sturz Mussolinis zur Folge hatte.
Zudem gelang es den Alliierten, eine neue Front über Deutschland aufzubauen – eine Front, die es in bisherigen Kriegen so noch nicht gegeben hatte: Englische und amerikanische Flugzeuge bombardierten immer häufiger deutsche Städte. Die Front war nun überall.

M 3 **Hinrichtung der russischen Partisanin Masha Bruskina** (Foto vom 26. 10. 1941)
Ein Wehrmachtssoldat legt ihr den Strick um den Hals.

M 4 Behandlung der Fremdvölkischen im Osten"

Als „Reichskommissar für die Festigung des deutschen Volkstums" in den eroberten Ostgebieten führte Himmler am 25. Mai 1940 in einer Denkschrift aus:

Für die nichtdeutsche Bevölkerung des Ostens darf es keine höhere Schule geben als die vierklassige Volksschule. Das Ziel dieser Volksschule hat lediglich zu sein: einfaches Rechnen bis höchstens 500, Schreiben des
5 Namens, eine Lehre, dass es ein göttliches Gebot ist, den Deutschen gehorsam zu sein und ehrlich, fleißig und brav zu sein. Lesen halte ich nicht für erforderlich (...) Die Eltern der Kinder guten Blutes werden vor die Wahl gestellt, das Kind herzugeben – sie werden dann
10 wahrscheinlich keine weiteren Kinder mehr erzeugen, so dass die Gefahr, dass dieses Untermenschenvolk des Ostens durch solche Menschen guten Blutes eine für uns gefährliche, da ebenbürtige Führerschicht erhält, erlischt – oder die Eltern verpflichten sich, nach
15 Deutschland zu gehen und dort loyale Staatsbürger zu werden (...). Es erfolgt jährlich (...) bei den 6- bis 10-jährigen eine Siebung aller Kinder des Generalgouvernements nach blutlich Wertvollen und Nichtwertvollen.

Nach: Informationen zur politischen Bildung. Bonn, Nr. 143, S. 7.

M 5 „Russenweiber"

Aus einem Bericht über sowjetische Zwangsarbeiter:

Die Deportierten wurden isoliert von der deutschen Bevölkerung untergebracht. Zehn junge Frauen aus der Ukraine wurden 1942 verschleppt und in einer Maschinenfabrik zur Zwangsarbeit verpflichtet. (...)
5 Einige von ihnen waren gerade erst 17 Jahre. (...) Ohne Verpflegung und mit ganz wenig Kleidung trafen sie an ihrem Arbeitsort ein (.. .). Zusammen mit anderen Zwangsarbeiterinnen waren sie in Baracken neben dem Fabrikgelände untergebracht. Im Ort wurden sie
10 die „Russenweiber" genannt. Die Unterkünfte durften nur zum Zweck der Arbeit verlassen werden. Bis zum Mai 1945 blieben die Frauen in diesen Baracken und gingen tagsüber arbeiten. Dann wurden sie von englischen Truppen befreit. Sie konnten in ihre Heimat zu-
15 rückkehren.

Nach: Arkenau, Reinhard: Heimatblätter, Beilage zur Oldenburgischen Volkszeitung, 10. Dezember 1994, S. 56 ff.

M 6 „Der Soldat ist im Ostraum nicht nur Kämpfer ..."

Aus einem deutschen Wehrmachtsbefehl vom 10. Oktober 1941:

Das wesentlichste Ziel des Feldzuges gegen das jüdisch-bolschewistische System ist die völlige Zerschlagung der Machtmittel und die Ausrottung des asiatischen Einflusses im europäischen Kulturkreis.
5 Hierdurch entstehen auch für die Truppe Aufgaben,

die über das hergebrachte einseitige Soldatentum hinausgehen. Der Soldat ist im Ostraum nicht nur Kämpfer nach den Regeln der Kriegskunst, sondern auch Träger einer unerbittlichen völkischen Idee. (...) Deshalb muss der Soldat für die Notwendigkeit der harten, aber gerechten Sühne am jüdischen Untermenschentum volles Verständnis haben. (...) Wird im Rücken der Armee Waffengebrauch einzelner Partisanen festgestellt, so ist mit drakonischen Maßnahmen durchzugreifen. (...) Nur so werden wir unserer geschichtlichen Aufgabe gerecht, das deutsche Volk von der asiatisch-jüdischen Gefahr ein für alle Mal zu befreien.

Nach: Der Prozess gegen die Hauptkriegsverbrecher, Bd.35, S. 81 ff.

M 7 „Einige Deutsche waren sehr gut ..."

Aus einem Brief, den die Tochter einer russischen Zwangsarbeiterin 1995 schrieb:

Meine Mutter spricht sehr viel über diese Zeit. Unsere Beziehungen zu Deutschland sind positiv. (...) Das deutsche Volk ist nicht schuldig daran, dass viele Leute leiden mussten. Einzelne Leute haben schwere Schuld, aber solche Leute gibt es in jedem Land. Meine Mutter arbeitete in einer Maschinenfabrik Nr. 15. Einige Deutsche in Baracken, Ställen, Scheunen und waren sehr gut zu den Mädchen, bedauerten sie und haben mit Bekleidung und Essen geholfen, obschon sie selbst in schlechter Situation waren.

Nach: Heimatblätter, Beilage zur Oldenburgischen Volkszeitung, 12. August 1995, S. 34.

M 8 Zwangsarbeiterin Männer und Frauen vor allem aus Polen und der Sowjetunion wurden in Deutschland als „Ostarbeiter" in Rüstungsbetrieben eingesetzt.

M 9 Das zerstörte Coventry
Die südenglische Stadt wurde bei einem deutschen Luftangriff am 14. Und 15. November 1940 fast völlig zerstört.

M 10 „Küsst ... mein kleines und liebes Töchterchen"

Am 30. Oktober 1942 schrieb der sowjetische Soldat W. Kusnezow aus Stalingrad an seine Angehörigen:
Küsst in meinem Auftrag mein kleines und liebes Töchterchen. Möge sie ihren Vater nicht vergessen, der dafür kämpft, dass ihre Kindheit von faschistischen Schrecken bewahrt bleibe. Bringt dem Töchterchen bei, dass ihr keine Gefahr droht, solange ich und meine Kampfgenossen die Front halten.

Nach: W. Wette und G. R. Ueberschär (Hg.): Stalingrad. Mythos und Wirklichkeit einer Schlacht. Frankfurt/M. 1992, S. 104.

M 11 „Ein Verrecken, Verhungern, Erfrieren..."

Ein deutscher Soldat in Stalingrad schrieb an seinen Vater:
Du bist mein Zeuge, dass ich mich immer gesträubt habe, weil ich Angst vor dem Osten hatte, vor dem Kriege überhaupt. Ich war nie Soldat, immer nur uniformiert. Was habe ich davon? Was haben die anderen davon, die sich nicht gesträubt haben und keine Angst 5 hatten? (...) Der Tod muss immer heroisch sein, begeisternd, mitreißend, für eine große Sache und aus Überzeugung. Und was ist es in Wirklichkeit hier? Ein Verrecken, Verhungern, Erfrieren, nichts weiter wie eine biologische Tatsache, wie Essen und Trinken. Sie fallen 10 wie die Fliegen und keiner kümmert sich darum und begräbt sie. Ohne Arme und Beine und ohne Augen, mit zerrissenen Bäuchen liegen sie überall. Man sollte davon einen Film drehen, um den „schönsten Tod der Welt" unmöglich zu machen. 15

Nach: Letzte Briefe aus Stalingrad, Gütersloh 1957, S. 20 f.

M 12 „Der Kampf um Stalingrad ist zu Ende"

Aus dem offiziellen Wehrmachtsbericht:
23. 1. 1943: Die Verteidiger von Stalingrad leisteten während des ganzen gestrigen Tages in heroischem Ringen dem stark überlegenen Feind Widerstand.
30. 1. 1943: In Stalingrad ist die Lage unverändert. Der Mut der Verteidiger ist ungebrochen. 5
3. 2. 1943: Der Kampf um Stalingrad ist zu Ende. Ihrem Fahneneid bis zum letzten Atemzug getreu, ist die 6. Armee unter vorbildlicher Führung des Generalfeldmarschall Paulus der Übermacht des Feindes und der Ungunst der Verhältnisse erlegen. 10

Nach: C. Hagener: Deutschland unter der Diktatur 1939–1941. Braunschweig 1966. S. 158.

Fragen und Anregungen ···

❶ Ergänze die Zeittafel anhand der Karte M1 sowie des Verfassertextes mit den wichtigsten militärischen Aktionen. Ordne diesen die Aussagen von M2 und M9 zu.

❷ Erläutere, von welchen Motiven und Zielen sich die Nationalsozialisten bei ihrem Umgang mit den Bewohnern der eroberten Ostgebiete leiten ließen. Überlege dir, warum sie als „Fremdvölkische" bezeichnet werden. (M4)

❸ Stelle fest, welche Gründe in M6 für die Aufgaben, „die über das hergebrachte einseitige Soldatentum hinausgehen", genannt werden. Untersuche anhand des VT und M3 und M4

welche Folgen der Befehl auf die Kriegsführung hatte.

❹ Überlege, warum die Aussagen über die Behandlung von Zwangsarbeitern so unterschiedlich sind. Beachte auch den Zeitpunkt des Briefes. (M5, M7, M8)

❺ Fasse zusammen, welche Empfindungen die Äußerungen der in Stalingrad Kämpfenden ausdrücken. (M10 und M11)

❻ Vergleiche M11 und M12. Stelle fest, welche Absichten die offizielle Berichterstattung über den Kampf um Stalingrad verfolgte.

15. Holocaust: Deportation und Völkermord

1941	Die systematische Deportation und Ermordung von Juden, Sinti und Roma sowie weiterer Bevölkerungsgruppen aus Deutschland und den besetzten Gebieten beginnt.
20. Januar 1942	Auf einer Konferenz in Berlin-Wannsee wird die „Endlösung", die Ermordung aller europäischer Juden, beschlossen.
1941/42	Im besetzten Polen werden Vernichtungslager errichtet.
1939–1945	In den Vernichtungslagern des Ostens werden fast 6 Millionen Juden sowie eine halbe Million Sinti und Roma ermordet.

Menschenjagd in Europa

Der Krieg im Osten wurde von den Nationalsozialisten als „Weltanschauungskrieg" geführt, der zur Ausrottung und Vernichtung des Gegners führen sollte. Aus Polen, den baltischen Staaten Estland, Lettland, Litauen sowie Westrussland und Teilen der Ukraine sollten 31 Millionen Menschen der slawischen Bevölkerung nach Westsibirien deportiert werden, um Siedlungsraum für Deutsche zu schaffen. Nur 14 Millionen „Gutrassige" sollten bleiben dürfen.

Aber auch im übrigen Europa begannen die Nationalsozialisten, ihre Rassenpolitik durchzusetzen. Ende 1942 hatte der von Hitler beherrschte Raum seine größte Ausdehnung erreicht. Von Norwegen bis Nordafrika, von der Atlantikküste bis zum Kaspischen Meer wurde nach Juden, Sinti und Roma, Homosexuellen, aber auch politisch Andersdenkenden (Kommunisten) oder Zeugen Jehovas planmäßig gefahndet.

Besonders betroffen waren die Juden. Schon zu Beginn des Krieges hatten die Nationalsozialisten die systematische Vernichtung aller Juden in Europa geplant.

Deutsche Sonderkommandos deportierten alle jüdischen Frauen, Männer und Kinder, derer sie in Deutschland und den jeweils besetzten Ländern habhaft werden konnten. In Viehwaggons wurden sie zuerst in Gettos der eroberten Ostgebiete gebracht, die aber bald nicht mehr aufnahmefähig waren. Nun beschloss die SS-Führung Massenerschießungen. Eines dieser Massaker verübte die SS in Babi-Yar, einer Schlucht am Stadtrand von Kiew: An zwei Tagen erschossen SS-Sonderkommandos 33 771 jüdische Menschen. Doch auch in solchen Massenerschießungen sah die SS-Führung keine sie zufriedenstellende Tötungsmethode, angesichts der Millionen Juden, die aus ganz Europa zusammen getrieben wurden.

Auf einer Konferenz in Berlin-Wannsee 1942 beschlossen daher führende Nationalsozialisten, die – wie sie es nannten – „Endlösung der Judenfrage", d. h. den Völkermord an den Juden. Als Ergebnis der Konferenz wurden die großen Vernichtungslager von Auschwitz, Treblinka, Belzec, Sobibor, Kulmhof und Lublin (Majdanek) mit Gaskammern und Verbrennungsöfen für die Leichen errichtet. Dorthin brachte man die Juden, zusammengepfercht in Güterwaggons. Schon die Fahrt überlebten viele nicht. SS-Ärzte führten nach der Ankunft eine „Selektion" durch, bei der sie entschieden, wer sofort ermordet oder wessen Arbeitskraft im Lager auf Zeit ausgenutzt werden sollte. Mit technischer Perfektion wurden die Menschen in Gaskammern getötet und in Krematorien verbrannt. Die meisten Opfer waren ahnungslos und gingen ohne Gegenwehr in den Tod. Die Arbeitsfähigen wurden von Großunternehmen als billige Arbeitskräfte eingesetzt, wobei die Arbeit oft so schwer war, dass der Einsatz einer „Vernichtung durch Arbeit" gleichkam. Mit anderen Häftlingen machten Ärzte tödliche „wissenschaftliche Experi-

M 1 Deportation einer jüdischen Familie, 1943

mente". Insgesamt kamen in den Vernichtungslagern fast 6 Millionen Juden ums Leben, ca. 60% aller Juden in Europa. Allein in Auschwitz wurden über eine Million Menschen ermordet.

Jeder Versuch von Widerstand wurde von der SS unterdrückt. So schlugen deutsche Truppen im April 1943 den Aufstand der Juden im Warschauer Getto nieder, zerstörten das jüdische Wohnviertel und töteten über 56 000 Juden.

Holocaust und Shoa sind die Begriffe für das Verbrechen, das Deutsche an dem jüdischen Volk begangen haben. Dasselbe Schicksal des Völkermords erlitten auch die Sinti und Roma. Auch sie wurden in ganz Europa systematisch verfolgt, in Konzentrationslager wie Auschwitz-Birkenau deportiert, zu medizinischen Versuchen missbraucht und schließlich ermordet. Die Zahl der ermordeten europäischen Sinti und Roma beträgt etwa eine halbe Million.

Von allem nichts gewusst?

All diese Verbrechen versuchten die Nationalsozialisten vor der Öffentlichkeit streng geheim zu halten. Denn sie wussten, dass der bei vielen Deutschen vorhandene Antisemitismus nicht so weit ging, derartige Verbrechen zu billigen. Daher hat die Mehrheit der deutschen Bevölkerung von der Judenvernichtung in diesem Ausmaß nichts Genaueres gewusst oder sie schenkte vereinzelten Berichten keinen Glauben. Furchtbares geahnt haben aber manche: Fronturlauber erzählten von ihren Beobachtungen. Juden verschwanden aus der Nachbarschaft. Angesichts der Deportationszüge aber schauten die meisten Deutschen weg und wollten mit den Vorgängen nichts zu tun haben. Einige haben in Einzelfällen unter Lebensgefahr Juden geholfen und sie z. B. vor der Gestapo versteckt. Andererseits waren Tausende von Deutschen direkt beteiligt, waren willige Helfer: als Ingenieure oder Konstrukteure, als Buchhalter, Lieferanten oder Wachpersonal – am Schreibtisch, bei den Transporten, in den Lagern. Sie alle beriefen sich später auf „Befehl und Gehorsam".

M 2 Ankunft ungarischer Juden in Auschwitz, 1944
SS-Männer wählten Arbeitsfähige aus. Alle anderen – Schwache, Kranke, Alte und kleine Kinder – wurden sofort ins Gas geschickt. Das eigentliche Massenvernichtungslager von Auschwitz war in Birkenau. Hier wurden täglich mehrere Tausend Menschen vergast und anschließend verbrannt.

Konzentrations- und Vernichtungslager

Konzentrationslager sind in totalitären Staaten ein Mittel, politische Gegner und missliebige Minderheiten auszuschalten oder zu beseitigen. In der UdSSR gab es seit 1923 Zwangsarbeitslager (GULag), in denen z.B. unter Stalin über 12 Millionen Menschen interniert waren.

Im Deutschland errichteten die Nationalsozialisten das erste Konzentrationslager im März 1933 in Dachau. Viele weitere kamen bald hinzu. Zuerst mussten die Häftlinge der Konzentrationslager für Projekte der SS Zwangsarbeit leisten, später dann für die Rüstungsindustrie.

1944 bestanden 20 Konzentrationslager mit 165 angeschlossenen Zwangsarbeitslagern.

Nach Schätzungen waren 1944/45 insgesamt etwa 1,6 Millionen unter Einbeziehung der Vernichtungslager 7,2 Millionen Häftlinge in Konzentrationslagern gefangen.

Ab 1941 wurden entweder neu oder durch Erweiterung bestehender Konzentrationslager Vernichtungslager eingerichtet. Sie dienten der systematischen Vernichtung der Menschen durch Gas, Massenerschießungen, Zwangsarbeit, oder durch sadistische Quälereien, Seuchen und Hunger. In den Vernichtungslagern und in den Konzentrationslagern wurden bis 1945 mindestens zwischen 5 und 6 Millionen v.a. jüdische, aber auch viele andere Häftlinge sowie 500 000 Sinti und Roma getötet.

Systematische Vernichtung der europäischen Juden/Völkermord

Als Völkermord (Genozid) wird die Absicht bezeichnet, eine Bevölkerungsgruppe aus religiösen, rassischen, ethnischen oder nationalen Gründen völlig oder weitgehend zu vernichten. Zwar wurden schon in der Antike und im Mittelalter bestimmte Völkerschaften und Volksgruppen teilweise oder völlig ausgerottet, ungleich größere Ausmaße erreichte der Völkermord

allerdings zu Beginn der Neuzeit (z.B. weitgehende Vernichtung der Indianervölker Nord- und Südamerikas durch die europäische Kolonisation) und vor allem im 20. Jahrhundert. Die technisch-organisatorische Perfektion bei der systematischen Vernichtung der Juden durch die deutschen Nationalsozialisten gilt als einzigartig.

Holocaust/Shoa

Das griechische Wort „holocauston" bezeichnete ursprünglich ein Brandopfer von Tieren. Seit Ende der 1970er Jahre wurde damit die Vernichtung der europäischen Juden durch Gas und Feuer während der

nationalsozialistischen Herrschaft bezeichnet. Immer öfter wird für dieses Verbrechen auch der Begriff Shoa verwendet. Das hebräische Wort bedeutet „plötzlicher Untergang, Verderben".

Deutscher Politischer Schutzhäftling

Französischer politischer Schutzhäftling

Spanischer politischer Schutzhäftling

Sicherungsverwahrter Krimineller (Noch in Strafhaft)

Jüdischer BVer

Asozialer

Jüdischer Politischer Schutzhäftling

Bibelforscher

Emigrant

Jüdischer Asozialer

Arbeitserziehungshäftling („Arbeitsscheuer")

Jüdischer „Rassenschänder"

Aktionshäftling (in Massenaktionen wegen polit. Unzuverlässigkeit eingeliefert)

Jüdischer Emigrant

Krimineller (Befristete Vorbeugungshaft = BV)

Sinti und Roma

Homosexueller

Polit. Schutzhäftling der Strafkompanie

M 3 Kennzeichnung der KZ-Häftlinge nach den Normen der NS-Schergen.

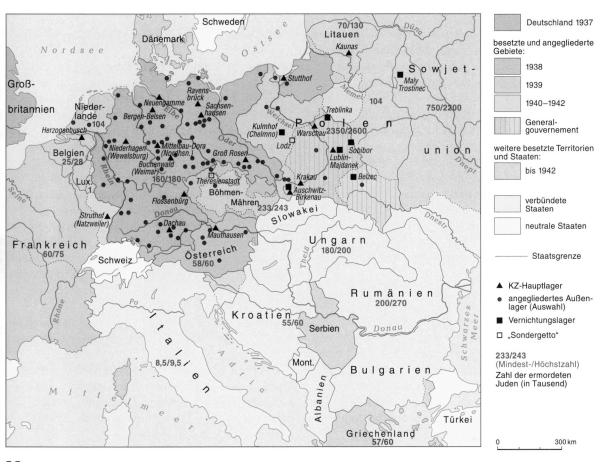

M 4 Konzentrationslager und Herkunftsländer der ermordeten Juden

Legend on map:

Deutschland 1937

besetzte und angegliederte Gebiete:
1938
1939
1940–1942
General-gouvernement

weitere besetzte Territorien und Staaten:
bis 1942

verbündete Staaten

neutrale Staaten

— Staatsgrenze

▲ KZ-Hauptlager
● angegliedertes Außen-lager (Auswahl)
■ Vernichtungslager
□ „Sondergetto"

233/243 (Mindest-/Höchstzahl) Zahl der ermordeten Juden (in Tausend)

0 ——— 300 km

M 5 „Ruhmesblatt unserer Geschichte"?

In einer Rede vor SS-Führern erklärte Heinrich Himmler, der Reichsführer-SS, am 4. Oktober 1943 in Posen:
Ich will hier vor Ihnen in aller Öffentlichkeit auch ein ganz schweres Kapitel erwähnen. Unter uns soll es einmal ganz offen ausgesprochen sein und trotzdem werden wir in der Öffentlichkeit nie darüber reden. (...) Ich meine jetzt die Judenevakuierung, die Ausrottung des jüdischen Volkes. Es gehört zu den Dingen, die man leicht ausspricht – „Das jüdische Volk wird ausgerottet", sagt ein jeder Parteigenosse, „ganz klar, steht in unserem Programm, Ausschaltung der Juden, Ausrottung, machen wir." Und dann kommen sie alle an, die braven 80 Millionen Deutschen, und jeder hat seinen anständigen Juden. Es ist ja klar, die anderen sind Schweine, aber dieser eine ist ein prima Jude. Von allen, die so reden, hat keiner zugesehen, keiner hat es durchgestanden. Von euch werden die meisten wissen, was es heißt, wenn 100 Leichen beisammen liegen, wenn 500 daliegen oder (...) 1000. (...) Dies durchge-

halten zu haben und dabei – abgesehen von Ausnahmen menschlicher Schwächen – anständig geblieben zu sein, das hat uns hart gemacht. Dies ist ein niemals 20 geschriebenes und niemals zu schreibendes Ruhmesblatt unserer Geschichte.

Nach: IMG, Bd. XXIX, S. 145.

M 6 Das Massaker von Babi-Yar

Aus der Vernehmung einer Überlebenden am 9. Februar 1967:
Als wir uns dem Sammelplatz näherten, erblickten wir die Umzingelung aus deutschen Soldaten und Offizieren. Mit diesen befanden sich auch Polizisten dort. (...) Man führte uns zu einem Vorsprung über der Schlucht und begann, uns mit Maschinenpistolen zu erschießen. 5 Die vorn Stehenden fielen in die Schlucht, und als die Reihe an mich kam, stürzte ich mich lebendig in die Schlucht. Es kam mir so vor, als ob ich in die Ewigkeit fliegen würde. Ich fiel auf menschliche Leichen, die sich dort in blutiger Masse befanden. Von diesen Op- 10

fern erklang Stöhnen, viele Menschen bewegten sich noch, sie waren nur verwundet. Hier gingen auch Deutsche und Polizisten umher, die die noch Lebenden erschossen oder totschlugen. Dieses Schicksal erwarte-

15 te auch mich. Irgendeiner von den Polizisten oder Deutschen drehte mich mit dem Fuß um, so dass ich mit dem Gesicht nach oben lag, er trat mir auf die Hand und auf die Brust, danach gingen sie weiter und schossen irgendwo weiter hinten.

20 Danach begannen sie, die Leichen von oben mit Erde und Sand zuzuschütten. Ich bekam keine Luft mehr, befreite mich mit einer Hand von der Erde und kroch zum Rand der Schlucht. In der Nacht kroch ich aus der Schlucht heraus.

Nach: Die Ermordung der europäischen Juden. Eine umfassende Dokumentation des Holocaust 1941–1945, hg. von Peter Longerich. München/Zürich 1989, S. 124 ff.

M 7 „Und alles, weil sie Juden sind!"

Das jüdische Mädchen Anne Frank (1929–1945), aus Frankfurt/M., und ihre Familie wurden 1944 in ihrem Versteck in einem Amsterdamer Hinterhaus entdeckt und in verschiedene Konzentrationslager gebracht. Sie, ihre Schwester und ihre Mutter starben dort; nur der Vater überlebte. Er veröffentlichte das Tagebuch seiner Tochter. Sie schrieb:

19. November 1942

Abend für Abend rasen die grauen und grünen Militärautos durch die Straßen. Die „Grünen" (das ist die deutsche SS) und die „Schwarzen" (die holländische

5 Nazi-Polizei) suchen nach Juden. Wo sie einen finden, nehmen sie die ganze Familie mit. Sie schellen an jeder Tür und ist es vergeblich, gehen sie ein Haus weiter. Manchmal sind sie auch mit namentlichen Listen unterwegs und holen dann systematisch die „Gezeich-

10 neten". Niemand kann diesem Schicksal entrinnen, wenn er nicht rechtzeitig untertaucht. (...) Es ist wie eine Sklavenjagd in früherer Zeit. Ich sehe es oft im Geiste vor mir: Reihen guter unschuldiger Menschen mit weinenden Kindern, kommandiert von ein paar

15 furchtbaren Kerlen, geschlagen und gepeinigt und vorwärts getrieben, bis sie beinahe umsinken. Niemand ist ausgenommen. Die Alten, Babys, schwangere Frauen, Kranke, Sieche – alles, alles muss mit in diesen Todesreigen! (...)

20 Mir ist so bange, wenn ich an alle denke, mit denen ich mich so eng verbunden fühlte, die nun ausgeliefert sind an die grausamsten Henker, die die Geschichte kennt. Und alles, weil sie Juden sind!

Nach: Das Tagebuch der Anne Frank. Frankfurt 1980, 53. Auflage, S. 46 f.

M 8 „Selektion"

Ein Dortmunder berichtet über die Einlieferung in Auschwitz:

Je weiter die Fahrt, (...) desto sicherer ist das Ziel: Auschwitz. Ein Arbeitslager? Was wissen wir darüber? Alles und nichts. (...) Und da steht die Schlange der 5 000. Schon willenlos. Eine Herde schaut und schaut. Wir wissen nicht, was mit uns geschieht. Das letzte, was wir an Kleidung und Lebensmitteln besaßen, bleibt zurück. Zur Verfügung der SS. Gut genährte Sträflinge räumen schon die Waggons aus. Kreaturen der SS versorgen sich mit Zigaretten, Armbanduhren, Gold, Trauringen. Wir 5 000 schließen auf. Wir sind in einem Waschraum. Ist das alles wahr? Ist das möglich? Um uns herum der Stacheldraht, elektrisch geladen: Verbrecher, ja, zu Verbrechern wurden wir gestempelt, weil wir Juden sind. (...) Dann stehen wir vor dem SS-Mann. „Alter?" – „37" „Gesund?" – „Ja." Kurzer forschender Blick, eine Handbewegung nach rechts.

„Alter?" – „52" – „Gesund?" – „Kriegsverletzung am Arm." Der Daumen des SS-Mannes nach links deutend. Und so weiter.

Der Sohn wird von dem Vater gerissen, Bruder von Bruder. „Kann mein Vater mit mir gehen?" – „Nein", sadistisch blickt der SS-Mann. Und weiter pflügt er sich durch den Haufen. Dann Abmarsch in die Blocks.

Nach: O. Hermann: Widerstand und Verfolgung in Dortmund 1933–1945. Hg. vom Stadtarchiv Dortmund, 2. Aufl. 1981, S. 298 f.

M 9 Verbrennungsöfen in Auschwitz
(Foto von 1995)

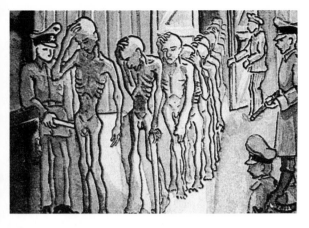

M 10 Letzter Gang (Aquarell eines Häftlings)
Menschen auf dem Weg in die Gaskammern.

M 11 Todesfabrik Auschwitz

Rudolf Höß, der 1947 hingerichtete ehemalige Lagerkommandant von Auschwitz, beschrieb den Gastod:
Die zur Vernichtung bestimmten Juden wurden möglichst ruhig – Männer und Frauen getrennt – zu den Krematorien geführt. Im Auskleideraum wurde ihnen (...) gesagt, dass sie hier nun zum Baden und zur Entlausung kämen, dass sie ihre Kleider ordentlich zusammenlegen sollten und vor allem den Platz zu merken hätten, damit sie nach der Entlausung ihre Sachen schnell wieder finden könnten. (...) Nach der Entkleidung gingen die Juden in die Gaskammer, die mit Brausen und Wasserleitungsrohren versehen, völlig den Eindruck eines Baderaumes machte. Zuerst kamen die Frauen mit den Kindern hinein, hernach die Männer (...). Die Tür wurde schnell zugeschraubt und das Gas sofort durch die (...) Decke der Gaskammer in einen Luftschacht bis zum Boden geworfen. Dies bewirkte die sofortige Entwicklung des Gases. Durch das Beobachtungsloch in der Tür konnte man sehen, dass die dem Einwurfschacht am nächsten Stehenden sofort tot umfielen. Man kann sagen, dass ungefähr ein Drit-

tel sofort tot war. Die anderen fingen an zu taumeln, 20 zu schreien und nach Luft zu ringen. Das Schreien ging aber bald in ein Röcheln über und in wenigen Minuten lagen sie alle. Nach mindestens 20 Minuten regte sich keiner mehr. (...) Eine halbe Stunde nach Einwurf des Gases wurde die Tür geöffnet und die Entlüftungsan- 25 lage eingeschaltet. (...) Den Leichen wurden nun (...) die Goldzähne entfernt und den Frauen die Haare abgeschnitten. Hiernach (wurden sie) durch den Aufzug nach oben gebracht vor die inzwischen angeheizten Öfen. Je nach Körperbeschaffenheit wurden bis zu drei 30 Leichen in eine Ofenkammer gebracht. Auch die Dauer der Verbrennung war durch die Körperbeschaffenheit bedingt. Es dauerte im Durchschnitt 20 Minuten. (...) Die Asche fiel (...) durch die Roste und wurde laufend entfernt und zerstampft. Das Aschenmehl wurde 35 mittels Lastwagen nach der Weichsel gefahren und dort schaufelweise in die Strömung geworfen, wo es sofort abtrieb und sich auflöste.

Nach: Geschichte in Quellen, Bd. 6. München 1970, S. 521 f.

M 12 Zwangsarbeiter
(Zeichnung eines Häftlings des Lagers Sachsenhausen)
Großkonzerne liehen sich von der SS Häftlinge als billige Arbeitskräfte aus.

Fragen und Anregungen ·

❶ Stelle die geographische Lage der Vernichtungslager fest. Welche Schlussfolgerungen lassen sich daraus ziehen? (M 4)

❷ Erläutere, was Himmler unter dem „Ruhmesblatt der Geschichte" versteht. (M5)

❸ Stelle fest, was die Vernehmung der Überlebenden des Massakers von Babi-Yar über die Täter aussagt. (M6)

❹ Überlege dir, warum die meisten Opfer fast immer ohne Gegenwehr in den Tod gingen. (VT, M1, M2, M6–M11)

❺ Bundespräsident von Weizsäcker sagte 40 Jahre nach dem Ende des Zweiten Weltkrieges in seiner Rede zum 8. Mai 1945: „Die Jungen sind nicht verantwortlich für das, was damals geschah. Aber sie sind verantwortlich für das, was in der Geschichte daraus wird." Wie verstehst du diese Sätze?

16. Nicht alle Deutschen machten mit

1937/38	Aus Protest gegen Hitlers aggressive Außenpolitik planen konservative Politiker und Offiziere einen gewaltsamen Sturz der Regierung.
1942/43	Mitglieder der kommunistischen Widerstandsgruppe „Rote Kapelle" werden hingerichtet.
1943	Mitglieder der Widerstandsgruppe „Weiße Rose" werden hingerichtet.
1944	Am 20. Juli scheitert ein vorwiegend von Militärangehörigen geplantes Attentat auf Hitler.

M 1 Flugblatt

Widerstand – ein hohes Risiko in einer Diktatur

In Deutschland stieß zwar der Nationalsozialismus von Beginn an bei einem Teil der Bevölkerung auf Ablehnung, zu einem Widerstand aber entschlossen sich nur wenige. Aber es gab Widerstand – und dies in den verschiedensten Formen. Männer und Frauen verweigerten den obligatorischen Hitler-Gruß, umgingen staatliche Anordnungen, gaben Zwangsarbeitern Lebensmittel, versteckten Juden und politisch Verfolgte. Andere verteilten Flugblätter, versuchten durch Sabotage dem Regime zu schaden und planten oder unternahmen ein Attentat auf Hitler. Sie alle gingen ein hohes Risiko ein, von den Sicherheitsorganen erfasst zu werden. Zudem war die Mehrheit der Bevölkerung gegen Widerstand und daher die Gefahr gegeben, denunziert zu werden. Oft genügte schon eine Anzeige bei der Polizei, um jemand in Schutzhaft, in ein KZ oder vor den Volksgerichtshof zu bringen. Der 1934 eingerichtete Volksgerichtshof entwickelte sich durch seine häufigen Todesurteile zu einem Instrument, um Regimegegner einzuschüchtern oder zu liquidieren.

Widerstand im Zwiespalt

Wer sich trotz des hohen Risikos aktiv gegen das Regime stellte, musste zudem oft andere große Hemmungen überwinden. Beamte und Soldaten taten sich schwer, den auf Hitler geleisteten Eid als nichtig anzusehen, für Christen war es nicht leicht, gegen die „Obrigkeit" vorzugehen oder gar der Tötung des Staatsoberhauptes zuzustimmen. Vor Kriegsbeginn lähmte Hitlers wachsendes Ansehen die Aktivitäten, nach Kriegsbeginn hatten sich alle Widerstandskämpfer mit dem Vorwurf auseinander zu setzen, sie übten „Verrat an den deutschen Frontsoldaten".

Wer leistete Widerstand?

Wer dennoch Widerstand leistete, sah sich vor das Problem gestellt, allein für sich oder seine Gruppe zu stehen. Eine wirkungsvolle Kooperation zwischen den verschiedenen Widerstandsgruppen und Einzeltätern fand zu selten statt. Zu groß war die Gefahr einer vorzeitigen Entdeckung, zu unterschiedlich waren aber auch die Interessen und Motive wie die folgenden Beispiele zeigen.

Die kommunistische, von der Gestapo „Rote Kapelle" genannte Widerstandsgruppe wollte durch Spionage für die Sowjetunion dem NS-Regime schaden. Die Sozialdemokraten, die nach ihrem Verbot zu keinen geschlossenen Aktionen mehr fähig waren, operierten meist vom Exil aus. Konservative bürgerliche Widerstandskämpfer um den ehemaligen Leipziger Oberbürgermeister Carl Goerdeler standen immerhin mit Generaloberst Ludwig Beck und anderen Wehrmachtsoffizieren in Verbindung. Sie sahen 1937/38 in der Sudetenkrise eine große Kriegsgefahr und planten daher einen Sturz der Regierung. Der Ausgang des Münchner Abkommens (vgl. S. 57) ließ ihr Vorhaben scheitern. Auch mehrere geplante Pistolen- oder Bombenattentate durch Wehrmachtsoffiziere (z. B. Henning von Tresckow) scheiterten an unglücklichen Zufällen.

Widerstand gab es auch in den beiden christlichen Kirchen. Katholische Priester wie der Bischof von Münster, Clemens von Galen, traten öffentlich gegen die Tötung geistig und körperlich Behinderter ein. Viele Pfarrer verbrachten Jahre im Konzentrationslager oder kamen dort ums Leben. Papst Pius XII. klagte 1937 in der Enzyklika (päpstliches Rundschreiben) „Mit brennender Sorge" vor der Weltöffentlichkeit den Nationalsozialismus an, einen Vernichtungskampf gegen die Kirche und den katholischen Glauben zu führen.

Die evangelische Kirche war gespalten: Pfarrer und Gläubige, die sich für das nationalsozialistische Deutschland aussprachen, nannten sich „Deutsche Christen". Dagegen formierte sich 1934 die „Bekennende Kirche", zu deren Vertretern Pfarrer Martin Niemöller und Dietrich Bonhoeffer gehörten. Sie verurteilte den Nationalsozialismus als unchristlich.

Außerhalb der großen gesellschaftlichen Gruppen leisteten Einzeltäter, Studenten und Jugendliche Widerstand. So hielt der Schreiner Georg Elser Hitler schon 1939 für einen Kriegstreiber und wollte ihn am 8. November 1939 durch ein Bombenattentat beseitigen. In München scharten die Geschwister Sophie und Hans Scholl Studenten und Professoren um sich und riefen in Flugblättern zum Widerstand auf.

Der 20. Juli 1944

Das Attentat vom 20. Juli 1944 wurde von dem Widerstandskreis um Ludwig Beck und Carl Goerdeler organisiert. Mit der Durchführung beauftragt wurde Oberst Graf Stauffenberg, der zu den wenigen zählte, die im letzten Kriegsjahr unmittelbaren Zutritt zu Hitler hatten. Bei einer Besprechung in der „Wolfschanze", dem Führerhauptquartier in Ostpreußen, gelang es Stauffenberg eine Aktentasche mit einer Zeitzünderbombe in der Nähe Hitlers abzustellen und den Raum wieder zu verlassen. Kurz danach detonierte der Sprengsatz, vier Offiziere starben, Hitler überlebte leicht verletzt. Graf Stauffenberg und seine Gruppe wurden verhaftet und erschossen. Neben 180 bis 200 unmittelbar beteiligten Politikern und Offizieren wurden bis Kriegsende noch zwischen 4000 und 5000 mittelbar Beteiligte und willkürlich Verhaftete vom Volksgerichtshof zum Tode verurteilt.

M 2 Widerstandskämpfer
Oben: Oberst Claus Schenck Graf von Stauffenberg (militärischer Widerstand), Sophie Scholl (Widerstandsgruppe „Weiße Rose"), Liselotte Herrmann (kommunistischer Widerstand); unten: Julius Leber (Sozialdemokrat, gehörte zum Kreisauer Kreis), Dietrich Bonhoeffer (evangelischer Theologe), Clemens August Graf von Galen (katholischer Bischof). Bis auf Bischof von Galen wurden alle hingerichtet.

Widerstand

Nach dem im 17. Jh. formulierten Widerstandsrecht ist es den Menschen erlaubt oder sogar geboten, sich notfalls auch gewaltsam zu wehren, wenn die Staatsgewalt die Menschenrechte oder die Verfassungsgrundrechte völlig missachtet. Es kann zwischen aktivem und passivem Widerstand, zwischen Widerstand mit Gewalt und gewaltfreiem Widerstand unterschieden werden. Schlüssige Regeln, in welcher Situation welche Form des Widerstandes (z. B. Tötung) zulässig sind, gibt es nicht. Maßgeblich ist allein die Gewissensentscheidung, die sich an höchsten sittlichen Normen zu orientieren hat. Das Grundgesetz Deutschlands erlaubt in Art. 20 Abs. 4 Widerstand gegen den Umsturz der verfassungsmäßigen Ordnung.

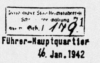

Der Reichsführer-ℋ
Tgb.Nr.AR/983/6
ℳ/V.

Führer-Hauptquartier
16. Jan.1942

Lieber Heydrich !

       Anliegend übersende ich Ihnen einen Bericht, den mir der Reichsjugendführer Axmann über die „Swing-Jugend" in Hamburg zugesandt hat.

       Ich weiß, daß die Geheime Staatspolizei schon einmal eingegriffen hat. Meines Erachtens muß jetzt aber das ganze Übel radikal ausgerottet werden. Ich bin dagegen, daß wir hier nur halbe Maßnahmen treffen.

       Alle Rädelsführer, und zwar die Rädelsführer männlicher und weiblicher Art, unter den Lehrern diejenigen, die feindlich eingestellt sind und die Swing-Jugend unterstützen, sind in ein Konzentrationslager einzuweisen. Dort muß die Jugend zunächst einmal Prügel bekommen und dann in schärfster Form exerziert und zur Arbeit angehalten werden. Irgendein Arbeitslager oder Jugendlager halte ich bei diesen Burschen und diesen nichtsnutzigen Mädchen für verfehlt. Die Mädchen sind zur Arbeit im Leben und im Sommer zur Landarbeit anzuhalten.

       Der Aufenthalt im Konzentrationslager für diese Jugend muß ein längerer, 2 - 3 Jahre sein. Es muß klar sein, daß sie nie wieder studieren dürfen. Bei den Eltern ist nachzuforschen, wie weit sie das unterstützt haben. Haben sie es unterstützt sind sie ebenfalls in ein KL. zu verbringen und das Vermögen ist einzuziehen.

       Nur, wenn wir brutal durchgreifen, werden wir ein gefährliches Umsichgreifen dieser anglophylen Tendenz in einer Zeit, in der Deutschland um seine Existenz kämpft, vermeiden können.

       Ich bitte um weitere Berichte. Diese Aktion bitte ich im Einvernehmen mit dem Gauleiter und dem Höheren ℋ- und Polizeiführer durchzuführen.

Heil Hitler !
Ihr

M 3 Die „Kittelbachpiraten" von Gladbeck, 1937
Solche Jugendcliquen verweigerten sich der HJ.

M 4 Walter Klingenbeck (1924–1943)
Der Münchner Mechanikerlehrling wurde 1943 hingerichtet, weil er Nachrichtensender bastelte.

M 5 „... zunächst einmal Prügel"
Schreiben Himmlers an den Leiter der Gestapo Heydrich gegen die „Swing-Jugend", die durch lässige Kleidung und Haltung sowie ihre Vorliebe für Jazz und Swing auffiel.

M 6 „Aufruf an alle Deutschen"

Aus einem Flugblatt der „Weißen Rose" von 1942:
Der Krieg geht seinem sicheren Ende entgegen. (...)
Die Rüstung Amerikas hat ihren Höhepunkt noch nicht
erreicht, aber heute schon übertrifft sie alles in der Geschichte Dagewesene. Mit mathematischer Sicherheit
führt Hitler das deutsche Volk in den Abgrund. (...)
Seine und seiner Helfer Schuld hat jedes Maß unend-
lich überschritten. Was aber tut das deutsche Volk? Es
sieht nicht und hört nicht. Blindlings folgt es seinen
Verführern ins Verderben. (...) Deutsche! Wollt ihr mit
dem gleichen Maß gemessen werden wie eure Verfüh-
rer? Sollen wir auf ewig das von aller Welt gehasste
und ausgestoßene Volk sein? Nein! Darum trennt euch
von dem nationalsozialistischen Untermenschentum.
Beweist durch eure Tat, dass ihr anders denkt! (...) Zer-
reißt den Mantel der Gleichgültigkeit, den ihr um euer
Herz gelegt. Entscheidet euch, ehe es zu spät ist.

*Nach: K. Huber: Der Nationalsozialismus. Dokumente 1933–1945
(Hrsg. v. W. Hofer). Frankfurt/M. 1947, S. 327 f.*

M 7 „... allgemein verurteilt"

*Aus einem Behördenbericht nach dem Attentat vom
20. Juli 1944:*
Der Anschlag auf den Führer wurde allgemein verurteilt und man hört immer wieder, dass, falls der Anschlag geglückt wäre, nur wieder ein 1918 geschaffen
worden wäre. Wenn der größte Teil der Bevölkerung
froh wäre, wenn der Krieg so bald als möglich beendet
würde, so sind doch nur wenige darunter, die sich 1918
herbeiwünschen und die den Kommunismus wollen.

Nach: Bayern in der NS-Zeit. München 1977, S.185.

M 8 Aus der Urteilsverkündung im Fall Emmy Z.

Im Namen des Deutschen Volkes In der Strafsache
gegen die Zeitungsausträgerin Emmy Z. geborene W.
aus Berlin-Gatow, geboren am (...), zur Zeit in dieser
Sache in gerichtlicher Untersuchungshaft, wegen
Wehrkraftzersetzung hat der Volksgerichtshof, 6.
Senat, aufgrund der Hauptverhandlung vom 19. November 1943 für Recht erkannt:
Die Angeklagte Z. hat es in den Jahren 1940 bis 1942 in
Berlin als Anhängerin der Vereinigung internationaler
Bibelforscher unternommen, drei Wehrpflichtige, die 10
ebenfalls dieser Vereinigung angehören, durch Ge-
währung von Unterschlupf und Verpflegung der Erfüllung der Wehrpflicht zu entziehen.
Sie wird deshalb wegen Wehrkraftzersetzung in Verbindung mit landesverräterischer Begünstigung des 15
Feindes zum Tode und zu lebenslangem Ehrverlust verurteilt. Die Angeklagte trägt die Kosten des Verfah-
rens.

Nach: „Im Namen des Volkes", o.J., S. 238.

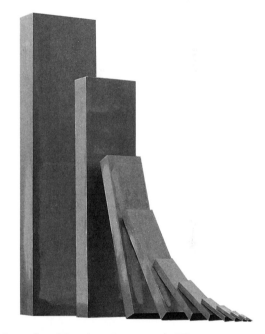

M 9 Denkmal für einen Deserteur in Ulm

Es hat die Inschrift: „Hier lebte ein Mann, der sich ge-
weigert hat, auf seine Mitmenschen zu schießen. Ehre
seinem Andenken."

Fragen und Anregungen ·····································

❶ Diskutiert die inneren Hemmungen der meisten
Deutschen, sich am Widerstand zu beteiligen.
(VT)

❷ Suche Gründe dafür, warum der Widerstand vielfach als ein „Widerstand ohne Volk" bezeichnet
wird. (VT)

❸ Erarbeite ein Referat über die Motive und Ziele
von Menschen, die Widerstand leisteten. (VT, M1–
M5, M7, M9)

Entnimm weitere Informationen dem Internet (z. B. www.gdw-berlin.de).

❹ Erläutere die Textstelle in M7, durch ein geglück-
tes Attentat, wäre „nur wieder ein 1918 geschaffen worden".

❺ Erkläre, warum man heute die deutschen Widerstandskämpfer als „das andere Deutschland" bezeichnet. Erörtere, ob und inwiefern der Widerstand vergeblich oder sinnvoll war.

17. Das Ende des Zweiten Weltkriegs

1943	Goebbels ruft zum „totalen Krieg" auf.
6. Juni 1944	Die alliierte Invasion in der Normandie beginnt.
8./9. Mai 1945	Die deutsche Wehrmacht kapituliert bedingungslos.
6./8. August	In Japan werden über Hiroshima und Nagasaki zwei amerikanische Atombomben abgeworfen. Japan kapituliert am 2. September.

M 1 „Der letzte Befehl"
(Gemälde von Helmut Bibow, 1945)

„Totaler Krieg"

Wenige Tage nach der Niederlage der deutschen Truppen in Stalingrad forderten die Amerikaner, Engländer, Russen und ihre Verbündeten (die Alliierten) die bedingungslose Kapitulation Deutschlands. Goebbels rief daraufhin die Deutschen am 18. Februar 1943 zum „totalen Krieg" auf. Dies bedeutete, dass nun das gesamte Leben auf den Krieg ausgerichtet werden sollte. Waren des täglichen Bedarfs und Lebensmittel wurden immer mehr rationiert und konnten nur mehr mit Bezugsscheinen gekauft werden. Die Arbeitszeit wurde in vielen Betrieben auf 10 bis 12 Stunden in der Sechs-Tage-Woche erhöht. Frauen arbeiteten bereits seit Jahren in Fabriken und Rüstungsbetrieben. 1941 waren es 14,2 Millionen. Nun zogen die Nationalsozialisten auch Mädchen z. B. zu Schanzarbeiten für die Verteidigung heran. An den höheren Schulen wurde das Abitur vorverlegt, um die Schüler an Flugabwehrkanonen (Flak) oder an der Front einsetzen zu können. Immer mehr „Fremdarbeiter", d. h. zwangsverpflichtete ausländische Arbeiter und Kriegsgefangene arbeiteten nun in deutschen Fabriken und in der Landwirtschaft. Die Zahl stieg in die Millionen.

Propaganda, Terror und sterbende Städte

Die Stimmung in der Bevölkerung wurde von Monat zu Monat schlechter. Die Nationalsozialisten antworteten darauf mit Propaganda über angebliche neue Wunderwaffen wie Raketen, Düsenkampfflugzeuge u. a. und mit Terror.
Neue Verordnungen wurden erlassen, z. B. gegen die Zersetzung der Wehrkraft, gegen das Abhören ausländischer Sender. SS-Standgerichte fällten Todesurteile durch Erschießen oder Erhängen der Soldaten, die sich von der Truppe entfernten, aber auch gegen Bürgermeister und Politiker, die ihre Stadt nicht verteidigen wollten, um sie vor der Zerstörung zu bewahren. Viele, die sich weigerten, Brücken zu sprengen oder andere Befehle der „verbrannten Erde" durchzuführen, wurden an Ort und Stelle hingerichtet.

Zudem lebte die Bevölkerung in ständiger Angst vor den amerikanischen und englischen Luftangriffen. Deren Ziele waren zwar auch kriegswichtige Anlagen wie Industriegebiete, Brücken oder Bahnhöfe, um die deutsche Rüstungsproduktion und den Nachschub zu verhindern, aber immer häufiger eben auch deutsche Städte. Damit sollte die deutsche Bevölkerung demoralisiert und Widerstand gegen den Krieg angefacht werden. Die meisten deutschen Städte und deren Kulturgüter sanken in Schutt und Asche. Die 1942 begonnenen und sich bis 1945 stetig steigernden Luftangriffe der Alliierten forderten über 500 000 Todesopfer. Allein in dem von Ostflüchtlingen überfüllten Dresden starben am 13. und 14. Februar 1945 weit mehr als 50 000 Menschen bei einem militärisch sinnlosen Bombenangriff.

M 2 Zuhörer bei der Goebbels-Rede am 18. Februar 1943 im Berliner Sportpalast

Ihre Ziele erreichten die alliierten Bombardierungen nur bedingt. Zwar wurde das Verkehrsnetz und die Treibstoffversorgung erheblich gestört, weniger dagegen die Rüstungsindustrie. Sie war in unterirdische Räume und ländliche Gebiete verlegt worden. Auch die Demoralisierung der Bevölkerung ließ sich nicht bis zum Widerstand gegen das Regime steigern, denn trotz Bombardierungen, Arbeit bis zur Erschöpfung, ständig wachsendem Terror – die meisten Deutschen hatten Angst vor der Niederlage.

Die totale Niederlage

Nach der Landung der Alliierten in Sizilien am 10. Juli 1943 und der in der Normandie beginnenden Invasion am 6. Juni 1944 glaubten nur noch wenige Deutsche an den „Endsieg". Nationalsozialistische Fanatiker zwangen Jugendliche mit 16 Jahren und Männer bis 60 als Volkssturm zu den Waffen. Nichts aber konnte verhindern, dass die Alliierten immer tiefer ins Reichsgebiet vordrangen. Im Osten versuchten sich 1944/45 Millionen Deutsche vor der Rache der siegreichen Roten Armee in den Westen zu retten.

Sowjetische Truppen eroberten im April 1945 Berlin. Hitler beging am 30. April Selbstmord und am 8. Mai kapitulierte die deutsche Wehrmacht bedingungslos.

Kriegsende im fernen Osten

Um den Krieg in Japan zu beenden, setzte die amerikanische Führung die schrecklichste Waffe ein, die ihr seit kurzem zur Verfügung stand: Am 6. und 8. August 1945 explodierten zwei Atombomben über Hiroshima und Nagasaki. Weit über 100 000 Menschen waren sofort tot, Tausende starben in den folgenden Jahrzehnten an den Folgeerscheinungen. Hiroshima und Nagasaki wurden fast völlig dem Erdboden gleichgemacht.

Am 2. September kapitulierte Japan bedingungslos. Am Ende des Krieges stand neben dem Grauen aber auch die Hoffnung: „Nie wieder Krieg!" wurde zur Forderung eines Großteils der Menschheit.

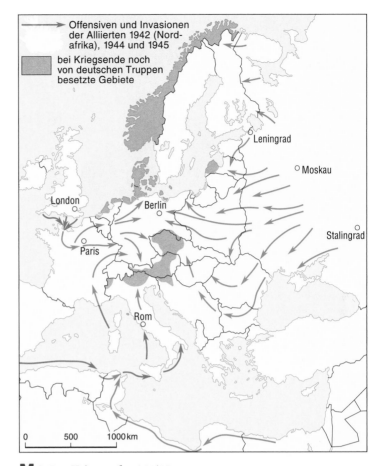

M 3 Das Kriegsende 1944/45
Nach der Landung der Amerikaner und Engländer in der Normandie am 6. Juni 1944 war die deutsche Niederlage nur mehr eine Frage der Zeit.

M 4 Die durch Bomben zerstörte Stadt Essen
März 1945

M 5 „Wunderwaffe Volkssturm"

Letzter aussichtsloser Widerstand: Ein verwundeter Soldat zeigt dem „Volkssturm" den Einsatz von Panzerfaust und Gewehr. In den Volkssturm wurden alle Sechzehn- bis Sechzigjährigen befohlen, die bisher noch nicht am Krieg teilnahmen. Ausbildung und Bewaffnung waren völlig unzureichend.

M 6 „Wollt ihr den totalen Krieg?"

Am 18. 2. 1943 stellte Goebbels im Berliner Sportpalast etwa 10 000 ausgesuchten Zuhörern eine Reihe von Fragen, die das Publikum mit „Ja" und „Sieg Heil" beantwortete:

Die Engländer behaupten, das deutsche Volk wehrt sich gegen die totalen Kriegsmaßnahmen der Regierung. Es will nicht den totalen Krieg, sondern die Kapitulation.

5 Ich frage euch: Wollt ihr den totalen Krieg. Wollt ihr ihn, wenn nötig totaler und radikaler, als wir ihn uns heute überhaupt vorstellen können? (...)

Die Engländer behaupten, das deutsche Volk hat sein Vertrauen zum Führer verloren.

10 Ich frage euch: Ist das Vertrauen zum Führer heute größer, gläubiger und unerschütterlicher denn je? Ist eure Bereitschaft, ihm auf allen seinen Wegen zu folgen und alles zu tun, was nötig ist, um den Krieg zum siegreichen Ende zu führen, eine absolute und unein-
15 geschränkte? (...)

Ich frage euch: (...) Wollt ihr, (...) dass die Regierung dafür sorgt, dass die deutsche Frau ihre ganze Kraft der Kriegsführung zur Verfügung stellt und (...), wo es nur möglich ist, einspringt, um Männer für die Front
20 frei zu machen (...)?

Ich frage euch (...): Billigt ihr (....) die radikalsten Maßnahmen gegen einen kleinen Kreis von Drückebergern

(...), die mitten im Krieg Frieden spielen (...)? Seid ihr damit einverstanden, dass, wer sich am Krieg vergeht, den Kopf verliert?

Nach: W. Hofer: Der Nationalsozialismus, Dokumente 1933-1945. Frankfurt/M. 1957, S. 25 ff.

M 7 Verbrannte Erde

Führer-Befehl vom 19. März 1945:

Alle militärischen, Verkehrs-, Nachrichten-, Industrie- und Versorgungsanlagen sowie Sachwerte innerhalb des Reichsgebietes, die sich der Feind für die Fortsetzung des Kampfes irgendwie sofort oder in absehbarer Zeit nutzbar machen kann, sind zu zerstören.

Nach: Geschichte in Quellen, Bd. VI. München 1970, S. 542 f.

M 8 „.... besser, die Dinge selbst zu zerstören"

In einem Brief vom 29. 3. 1945 erinnerte sich Rüstungsminister Speer an folgende Aussagen Hitlers:

Wenn der Krieg verloren geht, wird auch das Volk verloren sein. Dieses Schicksal ist unabwendbar. Es sei nicht notwendig, auf die Grundlagen, die das Volk zu seinem primitivsten Weiterleben braucht, Rücksicht zu nehmen. Im Gegenteil sei es besser, selbst die Dinge zu zerstören. Denn das Volk hätte sich als das schwächere erwiesen, und dem stärkeren Ostvolk gehöre dann ausschließlich die Zukunft. Was nach dem Kampf übrigbleibe, seien ohnehin nur die Minderwertigen, denn die Guten seien gefallen.

Nach: Geschichte in Quellen, Bd. 6. München 1970, S. 542 f.

M 9 Sich erinnern ...

Heutige Lehrer für Geschichte erleben die letzten Kriegstage:

a) Die Engländer kommen ...

Franz Josef H., damals 3 Jahre und 7 Monate, lebte in einer norddeutsche Kleinstadt und erinnert sich:

Gegen Abend endlich – nicht ein einziger Schuss war gefallen – trauten wir uns in den Ort zurück. Weiße Bettücher hingen aus vielen Fenstern. (...) Ein englischer Soldat begleitete mit einem Akkordeon den Gesang seiner Kameraden. Welch ein Empfang! Zigaretten gab's für die Erwachsenen, Schokolade für die Kinder. Es dauerte nicht lange, bis wir Kinder uns mit den netten, stets zu Späßen aufgelegten englischen Soldaten angefreundet hatten. Erstes – grundständiges – Englisch bahnte sich an: „Hallo, boys and girls! – Have you Schockolät? – Yes, no! – Sing ,Die Fahne hoch'!"

Köstlich amüsierten sich die Kerle, wenn sie uns dazu bringen konnten, Nazilieder aus dem Kindergarten zu singen – gegen Schokolade natürlich.

Nach: Bewahren und verändern. Jahresbericht 1984/85 des Erasmus-Grasser-Gymnasiums München, S. 23 ff.

b) Die Amerikaner kommen ...

Ludwig B., damals 6 Jahre und 8 Monate alt, aus Freyung im Bayerischen Wald, erinnert sich:

Überall sollten die „Amis" im Vormarsch sein, mit Panzern und Jeeps.(...) Und so zogen wir aus, mein älterer Freund und ich, um ihn zu sehen, den Einmarsch. (...) Wir hatten schon oft Flieger gesehen, auch so nahe, dass wir ihre Abzeichen erkennen konnten (...) Doch dieser eine hielt auf uns zu. Wir erkannten es zuerst staunend, dann fassungslos: Wir waren sein Ziel. Und schon krachte es, tacktacktack. Ackererde spritzte auf. Kein Zweifel, die Maschinengewehrgarben galten uns beiden – Kindern. Der Tiefflieger drehte ab, wendete, kam wieder auf uns zu – und wir begannen zu rennen. Vergessen waren die oftmaligen Ratschläge meines Vaters: „Mulde suchen, hinlegen, zusammenrollen, toten Mann machen. Ein Tiefflieger sucht Bewegliches." Wir erreichten den Rand eines Wäldchens, stürmten hinein, hinter uns krachte es wieder. Tacktacktack. Dann war alles vorbei, der Flieger verschwand, kehrte nicht wieder. (...) Einmarsch und Widerstand wollten wir nicht mehr sehen.

Die „Amis" sahen wir dennoch – wenig später: lachend, lässig, Kaugummi zwischen den Zähnen, Zigarette im Mundwinkel, Kindern freundlich über die Haare streichend, meiner Schwester, dem „Baby", Schokolade schenkend. Wir wussten – sie konnten auch schießen. Und auch auf Kinder.

Nach: Bewahren und verändern. Jahresbericht 1984/85 des Erasmus-Grasser-Gymnsiums München, S. 23 ff.

c) Die Russen kommen ...

Otfried P. , damals 11 Jahre und 6 Wochen, aus Schlesisch-Ostrau, erinnert sich:

Es kann etwa 9 Uhr gewesen sein, längst hatte sich alles angstvoll in der Küche der Kellerwohnung zusammengedrängt, zerbrachen Kolbenhiebe die Eingangstüre, und mit entsicherter MP im Arm, den Finger am Abzug, brachen die Rotarmisten herein: „Germanzi?" (Deutsche?) – Kaum bemerkbares Nicken von Männern, alten Männern, Frauen; (...) „Dawai tschassi!" (Her mit den Uhren!) – Uhren jeglicher Art wurden abgerissen und wechselten in Sekundenschnelle gewaltsam den Besitzer.

Angst würgte in mir hoch – doch unabhängig davon funktionierte mein Denken: Erst vor Jahresfrist hatte mir mein Vater eine Armbanduhr geschenkt, ich trug sie natürlich an der linken Hand, sollte sie nun auf immer verschwinden? (...) Bibbernd verschränkte ich 15 meine Hände hinter dem Rücken, niemand bemerkte dies, sachte das Band gelöst und dann die Uhr ins Hosenbein rutschen lassen – und dort blieb sie viele Tage lang.

Am nächsten Vormittag tauchten die ersten, gezielt 20 nach unserer Mutter suchenden Soldaten auf; während sie auf den Boden gepresst unter einem altertümlichen Diwan lag, wurde meine jüngste, noch nicht fünfjährige Schwester durch von uns verabreichte einfache Prügel zunächst zum Heulen, dann zum Schweigen 25 gebracht (...).

Nach: Bewahren und verändern. Jahresbericht 1984/85 des Erasmus-Grasser-Gymnsiums München, S. 23 ff.

M 10 Kriegsgefangenschaft

Insgesamt gerieten 11 Millionen Deutsche in Gefangenschaft. Ein großer Teil, vor allem in sowjetischer Gefangenschaft, überlebte nicht.

Fragen und Anregungen ·······························

❶ Untersuche, mit welchen sprachlichen und inhaltlichen Mitteln Goebbels die Zustimmung seiner Zuhörer gewinnen will. (M2, M6)

❷ Untersuche Hitlers Einstellung zu Menschen und Sachwerten. (M1, M5, M7, M8)

❸ Beschreibe anhand von Karte M3 und der Abbildung M10 das Ende des Zweiten Weltkriegs.

❹ Erarbeite aus den Texten M9, von welchen Gefühlen und Problemen die jeweiligen Personen beherrscht waren.

18. Nachgeforscht – Wie war das in ...?

Projekt: eine Ausstellung

Geschichte wird immer dann besonders spannend, wenn man merkt, dass sie etwas mit uns zu tun hat. Diese Erfahrung lässt sich bei Nachforschungen über die Geschichte der eigenen Umgebung machen. Wie verlief dort z. B. die Zeit des Nationalsozialismus oder das Kriegsende? In einem Projekt, dessen Ergebnisse ihr in einer Ausstellung dokumentiert, könnt ihr dieser Frage selber nachgehen. Dazu bringt ihr an einer Klassenzimmerwand eine Zeitleiste an. Darüber haltet ihr die wichtigsten allgemeinen Daten und Informationen über die Zeit, die auch für eure Gegend wichtig gewesen sein könnte, noch einmal fest. Das ist euer Orientierungsrahmen. So könnte ein Ausschnitt aus dieser Zeitleiste aussehen:

Allgemein: z. B. Indoktrination von Jugend bzw. Bevölkerung in allen Lebensbereichen, u. a. in Hitler-Jugend, BDM, NSDAP...

9./10. November
Reichspogromnacht: Synagogen werden zerstört; SA geht gewaltsam gegen die jüdische Bevölkerung vor.

1. September
Hitler befiehlt den Angriff auf Polen; zwei Tage später erklären Frankreich und England Deutschland den Krieg.

1938   1939

Arbeit in Gruppen nach Themengebieten

Teilt euch in Gruppen auf und sucht euch Themengebiete heraus, die euch besonders interessieren. Den Platz unter dem Zahlenstreifen nutzt ihr für die Präsentation eurer Ergebnisse. Hier bringt ihr an, was ihr in eurer Stadt oder im Umland in Bezug auf die allgemeinen geschichtlichen Entwicklungen gefunden habt. Das können sein:
– Fotos, Bilder aus der Zeit
– Fotos, Bilder von heute (z. B. Gedenktafeln, Denkmäler, der mittlerweile vielleicht ganz anders aussehende historische Ortskern)
– Zeitungsausschnitte (von früher, von heute)
– Zeitzeugenaussagen, Expertenmeinungen
– Ausschnitte aus der Literatur, aus Geschichtsbüchern
– Originalgegenstände (z. B. Abzeichen, Dokumente)

Gestaltung der Ausstellung

Die Klassenzimmerwand und den „Ausstellungsraum" sollt ihr ganz nach euren Wünschen gestalten. Ihr könnt Plakate und Fotocollagen entwerfen, Tische oder Vitrinen aufstellen, auf denen ihr Gegenstände oder „Hörstationen" (evtl. mit „Diskman": Interviews oder Musik) arrangiert. Wichtig ist, dass ihr das gesammelte Material nicht nur ausstellt, sondern dass ihr es auch kommentiert. Das heißt, zu Fotos, Texten, aber auch zu Sachquellen müssen zumindest kurze erläuternde Kommentare geschrieben werden. Diese zu entwerfen, ist nicht immer ganz leicht. Oft werdet ihr dazu auch die Hilfe eures Lehrers oder eurer Lehrerin in Anspruch nehmen müssen.

Ein Beispiel

Angenommen, eine Gruppe hätte das Thema gewählt: Wie verlief die Reichspogromnacht in unserem Ort? Unter anderem auf folgende Materialien hätte sie im Zuge ihrer Recherche stoßen können:

M 1 Ein Historiker berichtet

Und dann das einschneidendste und bedrückendste Ereignis dieser ersten Phase, das von der NSDAP organisierte und durchgeführte Judenpogrom von 1938, bei dem noch 160 Juden in der Stadt lebten. In der Nacht vom 9. zum 10. November 1938 wird neben den Synagogen von Amberg, Floß, Straubing, Neumarkt, Sulzbürg auch die Regensburger Synagoge in der Schäffnerstraße in Brand gesteckt, und zwar von Mitgliedern des Nationalsozialistischen Kraftfahrkorps (NSKK). Diese sowie Angehörige der SA und SS werfen die kultischen Geräte auf die Straße und besudeln sie, eine Absperrungsreihe erschwert Löscharbeiten, die ohnedies vom Oberbürgermeister verzögert worden sind. Gleichzeitig werden zahlreiche jüdische Familien unter Verhöhnungen und Schlägen aus ihren Wohnungen geschleppt, in den Keller des Polizeigebäudes gepfercht und am anderen Morgen im Hof der Motorsportschule zu demütigenden Übungen gezwungen. Anschließend werden sämtliche männliche Juden in geschlossener Kolonne, von SA-Leuten eskortiert, durch ein Menschenspalier zum Alten Rathaus und dann zum Bahnhof geführt; der junge Paul Oettinger wird gezwungen, ein Schild mit der Aufschrift „Auszug der Juden" voranzutragen. Dreißig der Männer werden auf Lastwagen in das Konzentrationslager Dachau gebracht, die übrigen kommen in das Gefängnis in der Augustenstraße; einer von ihnen stirbt wenige Tage später an den bei der Verhaftung erlittenen Misshandlungen. Nicht wenige der Verhafteten finden nach ihrer Freilassung ihre Wohnungen oder Geschäfte verwüstet und ausgeraubt vor.

A. Dieter: Regensburg im Wandel. Studien zur Geschichte der Stadt im 19. und 20. Jahrhundert. Regensburg 1984, S. 227.

M 2 Reichspogromnacht in Regensburg

Auch in Regensburg kam es in der Nacht vom 9. auf den 10. November 1938 zu schweren Übergriffen gegen die jüdische Bevölkerung. Hier werden die Menschen durch die Maxstraße in Richtung Bahnhof getrieben.

M 3 Gedenktafel

Heute erinnert eine Gedenktafel an den Standort der ehemaligen Synagoge.

Methodische Arbeitsschritte:

1. Themen festlegen, Gruppen einteilen, Aufgaben innerhalb der Gruppe verteilen (Fotos machen, in Archiven, Museen usw. nach Material fragen, Büchereien oder Bibliotheken nach Literatur durchsuchen usw.)
2. Material suchen und ordnen (Verwendbares und Wichtiges zusammenstellen, anderes aussortieren)
3. Konzept diskutieren und Ausstellung gestalten (Anordnung, Struktur festlegen, Plakate und Exponate arrangieren, Kommentare schreiben)
4. Ausstellung zugänglich machen (für andere Klassen, Eltern; evtl. Aufbauen in der Aula)

Anlaufstellen für eure Recherche:
– Verwandte, z. B. Großeltern, Bekannte (Gegenstände, Erinnerungen)
– Experten (Zeitzeugen, Lehrer, Historiker, Fremdenführer usw.)
– Museen und Archive
– Bibliotheken und Buchhandlungen
– Stadtverwaltung, Fremdenverkehrsamt

Weitere Themenvorschläge:
– Kriegsende und Neubeginn
– Leben und Alltag in der Diktatur

19. Vorsicht – gefälschte Geschichte!

Leugnung von Fakten

Sicher fällt dir der Kontrast zwischen M1 und M2 auf. Ob Auschwitz oder andere Vernichtungslager wie Majdanek, solchen kriminellen Unsinn kann man als Kommentar zu einem Film hören oder gedruckt in einer Broschüre lesen. Besonders das Internet bietet eine große Plattform für rechtsextremistische Geschichtsleugnung und -fälschung. Der Autor von M2 ist ein Angehöriger der sogenannten Revisionismusbewegung, die den Holocaust leugnet und den Nationalsozialismus rechtfertigen will. Rechtsextreme Autoren, die nachgewiesene Wahrheiten verleugnen, gibt es einige, sogar unter Historikern. Der bekannteste ist sicher der Engländer David Irving. Diesen Leuten darf man nicht auf den Leim gehen. Im Übrigen ist der Holocaust auch keine Sache, die man „so oder so" sehen kann. Das entschied das höchste Gericht der Bundesrepublik Deutschland (M3).

Der beste Schutz gegen solche Propaganda ist gute Information. Wer über die gesicherten Fakten einigermaßen Bescheid weiß, lässt sich von populistischen Vereinfachungen nicht einfangen. Dann kann man den im Alltag häufig zu hörenden „Stammtisch-Parolen" etwas entgegensetzen. Dazu gehört natürlich auch Mut und Zivilcourage. Sicher hast du schon einmal Ähnliches gehört:

– „Unter Hitler gab es keine Kriminalität."
– „Hitler hat die Wirtschaft zum Blühen gebracht, die Arbeitslosigkeit beseitigt, die Autobahnen gebaut."
– „Die meisten Deutschen wussten gar nichts von der Verfolgung und Vernichtung der Juden."

Es gibt gute Bücher, die solchen verdrehten Ansichten Fakten gegenüberstellen. In ihnen findet man Argumente gegen vereinfachende und verharmlosende Stammtischtheorien. Weitere Argumentationshilfen gegen die „Auschwitz-Lüge" bietet dir die folgende Seite.

M 2 Die „Auschwitz-Lüge"

In Auschwitz war die Verpflegung für die Häftlinge ausreichend, niemand musste Hunger leiden. Von Massenvergasungen keine Spur. Stattdessen Kino und Bordell für die Häftlinge, die zusätzlich üppig mit Care-Paketen versorgt wurden. Der Gestank von verbranntem Menschenfleisch kann nicht gewesen sein, rührte er doch nur von der Kompostierungsanlage her. Dokumentaraufnahmen, die die Leichen von tausenden Toten auf riesigen Menschenbergen belegen, alles Lüge. In Dresden starben mehr Menschen als in Auschwitz.

Zitat aus einem rechtsradikalen Film: Die Gedanken sind frei. Die Auschwitz-Lüge und ihre Folgen. 1992.

Suche weitere „Argumente gegen Holocaust-Leugner" unter der Verlagswebsite
http://www.klett-verlag.de/gug

M 1 Verbrennungsöfen im KZ Majdanek
(Foto vom Juli 1944)

LITERATURTIPP

Wolfgang Benz (Hrsg.): Legenden, Lügen, Vorurteile. Ein Wörterbuch zur Zeitgeschichte.
12. Auflage, München 2002.

Markus Tiedemann: „In Auschwitz wurde niemand vergast." 60 rechtsradikale Lügen und
wie man sie widerlegt. Mühlheim an der Ruhr
1996.

Klaus-Peter Hufer: Argumente am Stammtisch.
Erfolgreich gegen Parolen, Palaver, Populismus.
Schwalbach/Ts. 2006.

M 3 Urteil des Bundesverfassungsgerichts

*Rechtsradikale luden 1991 David Irving nach Mün-
chen ein. Die Stadt wollte die Veranstaltung nur zulassen, wenn keine Leugnung der Verfolgung von
Juden im Dritten Reich stattfindet. Später klagten die
Veranstalter und beriefen sich auf die Meinungsfreiheit. Das Gericht entschied:*

Bei der untersagten Äußerung, dass es im Dritten
Reich keine Judenverfolgung gegeben habe, handelt
es sich um eine Tatsachenbehauptung, die nach unge-
zählten Augenzeugenberichten und Dokumenten,
den Feststellungen der Gerichte in zahlreichen Straf-
verfahren und den Erkenntnissen der Geschichtswis-
senschaft erwiesen unwahr ist. Für sich genommen ge-
nießt eine Behauptung dieses Inhalts daher nicht den
Schutz der Meinungsfreiheit.

BverfGE 90, 241 – Auschwitzlüge – 1994

M 4 Klarstellung zur „Auschwitz-Lüge"

*Der Artikel in dem Buch „Legenden, Lügen, Vorur-
teile" stellt klar:*

Das Ausmaß und die gleichsam technisch-farbrikmäßi-
ge Methode der Tötung von großen Menschenmassen
durch Giftgas aufgrund ihrer „rassischen" und kulturellen Andersartigkeit machen die nationalsozialistische Judenvernichtung zu einem einzigartigen Phäno-

men in der Geschichte Europas (einschließlich der Sowjetunion), durch seine Größenordnung
auch unvergleichbar und unfassbar für den normalen
Menschenverstand. (...)

Bestimmte Kreise wollen diese Verbrechen aber nicht 10
nur nicht wahrhaben, sondern versuchen mit allen
Mitteln, sie zu verharmlosen und abzustreiten. Ihr
Standpunkt, dass nicht sein kann, was nicht sein darf,
führt sie dazu, historische Fakten einfach zu leugnen –
unter fadenscheinigen Vorwänden, wie: es fehle das 15
Dokument (der Befehl Hitlers etwa), das die Sache aus-
gelöst habe. (...) Das entspricht etwa der Argumenta-
tion: Wenn die Durchhalte-Befehle Hitlers nicht schriftlich vorlägen, hätte die Tragödie von Stalingrad nicht
stattgefunden, auch wenn diese wie andere histori- 20
sche Ereignisse durch Hunderttausende erlebt und be-
zeugt wurden.

*W. Benz (Hrsg.): Legenden, Lügen, Vorurteile. Ein Wörterbuch zur
Zeitgeschichte. 12. Auflage,München 2002, S. 36.*

M 5 „Wir haben nichts mitbekommen"
(Zeichnung von Kurt Halbritter)

„Mutti, wo fahren die vielen Leute denn hin?" – „Aufs Land."

Fragen und Anregungen

❶ Erläutert, warum eine Leugnung des Holocaust
nicht mit der im Grundgesetz garantierten Meinungsfreiheit gerechtfertigt werden kann. (M1,
M2, M3, VT)

❷ Gebt wieder, welche Erklärung der Autor für das
Zustandekommen der „Auschwitz-Lüge" liefert.
(M4)

❸ Analysiert die Karikatur M5. Sucht nach Argumenten, warum die Überschrift („Wir haben
nichts mitbekommen.") anzuzweifeln ist.

❹ Diskutiert: Tauchen in eurem Umfeld auch öfter
„Stammtisch-Parolen" auf? Warum werden sie
meistens schweigend hingenommen?

❺ Recherchiert nach Fakten und Gegenargumenten
für die im VT vorkommenden Parolen.

DEUTSCHLAND NACH DEM KRIEG

Wie sollte es mit Deutschland nach dem Krieg weitergehen, welche Zukunft haben die Menschen zu erwarten, wie werden die Siegermächte das besetzte Land behandeln? Das waren die wichtigsten Fragen, die sich fast alle Deutschen stellten und auf die sie keine Antwort wussten. Schon bald zeigte sich, dass auch die Alliierten völlig unterschiedliche Vorstellungen über die Zukunft Deutschlands und Europas hatten: Die Anti-Hitler-Koaliton zerfiel, Deutschland wurde geteilt und in den von den USA geführten Westen und dem von der Sowjetunion beherrschten Ostblock eingegliedert. Der Kalte Krieg zwischen den sich atomar aufrüstenden Supermächten begann und bestimmte Deutschland, Europa und die Welt.

Der VW-Käfer – Symbol des beginnenden Wirtschaftswunders in der Bundesrepublik

Trabi und Platte
Ein Trabi vor einer Siedlung in Plattenbauweise. Als es in der DDR endlich Autos zu kaufen gab, musste man über 10 Jahre darauf warten.

Flüchtlingstreck
Ostpreußen auf der Flucht vor der sowjetischen Armee im Januar 1945

Letzter Sprung in die Freiheit

Verbotener Aufnäher
Jugendliche der DDR
begannen u. a. damit
gegen die zunehmende
Militarisierung zu
protestieren.

Wehrerziehung in der DDR
Wehrunterricht für Mädchen und Jungen in der DDR, Abteilung
„Gesellschaft für Sport und und Technik" in Seelow.

**Bau der Berliner Mauer
am 13. August 1961**

Entwicklung der Frauenbilder in den beiden deutschen Staaten.
(Titelseiten der DDR-Zeitschrift „Für Dich" und der bundes-
republikanischen Zeitschrift „Für Sie", 1978)

„Deutschlands Zukunft" (Karikatur von Erich Köhler, 1948)

1. Der Krieg ist aus – was nun?

8. Mai 1945	Die bedingungslose Kapitulation wird unterzeichnet.
1945–1949	Die Deutschen leiden in der Nachkriegszeit an Versorgungsproblemen und Hunger; bald aber beginnt der Wiederaufbau der zerstörten Städte.

M 1 KZ-Häftlinge bejubeln die Befreiung des Konzentrationslagers Dachau

M 2 Ausschnitt einer Lebensmittelmarke
Lebensmittel waren nach dem Krieg streng rationiert.

„Nun ist der Augenblick gekommen, nach dem wir uns Jahre hindurch gesehnt hatten: Es ist Frieden! Aber was für einer – (…) wir sind so total besiegt worden, wie lange kein Volk mehr." (Edelgard B., im Mai 1945). Aus diesem Zitat einer deutschen Frau sprechen gleichzeitig Erleichterung und Unbehagen. Wie sollte es weitergehen nach der Niederlage?

Vergegenwärtigen wir uns die Situation der damaligen Zeit: Nach Kriegsende lagen große Teile Deutschlands in Trümmern, in den meisten Gegenden war die Versorgungslage (Lebensmittel, Kleidung, Brennmaterial, Strom) katastrophal und in vielen Familien wurden Angehörige vermisst. Die Sorge um das Überleben bestimmte das tägliche Leben der Menschen. Wie würden die Sieger die Deutschen behandeln, jetzt wo immer mehr Details der schrecklichen Gräuel der Nazi-Zeit bekannt wurden? Besonders die Befreiung der Konzentrationslager hatte – für Deutsche und Alliierte – geradezu eine Schockwirkung.

Und dennoch empfanden die meisten Menschen eine gewisse Erleichterung über das Ende des Krieges. Endlich hatten die schweren Luftangriffe der Alliierten ein Ende. Endlich war der aussichtslose Kampf fanatischer Deutscher gegen die schon besiegte Niederlage beendet. Denn noch in den letzten Kriegstagen wurden Menschen, die keinen Widerstand mehr gegen die anrückenden Truppen leisten und Städte kampflos übergeben wollten, hingerichtet. Nach der bedingungslosen Kapitulation dachten viele: Es kann nur noch aufwärts gehen.

In der Rückschau kann man ein eindeutiges Urteil fällen. Die Niederlage Deutschlands im Zweiten Weltkrieg war eine Befreiung. Sie befreite unser Land und die Welt von einem brutalen, diktatorischen Regime und legte – wenn auch zunächst nur für die von den Westalliierten besetzten Gebiete – den Grundstein für einen friedlichen und demokratischen Neuanfang.

In den ersten Nachkriegsjahren verschlimmerte sich die Situation für viele Menschen sogar noch. Ausgerechnet der Winter 1946/47 war der härteste seit langem. Verkehrsnetz und Lebensmittelversorgung brachen beinahe völlig zusammen. Dieser sogenannte Hungerwinter ließ viele Familien um das Überleben bangen. Erst ab 1948 war die Versorgungskrise einigermaßen beigelegt.

M 3 Mutter und Sohn 1945 in Berlin

○ über 25% zerstört
◐ über 50% zerstört
● über 75% zerstört

M 4 Zerstörung deutscher Städte
Viele deutsche Städte lagen im Mai 1945 in Trümmern. In Bayern, das aufgrund seiner agrarischen Struktur weniger stark betroffen war als andere Gegenden, traf es Würzburg besonders hart.

M 5 Tagesration an Nahrung für einen sogenannten „Normalverbraucher"

M 6 Der 8. Mai 1945
1985 hielt der Bundespräsident Richard von Weizsäcker eine viel beachtete Rede:
Der 8. Mai ist für uns vor allem ein Tag der Erinnerung an das, was Menschen erleiden mussten. Er ist zugleich ein Tag des Nachdenkens über den Gang unserer Geschichte. (…) Der 8. Mai war ein Tag der Befreiung. Er hat uns alle befreit von dem Menschen verachtenden 5 System der nationalsozialistischen Gewaltherrschaft. Niemand wird um dieser Befreiung willen vergessen, welche schweren Leiden für viele Menschen mit dem 8. Mai erst begannen und danach folgten. (…)

Nach: R. v. Weizsäcker: Reden und Interviews. Bd. 1. Hrsg. vom Presseamt der Bundesregierung, Bonn 1986, S. 279.

Ware	Offizieller Preis (in RM)	Schwarz-markt-Preis (in RM)
1 kg Fleisch	2,20	60–80
1 kg Brot	0,37	20–30
1 kg Kartoffeln	0,12	4
1 kg Zucker	1,07	120–160
20 Zigaretten (US-amerik.)	2,80	70–100
1 l Speiseöl (1946)	2,50	150–180
1 kg Butter	4,00	350–550
1 kg Milchpulver		140–160
1 l Schnaps		300
1 Paar Schuhe (Lefer)		500–800
1 Kleid		250–1200
1 Fahrrad		1500

M 7 Schwarzmarktpreise in Berlin 1947
Zum Vergleich der Monatslohn eines Arbeiters 1945–1948: ca. 120–150 RM.

Fragen und Anregungen ···

❶ Lasse die beiden Einstiegsbilder (M1, M3) auf dich wirken. Welche Atmosphäre vermitteln sie? Wähle eines der Bilder und halte deine Eindrücke und Gedanken dazu schriftlich fest.

❷ Fasse zusammen, was das alltägliche Leben der Menschen nach 1945 erschwerte. (M2, M4, M5, M7)

❸ Erkläre den unterschiedlichen Grad der Zerstörung in den verschiedenen Regionen Deutschlands. (M4)

❹ Frage nach: Wie haben Menschen aus deiner Umgebung (Großeltern, sonstige Verwandte, Bekannte), die das Kriegsende noch miterlebt haben, diese Zeit in Erinnerung?

❺ Diskutiert, warum das Kriegsende entweder als „Befreiung" oder als „Niederlage" empfunden werden konnte. (M6)

2. Die Zukunft Deutschlands entscheidet sich am Verhandlungstisch

November 1943	Auf der Konferenz von Teheran beraten die „Großen Drei" (Churchill, Stalin, Roosevelt) über ein gemeinsames Vorgehen gegenüber Deutschland.
Februar 1945	In Jalta wird die Westverschiebung Polens bestätigt und die Besatzung Deutschlands geregelt.
Juli/August 1945	Auf der Potsdamer Konferenz finden die Beratungen der USA, Großbritanniens und der Sowjetunion über die Zukunft Deutschlands statt.

M 1 Verhandlungen am runden Tisch
Politische und militärische Vertreter der Siegermächte diskutieren in Potsdam über die Zukunft Deutschlands. In der weißen Uniform Stalin, links von ihm sein Außenminister Molotow, links daneben der US-Präsident Truman und links im Vordergrund Churchills Nachfolger Attlee.

Was soll mit Deutschland geschehen?

Wie sollte Deutschland nach dem Sieg der Alliierten aussehen? Wie sollte mit den Deutschen umgegangen werden? Was würde mit den im Zweiten Weltkrieg von Deutschland eroberten Gebieten geschehen? Diese Fragen beschäftigten die Alliierten schon während des Krieges. Nach dem Kriegseintritt der USA vereinbarten der amerikanische Präsident Roosevelt und der britische Premierminister Churchill im August 1941 Grundsätze für ein gemeinsames Kriegs- und Nachkriegsprogramm in der sogenannten „Atlantik-Charta". Diese bildete die Grundlage für weitere Verhandlungen der „Großen Drei" (Roosevelt, Churchill, Stalin), bei denen konkrete Antworten gefunden werden sollten.

Konferenzen von Teheran und Jalta

Bei der Konferenz von Teheran (28. 11. – 01. 12. 1943) wurden verschiedene Szenarien diskutiert. Die Vorstellungen der Alliierten lagen jedoch weit auseinander. Um Deutschlands militärische Stärke für die Zukunft zu brechen, wurde eine Zerstückelung des Landes erwogen. Roosevelt schlug vor, Deutschland in fünf Teilstaaten zu gliedern. Churchill wollte Preußen isolieren und Süddeutschland mit Österreich zusammenschließen. Aus beiden Überlegungen wurde später nichts.

Stalin dagegen konnte eine seiner wichtigsten Forderungen durchsetzen: Es sollte zu einer Westverschiebung Polens kommen. Die Sowjetunion bekäme Gebiete im Osten des Landes hinzu, Polen würde dafür mit Gebieten im Westen entschädigt. Auf der Konferenz von Jalta (04. 02. – 11. 02. 1945), wurden diese Pläne Stalins noch einmal bestätigt. Des Weiteren sollte Deutschland entwaffnet werden und umfangreiche Entschädigungen zahlen müssen. Schon 1944 hatte man beschlossen, das Land in vier Besatzungszonen aufzuteilen, von denen eine Frankreich, das nun auch als Siegermacht galt, zugesprochen wurde.

Nachdem Deutschland bedingungslos kapituliert hatte, übernahmen die Alliierten in ihren Besatzungszonen die Herrschaft. Die Verwaltungshoheit sollte ein Kontrollrat, der aus den Oberkommandierenden der vier Siegermächte bestand, innehaben. Näheres beschlossen die Großen Drei – nun in neuer Besetzung (für den verstorbenen Roosevelt verhandelte Truman, für den abgewählten Churchill Attlee) – 1945 auf der Konferenz in Potsdam. Da die Gegensätze zwischen den Westmächten und der Sowjetunion bei den Verhandlungen immer deutlicher hervortraten, blieben die Bestimmungen aber ziemlich vage. Die „Großen Drei" waren sich schließlich darin einig, dass fünf Grundprinzipien (sog. „5 Ds") für Deutschland gelten sollten:

Potsdamer Konferenz 1945

- *Denazifizierung:* die Eliminierung des Nationalsozialismus und des damit verbundenen Gedankenguts.
- *Demilitarisierung:* die vollständige Entwaffnung und Auflösung der militärischen Strukturen.
- *Dezentralisierung:* die Auflösung von Machtkonzentrationen (sowohl wirtschaftlich wie auch politisch).
- *Demontage:* der Abbau von kompletten – v. a. rüstungsmäßig relevanten – Industriebereichen.
- *Demokratisierung:* die Erneuerung des politischen Lebens auf demokratischer Grundlage.

Zudem galt grundsätzlich das Ziel, die „wirtschaftliche Einheit" Deutschlands zu erhalten. Angelegenheiten, die „Deutschland als Ganzes" betrafen, sollten vom Kontrollrat nur einstimmig beschlossen werden dürfen.

Es zeigte sich aber schon bald, dass die Bestimmungen von Potsdam – wie z. B. der Grundsatz der Demokratisierung – ganz verschieden ausgelegt werden konnten. Je nach Interessenslage gingen die Großmächte unterschiedliche Wege. Es zeichnete sich eine Spaltung zwischen der sowjetischen Zone und den drei Westzonen ab.

Die Tatsache, dass die Oder-Neiße-Linie durch die Westverschiebung Polens zukünftig die neue Ostgrenze Deutschlands bildete und die Sowjetunion den ehemals östlichen Teil Polens behielt, mussten die Westalliierten widerwillig akzeptieren. Stalin hatte hier vollendete Tatsachen geschaffen, indem er die Gebiete jenseits dieser Linie einfach besetzen und unter polnische Verwaltung stellen ließ.

Konferenz von Potsdam

Auf dieser Konferenz (17. 7. – 2. 8. 1945) beschlossen die USA, Großbritannien und UdSSR die Grundzüge für die Behandlung Deutschlands nach dem Krieg (u. a. die „5 Ds"). Die Oder-Neiße-Linie wurde die Ostgrenze Deutschlands.

Besatzungszonen

Deutschland verlor nach der Niederlage im Zweiten Weltkrieg die Regierungsgewalt über sein Territorium. Es wurde nun von den vier Siegermächten, die als Besatzungsmächte agierten, verwaltet (USA, GB, SU, Frankreich). Jede Besatzungszone unterstand dem Oberbefehlshaber der jeweiligen Siegermacht.

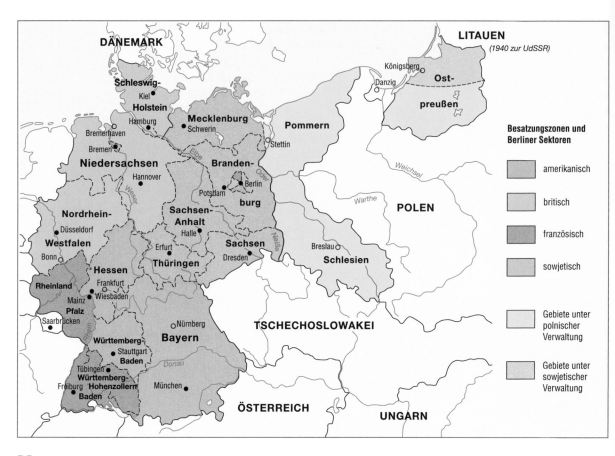

M 2 Die vier Besatzungszonen und die territorialen Bestimmungen von Potsdam

Die Siegermächte legalisierten in Potsdam auch die in der Praxis längst begonnene Vertreibung von Deutschen aus den Ostgebieten. Allerdings sollte das in „ordnungsgemäßer und humaner Weise" geschehen.

Erkläre anhand der Karte:
– Welche Gebiete kamen unter andere Verwaltung (und unter welche)?
– Worin bestand der „Sonderstatus" Berlins?

M 3 Die „Großen Drei" auf der Konferenz von Jalta
Links sitzt der englische Premierminister Churchill, in der Mitte der amerikanische Präsident Roosevelt, rechts der sowjetische Diktator Stalin. Jalta liegt auf der Halbinsel Krim am Schwarzen Meer.

M 4 Die Erklärung von Teheran

Amtliche Erklärung der Chefs der verbündeten Regierungen auf der Konferenz von Teheran:

Wir, der Präsident der Vereinigten Staaten von Amerika, der Premierminister von Großbritannien und der Ministerpräsident der Sowjetunion, haben uns während der vergangenen vier Tage in der Hauptstadt unseres Verbündeten, des Iran, getroffen und unsere gemeinsame Politik festgelegt und bestätigt. Wir bringen unsere Entschlossenheit zum Ausdruck, dass unsere Länder sowohl im Krieg als auch in dem ihm folgenden Frieden zusammenarbeiten werden. Was den Krieg betrifft, so haben (wir) unsere Pläne zur Vernichtung der deutschen Truppen miteinander abgestimmt. (…) Das allgemeine Einvernehmen, das wir hier erzielten, garantiert uns den Sieg. Was den Frieden betrifft, so sind wir überzeugt, dass das zwischen uns herrschende Einverständnis einen dauerhaften Frieden gewährleisten wird. Wir erkennen die hohe, uns und allen Vereinten Nationen auferlegte Verantwortung zur Verwirklichung eines solchen Friedens in vollem Umfang an, der die Billigung der überwältigenden Massen der Völker der Welt finden sowie Elend und Schrecken des Krieges für viele Generationen bannen wird. (…) Wir kamen voller Hoffnung und Entschlossenheit hierher. Wir scheiden hier als echte Freunde in Geist und Ziel.

gez. *Roosevelt* gez. *Stalin* gez. *Churchill*

Nach: Deutsche Geschichte in Quellen und Darstellung. Bd.10: Besatzungszeit, BRD und DDR 1945–1969. Hrsg. v. M. Niehuss und U. Lindner. Stuttgart 1998, S.24f.

M 5 Aus dem Schlussprotokoll der Potsdamer Konferenz

Alliierte Armeen führen die Besetzung von ganz Deutschland durch, und das deutsche Volk fängt an, die furchtbaren Verbrechen zu büßen, die unter der Leitung derer, welche es zur Zeit ihrer Erfolge offen gebilligt hat und denen es blind gehorcht hat, begangen wurden. (…)

Der deutsche Militarismus und Nazismus werden ausgerottet, und die Alliierten treffen nach gegenseitiger Vereinbarung in der Gegenwart und in der Zukunft auch andere Maßnahmen, die notwendig sind, damit Deutschland niemals mehr seine Nachbarn oder die Erhaltung des Friedens in der ganzen Welt bedrohen kann. [10]

Es ist nicht die Absicht der Alliierten, das deutsche Volk zu vernichten oder zu versklaven. Die Alliierten wollen [15] dem deutschen Volk die Möglichkeit geben, sich darauf vorzubereiten, sein Leben auf einer demokratischen und friedlichen Grundlage von neuem wieder aufzubauen. Wenn die eigenen Anstrengungen des deutschen Volkes unablässig auf die Erreichung dieses [20] Ziels gerichtet sein werden, wird es ihm möglich sein, zu gegebener Zeit seinen Platz unter den friedlichen Völkern der Welt einzunehmen.

Amtsblatt des Alliierten Kontrollrats in Deutschland, Supplement Nr. 1. Berlin 1946, S 13ff.

M 6 Ein Amerikaner über die Zusammenarbeit der Besatzungsmächte

Zur immer weiteren Ausdehnung des Machtbereichs der Sowjetunion nach Westen schrieb der Diplomat G. F. Kennan 1945 an die US-Regierung:

Die Idee, Deutschland gemeinsam mit den Russen regieren zu wollen, ist ein Wahn (…). Wir haben keine andere Wahl, als unseren Teil von Deutschland, den Teil, für den wir und die Briten Verantwortung übernommen haben, zu einer Form von Unabhängigkeit zu [5] führen, die so befriedigend, so gesichert, so überlegen ist, dass der Osten sie nicht gefährden kann (…). Besser ein zerstückeltes Deutschland, von dem wenigstens der westliche Teil als Prellbock für die Kräfte des Totalitarismus wirkt, als ein geeintes Deutschland, das [10] diese Kräfte wieder bis an die Nordsee vorlässt. (…) Im Grunde sind wir in Deutschland Konkurrenten der Russen. Wo es in unserer Zone um wirklich wichtige Dinge geht, sollten wir in der Kontrollkommission keinerlei Zugeständnisse machen. [15]

G. F. Kennan: Memoiren eines Diplomaten. Stuttgart 1968, S.262 ff. (Übers. v. H. v. Alten).

Fragen und Anregungen

❶ Erarbeite aus der Quelle zur Konferenz von Teheran die Grundsätze, auf die sich die Großen Drei einigten. Vergleiche diese mit der späteren Entwicklung. (VT, M4, M6)

❷ Überlege, welche Wirkung Fotografien wie M3 erzielen sollten.

❸ Erläutere, welche Ziele den Beschlüssen der Alliierten auf der Potsdamer Konferenz zu Grunde lagen. (M2, M5)

❹ Stelle dar, welche Befürchtungen die USA schon 1945 gegenüber der Sowjetunion hatten. Welche Tendenz lässt sich aus den Vorschlägen Kennans schon absehen? (M6; vergleiche M6 mit M2)

3. Menschen flüchten, werden vertrieben, sind heimatlos

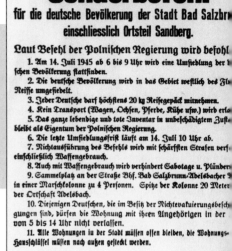

Sonderbefehl

für die deutsche Bevölkerung der Stadt Bad Salzbr...
einschliesslich Ortsteil Sandberg.

Laut Befehl der Polnischen Regierung wird befohl...

1. Am 14. Juli 1945 ab 6 bis 9 Uhr wird eine Umsiedlung der d... schen Bevölkerung stattfinden.
2. Die deutsche Bevölkerung wird in das Gebiet westlich des Fl... Neiße umgesiedelt.
3. Jeder Deutsche darf höchstens 20 kg Reisegepäck mitnehmen.
4. Kein Transport (Wagen, Ochsen, Pferde, Kühe usw.) wird erl...
5. Das ganze lebendige und tote Inventar in unbeschädigtem Zust... bleibt als Eigentum der Polnischen Regierung.
6. Die letzte Umsiedlungsfrist läuft am 14. Juli 10 Uhr ab.
7. Nichtausführung des Befehls wird mit schärfsten Strafen verf... einschließlich Waffengebrauch.
8. Auch mit Waffengebrauch wird verhindert Sabotage u. Plünder...
9. Sammelplatz an der Straße Bhf. Bad Salzbrunn/Adelsbacher ... in einer Marschkolonne zu 4 Personen. Spitze der Kolonne 20 Meter... der Ortschaft Adelsbach.
10. Diejenigen Deutschen, die im Besitz der Nichtevakuierungsbesch... gungen sind, dürfen die Wohnung mit ihren Angehörigen in der... von 5 bis 14 Uhr nicht verlassen.
11. Alle Wohnungen in der Stadt müssen offen bleiben, die Wohnungs- Haushälter müssen nach außen gesteckt werden.

Bad Salzbrunn, 14. Juli 1945, 6 Uhr.   **Abschnittskommand...**

(-) Zinkowski
Oberstleutnant

Januar 1945	Mit der Großoffensive der Roten Armee beginnt die Massenflucht von Deutschen aus den ehemaligen Ostgebieten.
2. August 1945	Die Potsdamer Konferenz legalisiert die „Umsiedlung" der deutschen Bevölkerung im Osten.
bis ca. 1950	Rund 14 Millionen Deutsche mussten ihre Heimat verlassen.

M 1 Befehl zur „Umsiedlung"
„Sonderbefehl für die deutsche
Bevölkerung der Stadt Bad Salzbrunn
einschließlich Ortsteil Sandberg"

Aus der Heimat vertrieben

„Am 14. Juli 1945 ab 6 bis 9 Uhr wird eine Umsiedlung der deutschen Bevölkerung stattnehmen (...) Jeder Deutsche darf höchstens 20 kg Reisegepäck mitnehmen."
So oder so ähnlich wie auf diesem Auszug aus einem Plakat der Stadt Bad Salzbrunn stand es auf vielen Anschlägen in Orten mit deutscher Bevölkerung zu lesen. In Ostpreußen, Pommern, Schlesien, dem Sudetenland und anderen Teilen Ostmittel- und Südosteuropas verloren kurz vor oder nach der Niederlage Deutschlands fast 14 Millionen Deutsche verloren ihre Heimat sowie all ihren Besitz. Die Menschen begaben sich auf den Weg in eine ungewisse Zukunft, sofern sie überhaupt an ihrem Ziel ankamen. Auf der Potsdamer Konferenz war die „Umsiedlung" der deutschen Bevölkerung aus den Ostgebieten gerechtfertigt worden, wenngleich es hieß, sie solle in „ordnungsgemäßer und humaner Weise" geschehen. Davon konnte in der Realität kaum die Rede sein.

Flucht – Vertreibung – „Umsiedlung"

Bereits während des Krieges hatte es in den Ostgebieten eine Fluchtbewegung gegeben. Seit die Rote Armee heranrückte, ging die Angst vor der Rache „der Russen" um, und als die Sowjets im Januar 1945 ihre Großoffensive begannen, setzte eine Massenflucht der Bevölkerung ein. Riesige Menschenströme wälzten sich unter unmenschlichen und grausamen Bedingungen Richtung Westen. Das Ziel war oft unbestimmt, es ging einfach westwärts, zu Fuß oder mit primitiven Pferdewagen. Viele Menschen kamen dabei um. Wie das Datum des oben zitierten Aufrufs aber zeigt, waren die Menschen nicht nur auf der Flucht vor der Roten Armee, sie wurden auch schon vor Abschluss der Konferenz von Potsdam (2. 8. 1945) aus ihrer Heimat vertrieben. Rachegefühle und die Auffasssung, „alle Deutschen" seien kollektiv für die Schrecken des Nationalsozialismus verantwortlich, breiteten sich jetzt aus und führten zu Gewalttaten gegen oft unschuldige Menschen.
Insgesamt waren es drei Wellen von Flucht und Vertreibung:
– Zuerst die Flucht vor den feindlichen Truppen vor Kriegsende (bis Mai 1945),
– dann die „wilden" Vertreibungen der deutschen Bevölkerung aus Ländern, die unter der deutschen Herrschaft zu leiden hatten (von Mai bis August 1945),

– zuletzt die durch die Potsdamer Konferenz legalisierte „Umsiedlung" der deutschen Bevölkerung, die in vielen Fällen ebenfalls einer Vertreibung gleichkam (ab August 1945).

Die Herausforderung der Integration

Man muss sich vorstellen, was es für das „Restdeutschland", wohin sich die Flüchtlinge aufmachten, bedeutete, dass es viele Millionen Menschen aufnehmen sollte. Schließlich herrschte aufgrund der verheerenden Zerstörungen auch unter der ansässigen Bevölkerung Wohnungsnot und Hunger. Die Aufnahme der Vertriebenen wurde daher anfangs häufig als Belastung empfunden, zumal ihre Unterbringung und Beherbergung natürlich eine enorme organisatorische Herausforderung war. Zu Beginn lebten die Menschen in Durchgangslagern, bevor ihnen eine neue Unterkunft zugewiesen wurde. Dies geschah z. B. durch Einquartierungen bei Familien, die ihren knappen Wohnraum nun mit Flüchtlingsfamilien teilten. Schließlich gelang es, nach einer harten und auch konfliktreichen Anfangsphase, diese gewaltige Zahl von Menschen zu integrieren. Nicht zuletzt deswegen, weil sie einen großen Anteil am Wiederaufbau des zerstörten Landes hatten.

Weitere Heimatlose und Kriegsgefangene

Neben den neu ins Land strömenden Deutschen gab es eine weitere, viele Millionen zählende Gruppe von Menschen, die in der Zeit nach dem Krieg heimatlos war: die sogenannten „displaced persons". Das waren z. B. Kriegsgefangene, die sich noch in Deutschland befanden und nicht nach Hause konnten – oder wegen der Herrschaft Stalins im Osten auch nicht wollten – sowie vom NS-Staat und deutschen Firmen ausgebeutete Zwangsarbeiter oder KZ-Überlebende. Diese Menschen lebten häufig in primitiven Lagern (z. T. sogar in Gebäuden ehemaliger KZs), bis sie entweder ausreisten oder irgendwo einen Neuanfang starten konnten. Zu den Heimatlosen dieser Zeit zählen auch die deutschen Soldaten, die weit über 1945 hinaus in anderen Ländern in Kriegsgefangenschaft waren.

Flucht und Vertreibung

Als Folge des verlorenen Zweiten Weltkriegs kam es zu einer riesigen Bevölkerungsbewegung von Deutschen von Ost nach West. Sie begann mit der Flucht von Deutschen vor der Roten Armee und fand ihren Höhepunkt in der systematischen Vertreibung aus Gebieten östlich der Oder-Neiße-Grenze und Ost- bzw. Südosteuropas. Insgesamt mussten 14 Millionen Deutsche ihre Heimat verlassen, viele kamen dabei um.

M 2 Flüchtlingstreck
Diese Menschen durften häufig nur das Nötigste zusammenpacken und mitnehmen, bevor sie ihre Heimat verlassen mussten.

M 3 Flüchtlingsströme

Von den 14 Millionen Flüchtlingen werden etwa 8 Millionen in West-, ca. 4 Millionen in Ostdeutschland aufgenommen. Von den restlichen 2 Millionen wandern viele ins Ausland aus, andere kommen später wieder zurück. Zigtausende Menschen kommen auf der Flucht um.

Die Karte zeigt auch die Westverschiebung Polens. Grün: die von der Sowjetunion 1939 okkupierten Gebiete Ostpolens. Blau: die 1945 an Polen gefallenen, ehemals deutschen Gebiete.

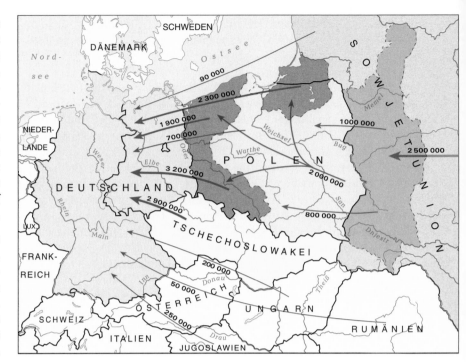

M 4 Vertreibung einer Sudetendeutschen

Elisabeth Scheithauer berichtet:

Ich wohnte mit meinen drei Kindern in Freiwaldau, Ostsudetenland. (…) Ich und mein Mann sind in unserem rein deutschen Heimatort Freiwaldau geboren, und daselbst hatten nachweislich schon unsere Ur-
5 ahnen gewohnt. Am 26. Juli 45 kamen plötzlich drei bewaffnete tschechische Soldaten und ein Polizist in meine Wohnung und ich musste dieselbe binnen einer halben Stunde verlassen. Ich durfte gar nichts mitnehmen. Wir wurden auf einen Sammelplatz getrieben
10 und wussten nicht, was mit uns geschehen wird. In der großen Angst und Verwirrung über den plötzlichen Befehl hatte ich mir das verfügbare Bargeld (1 200 RM) mitgenommen, wovon mir die Tschechen bei einer scharfen Kontrolle 1000 RM weggenommen haben.
15 Unter starker Bewachung mussten wir auf dem Sammelplatz viele Stunden warten, gegen Abend wurden wir unter grässlichen Beschimpfungen und Peitschenschlägen aus dem Heimatort fortgeführt.
Nach sechsstündigem Fußmarsch mussten wir im
20 Freien übernachten und wurden dann eine Woche lang in einem primitiven Lager, einem Kalkwerk, festgehalten. Verpflegung gab es keine und wir mussten mit dem wenigen, was wir an Essen mitgenommen hatten, auskommen. Es wurde uns immer noch nicht
25 gesagt, was mit uns geschehen soll, bis wir am 2. 8. 45 zum Bahnhof mussten und auf offene Kohlenwagen und Loren verladen wurden.

Vor Abfahrt des Transportes bekamen wir pro Eisenbahnwagen 1 Brot. (…) Nach zwei Tagen wurden wir in Tetschen ausgeladen. Wir waren hungrig und erschöpft und mussten in diesem Zustand den Weg zur Reichsgrenze zu Fuß antreten. Wir wurden mit Peitschenhieben und Schreckschüssen immer wieder angetrieben und viele sind am Wege liegen geblieben. Als wir endlich an den Schlagbaum kamen, wurden wir nochmals in der unwürdigsten Weise durchsucht und dann mit Schlägen über die Grenze getrieben. Beim zweiten Schlagbaum wurden unsere Ausweise von russischem Militär geprüft und dann waren wir für den weiteren Weg auf uns selbst gestellt. Elend, Hunger und Not waren unser Los. Wir wurden von einem Ort zum anderen gewiesen, bis wir endlich am 22. 8. 45 eine Unterkunft zugeteilt erhielten. Mein Mann wurde im Juni 46 als Schwerkriegsbeschädigter aus der Kriegsgefangenschaft entlassen und wir müssen hier, da wir vollständig mittellos sind, in großer Not und Sorge unser Leben fristen (…).

Nach: Die Vertreibung der Deutschen aus dem Osten. Ursachen, Ereignisse, Folgen. Hrsg. v. W. Benz. Frankfurt a. M., 1995, S. 138 f.

M 5 Schwierige Bedingungen für Flüchtlinge

Aus dem Verwaltungsbericht der Stadt Fulda für das Haushaltsjahr 1947:

Von den 5 636 Flüchtlingen sind 986 Familien mit Ernährer, 643 Familien ohne Ernährer und 932 Personen allein stehend. (…)

Das enge Zusammenwohnen, der verschiedenartige landsmannschaftliche Charakter führen schon ohnehin, von allen anderen Schwierigkeiten abgesehen, zu Spannungen zwischen Alt- und Neubürgern. (...) Soweit Klagen von Flüchtlingen geltend gemacht wurden, hatten sie häufig folgende Beweggründe als Ursache: Hinausekeln des Zwangsmieters, Entzug von geliehenen Gegenständen, Verweigern der notwendigen Schlüssel, Sperrung von Kellern, Boden, Klosett und Waschküche.

G. Sagan, Flüchtlinge in Osthessen am Ende des Zweiten Weltkrieges. Hessisches Institut für Lehrerfortbildung, 1990, S. 24 f.

M 6 Die Vertreibung in der Sicht der tschechoslowakischen Öffentlichkeit

Eine Historikerin schreibt darüber Folgendes:
Als der Alliierte Kontrollrat in Berlin Herbst 1945 Durchführungsbestimmungen für die Aussiedlung erließ, in denen eine „ordnungsgemäße und humane Weise" für die Aktion vorgesehen war und denen entsprechend zwischen Januar und November 1946 rund 2 Millionen Menschen mit kleinem Handgepäck über die Grenzen aus dem Staate hinausgefahren wurden, schien die Angelegenheit odsun (=Ausweisung, Vertreibung) für die tschechoslowakische Öffentlichkeit endgültig erledigt. Das Interesse galt nur noch der Problematik der Neubesiedlung. Es gab zwar vereinzelte Stimmen und Gruppen, die gegen die inhumane Vorgehensweise bei der Vertreibung protestierten, doch auch hier ging es nicht um die Aussiedlung an sich, sondern lediglich um die Begleiterscheinungen. Das Ereignis selbst blieb ohne kritische Diskussion.

E. Schmidt-Hartmann: Die Vertreibung aus tschechischer Sicht. In: Die Vertreibung der Deutschen aus dem Osten, a. a. O., S. 183 f.

M 7 Eltern suchen ihre Kinder
Dem Kindersuchdienst des Roten Kreuzes gelang nach dem Krieg trotz jahrelanger Arbeit nur bei etwas mehr als der Hälfte der 300 000 Anträge die Zusammenführung der Familie.

M 8 1945: Flüchtlingswitwe und ihr Kind in einer Baracke aus Wellblech

Fragen und Anregungen ························

❶ Stellt – evtl. in Gruppenarbeit durch ein visualisierendes Plakat – in einem Schaubild die Schwierigkeiten dar, mit denen die „umgesiedelten" Menschen vor und nach ihrer Vertreibung kämpfen mussten. (VT, M1, M2, M4–M8)

❷ Diskutiert über Ursachen für die in M6 getroffene Feststellung: „Das Ereignis selbst blieb ohne kritische Diskussion."

❸ Viele Vertriebenenverbände sind heute noch sehr aktiv. Recherchiert die Forderungen dieser Organisationen.

Zeitzeugenberichte untersuchen

Am Morgen der Flucht war ich kein misstrauisches, vorsichtiges und altkluges Kriegskind, sondern einfach ein Junge, der sich seines Lebens freute. Früh um vier, als wir uns aus dem Gassner-Haus, unserer Wohnung in der Egener Schanzstraße 22, leise davonmachten, mag ich mir der Situation noch bewusst gewesen sein. Ich war ja, mit meinen 61/2 Jahren, noch nie so früh auf der Straße gewesen; und die Mutter, die leise die Tür schloss, das bepackte Fahrrad aus einem Schuppen zog und über das Rumpeln beim Schließen der Holztür dieses Schuppens leise auf tschechisch schimpfte, wird mir schon klar gemacht haben, dass wir keinen Morgenspaziergang vorhatten. (…)

Im Wald, ich vermute bei Heiligenkreuz, war – September 1945 – ein strahlender Herbstmorgen angebrochen. Die Sonne schien durch die hohen Bäume hindurch, die Vögel tobten, es wurde wärmer, und ich marschierte mit meinem kleinen Rucksack vor meiner Mutter her (…). Waren wir nicht schon in Sicherheit? Also begann ich laut zu pfeifen. „Hör auf zu pfeifen, Peterle", sagte die Mutter hinter mir, „sonst erwischen uns die Grenzer." Natürlich habe ich meiner Mutter gehorcht.

Gehorchen war in dieser Zeit lebenswichtig für Kinder. Es war nur ein paar Monate her, dass meine Mutter mir durch ein schrilles „In den Straßengraben!" das Leben gerettet hatte. Auf einem freien Feld bei Königsberg an der Eger, genauer: bei dem Dorf Liebauthal, wo wir vor den Luftangriffen Schutz gesucht hatten, hatte ein englischer Tiefflieger es für kriegsentscheidend gehalten, die kleine Gruppe von zwei Nazi-Frauen und fünf oder sechs Kindern anzugreifen.

Rattattattat machte es rechts im Löwenzahn und links auf der staubigen Straße. Der Flieger hätte mit meiner Mutter zwar gar keine Kämpferin der NS-Frauenschaft erwischt, sondern eine Tschechin. Aber so genau konnte man es damals nicht nehmen, wirklich nicht. Der Schrei der Mutter hatte uns jedenfalls das Leben gerettet. (…)

Aber ein paar Minuten später pfiff ich schon wieder. Es war Lebenslust. „Sei ruhig, Peterle", flehte die Mutter. Aber da war es schon zu spät. Zwei stämmige tschechische Grenzbeamte stürzten aus einer vom Weg aus kaum sichtbaren Holzhütte und bauten sich vor uns auf. Ich habe sie als böse Gorillas in olivgrünen Uniformen ohne Rangabzeichen in Erinnerung. Aber ich kann weder für die Farbe der Uniformen noch für die Grobheit der Gesichtszüge garantieren. Wahrscheinlich handelte es sich um harmlose Bauernburschen aus Gehag, Scheibenreuth oder auch um ins Grenzland versetzte Soldaten aus dem Inneren der „Tschechei", wie wir die ˇC.S.R. damals nannten. Da meine Mutter auf Tschechisch verhandeln konnte, taten sie uns nichts. Sie durchwühlten nur den Koffer und meinen Rucksack, konfiszierten aber lediglich ein perlmutterbesetztes Lorgnon meiner Großmutter, über dessen Verlust sie allerdings bis zu ihrem Tod im Jahr 1963 klagen sollte. Dann ließen sie uns gehen, was ihren Befehlen entsprach. (…)

Auszüge aus P. Glotz: Von Heimat zu Heimat. Erinnerungen eines Grenzgängers. Berlin 2005. Abgedruckt in: SZ vom 27. August 2005.

Spannend und authentisch – so liest sich diese Schilderung von Peter Glotz. Er war ein sogenannter „Zeitzeuge" von Flucht und Vertreibung. Einer, der es selbst miterlebt hat. Glotz hatte eine tschechische Mutter und einen deutschen Vater und wurde später zu einem der führenden SPD-Politiker. Zeitzeugen zu Wort kommen zu lassen, ist interessant und spannend – viele Fernsehdokumentationen zur Geschichte machen sich das zunutze. Doch muss man auch vorsichtig sein: Wer sagt, dass alles genau so war, wie der Zeitzeuge sagt? Man sollte beim Umgang mit Zeitzeugenberichten ein paar Regeln beachten:

Methodische Arbeitsschritte:

1. Hintergrundinformationen einholen:
   - Wer ist der Zeitzeuge? Welchen Standpunkt nimmt er ein? Was ist der historische Hintergrund? Welche Fakten sind gesichert?
2. Inhalt des Zeitzeugenberichts erarbeiten:
   - Welche sachlich verwertbare Informationen bringt der Bericht? (Zusammenfassen!)
   - Wo finden sich emotionale und subjektive Passagen, wo verbale Angriffe oder Ironie?
3. In den historischen Zusammenhang einordnen und beurteilen:
   - Bestätigt der Bericht im Unterricht Gelerntes oder historisch Erwiesenes?
   - Inwiefern wirkt sich die subjektive Sicht des Zeitzeugen auf Glaubwürdigkeit und Zuverlässigkeit des Berichts aus?
   - Inwiefern ergeben sich durch den Bericht neue Sichtweisen?

4. „Die Wurzeln müssen heraus" – Entnazifizierung und Nürnberger Prozesse

ab Kriegsende (Mai 1945)	Die Alliierten wollen Deutschland entnazifizieren.
20. November 1945	Die Nürnberger Prozesse beginnen.
30. September/ 1. Oktober 1946	Die Urteile gegen die Hauptkriegsverbrecher werden verkündet.

M 1 „Die Wurzeln müssen heraus"
(Zeichnung von D. Fitzpatrick, 1945)

Der Vorsatz: Konfrontation mit den Verbrechen und Bestrafung

Der amerikanische Offizier John J. Reid war einer der Soldaten, die beauftragt worden waren, Beweise für die NS-Verbrechen zu sammeln. Er folgte der Spur des Todesmarsches, der im April 1945 vom Konzentrationslager Flossenbürg in der Oberpfalz ausging. „Am 20. April wurden ungefähr 15 000 Gefangene zusammengezogen, um einen Eilmarsch Richtung Konzentrationslager Dachau zu machen", schrieb er in seinem Bericht. Die SS-Wachmannschaften wollten so wohl Spuren verwischen. Tausende waren auf dem Weg umgekommen, sei es durch willkürliche Erschießungen durch die Bewacher, durch Hunger oder Entkräftung. Reid sah Opfer, die einfach im Wald oder am Wegesrand liegen gelassen oder nur notdürftig verscharrt worden waren. Für die Soldaten der Alliierten, die im Frühjahr 1945 Deutschland besetzten, war die Konfrontation mit den Verbrechen, die im Namen des Nationalsozialismus verübt worden waren, schockierend. Man wusste, dass es Gräueltaten und Konzentrationslager gab. Das Ausmaß der Grausamkeit hatte man jedoch nicht geahnt.

Schon während des Krieges hatten die Alliierten beschlossen, Deutschland nach dem Krieg zu bestrafen und Vergeltung für den Überfall auf viele europäische Länder und die begangenen Kriegsverbrechen zu fordern. Dieser Vorsatz war unumstößlich: Alle Verantwortlichen müssten bestraft, Deutschland endgültig von nationalsozialistischem Gedankengut befreit und die Bevölkerung demokratisch umerzogen werden.

M 2 Exhumierung und Abtransport von Opfern eines Todesmarsches
In der Nähe von Nabburg (Oberpfalz) wurde die Bevölkerung von den Amerikanern gezwungen, bei Bergung und Abtransport der Opfer des Todesmarsches von Flossenbürg nach Dachau zu helfen. Ähnlich war es in Orten, in deren Nähe sich Konzentrationslager befanden: Als Erziehungsmaßnahme sollten die Deutschen – egal ob an Verbrechen beteiligt oder nicht (auch Frauen und Kinder) – die ausgemergelten Körper der Opfer und die Leichenberge anschauen müssen.

M 3 **Entlastungszeugnis – wichtig für die persönliche Zukunft**
„Einstufung in Gruppe V – Entlastete".
So lautete das Urteil Ende der 40er-Jahre für die meisten Angeklagten.

Der öffentliche Kläger
beim Entnazifizierungshauptausschuß
für den Kreis Plön

Plön, den 25. Febr. 1949
Ge.

Entlastungszeugnis

Hiermit wird bestätigt, daß Herr
Vor- und Zuname   Leo de Laforgue, geb. 9.2.02
Anschrift   Laboe, Krs. Plön

auf Grund der Vorschriften des Gesetzes zur Fortführung und zum Abschluß der Entnazifizierung als entlastet in die Gruppe V eingestuft worden ist.

Öffentlicher Kläger   Vorsitzender

WIIII Wittko DF 106 Lütjenburg 3767 1000 9 48 KI A

Entnazifizierung – und die Schwierigkeit sie durchzuführen

M 4 Fragwürdige Formulierung
(Plakat aus der britischen Zone, 1947)

„Antifaschismus" in der SBZ

Entnazifizierung – das war ein Ziel, das sich alle Besatzungsmächte setzten, die Amerikaner aber besonders engagiert verfolgten. Was bedeutete das konkret für die Bevölkerung? In den drei Westzonen wurden Fragebögen verteilt, auf denen die Bürger über ihre Vergangenheit Auskunft geben sollten. Nach Auswertung der Bögen wurden die Befragten von sogenannten Spruchkammern entweder als „Entlastete", „Mitläufer", „Minderbelastete", „Belastete" oder „Hauptschuldige" eingestuft. Neben einer angemessenen Bestrafung (v. a. Entlassungen, Geld- und Haftstrafen) sollte dieses Verfahren gewährleisten, dass keine Nazis mehr in öffentliche Ämter gelangten. Hier zeigte sich allerdings schon bald ein Problem: Wie wollte man die für den Wiederaufbau des zerstörten Deutschlands wichtigen Schlüsselfunktionen der Gesellschaft in Politik, Justiz, Verwaltung, Schulen mit neuen Leuten besetzen, wenn z. B. die Beamten zu 65 %, die Richter sogar zu mehr als 80 % der NSDAP angehört hatten? Es mangelte einfach an nicht vorbelasteten Experten. Ein zweiter Aspekt kam dazu: Häufig wurden die „kleinen Nazis" schnell und zügig abgeurteilt, während die „großen", die wirklich Verantwortung trugen, ungeschoren davon kamen oder zumindest ihre Verfahren lange hinauszögern konnten. Das rief natürlich Unmut in der Bevölkerung hervor. Der anfänglich große Eifer der Entnazifizierung ließ mit der Zeit nach und war spätestens um 1950, als sich der Ost-West-Gegensatz zuspitzte, beinahe völlig erloschen. Fast alle Überprüften wurden nun „entlastet". So konnten etliche ehemalige Nazis in der späteren BRD wieder wichtige Ämter bekleiden.

In der sowjetisch besetzten Zone (SBZ) sollte sich die Entnazifizierung vor allem gegen höhere NS-Funktionäre richten. Diese wurden sofort von wichtigen Posten entfernt und in Haft gesetzt. Freilich nutzten die Kommunisten die Gelegenheit, unter dem Deckmantel des „Antifaschismus" sich auch vieler potenzieller Gegner zu entledigen oder Enteignungen bei Leuten durchzuführen, die sich im nationalsozialistischen Deutschland gar nichts zuschulden kommen lassen hatten. Über 150 000 Menschen wurden in „Internierungslager" gesteckt. Zehntausende kamen darin um. Anfang 1948 wurde bereits das Ende der gesellschaftlichen „Säuberung" verkündet. Alle Mitbürger, auch die nicht zur Verantwortung gezogenen Mitläufer und „kleinen Nazis", waren eingeladen, am neuen und „antifaschistischen" Deutschland mitzubauen. Der Begriff Antifaschismus wurde damit als Deckmantel benutzt, die SBZ von Anfang an sozialistisch bzw. kommunistisch zu prägen.

M 5 Die Angeklagten im Nürnberger Kriegsverbrecherprozess
Untere Reihe von links: Hermann Göring (Todesstrafe), Rudolf Heß (lebenslänglich), Joachim von Ribbentrop (Todesstrafe), Wilhelm Keitel (Todesstrafe); obere Reihe von links die erste, sechste und achte Person: Karl Dönitz (10 Jahre), Franz von Papen (Freispruch) und Albert Speer (20 Jahre).

Die Nürnberger Prozesse

Und was bedeutete der Vorsatz der Bestrafung für die führenden NS-Verbrecher, derer man habhaft werden konnte? Also jene, die sich nicht durch Selbstmord (wie Hitler, Goebbels, Himmler) oder durch das Untertauchen im Ausland einer Bestrafung entzogen? Ihnen wurde rasch, beginnend mit 20. November 1945, der Prozess gemacht. In Nürnberg saßen die „Hauptkriegsverbrecher" und führende NS-Funktionäre auf der Anklagebank einem internationalen Militärgerichtshof gegenüber. Die ihnen zur Last gelegten Vorwürfe lauteten:
– Kriegsverbrechen
– Verbrechen gegen die Menschlichkeit
– Verbrechen gegen den Frieden (z. B. Vorbereitung eines Angriffskriegs)

Das Gericht verhängte gegenüber den 22 mutmaßlichen Hauptkriegsverbrechern 12 Mal die Todesstrafe, 3 Angeklagte wurden freigesprochen. Die anderen wurden zu unterschiedlich langen Haftstrafen (3 Mal lebenslänglich) verurteilt.
Der Prozess zog natürlich eine ungeheure Aufmerksamkeit auf sich. Die ganze Welt schaute auf Nürnberg. Noch niemals vorher war ein Militär-Tribunal eingerichtet worden, das die Verbrechen des Feindes bestrafen sollte. Für viele Punkte konnte sich das Gericht nicht auf gesetzlich geregelte internationale Vorgaben berufen. So gab es z. B. kein offizielles Verbot eines Angriffskriegs, das die Grundlage eines Urteils über Verbrechen gegen den Frieden hätte sein können. In vielem betraten die Richter also juristisches Neuland. Auch war die Fülle der Beweismittel und des Materials beinahe unüberschaubar. Daher dauerte der Prozess fast ein Jahr. Gemessen an den Schwierigkeiten, mit denen das Gericht kämpfen musste, erledigte es seine Aufgabe sehr gewissenhaft. Das Urteil wurde allgemein als ausgewogen empfunden. Damit war in Nürnberg die Grundlage für die Weiterentwicklung einer internationalen Rechtsprechung gelegt worden.

Entnazifizierung

Der Begriff bezeichnet das Bestreben der Alliierten nach 1945, Deutschland von nationalsozialistischem Gedankengut zu befreien, die Menschen, die an Verbrechen und Unrecht der Nazi-Zeit beteiligt waren, angemessen zu bestrafen und die Deutschen demokratisch umzuerziehen.

MILITARY GOVERNMENT OF GERMANY
FRAGEBOGEN
PERSONNEL QUESTIONNAIRE

MG/PS/G/9

WARNUNG. Im Interesse von Klarheit ist dieser Fragebogen in deutsch und englisch verfasst. In Zweifelsfällen ist der englische Text massgeblich. Jede Frage muss so beantwortet werden, wie sie gestellt ist. Unterlassung der Beantwortung, unrichtige oder unvollständige Angaben werden wegen Zuwiderhandlung gegen militärische Verordnungen gerichtlich verfolgt. Falls im Raum benötigt ist, sind weitere Bogen anzufuhren.

WARNING. In the interests of clarity this questionnaire has been written in both German and English. If discrepancies exist, the English will prevail. Every question must be answered as indicated. Omissions or false or incomplete statements will result in prosecution as violations of military ordinances. Add supplementary sheets if there is not enough space in the questionnaire.

A. PERSONAL
PERSONNEL

Name / Name — Zuname / Surname: *Clara Kloss – Ebers* — Vornamen / Middle Name — Christian Name
Ausweiskarte Nr. / Identity Card No.: *655/42 Frft. a/M*

Geburtsdatum / Date of birth: *26. 12. 1902*
Geburtsort / Place of birth: *Karlsruhe i. B.*

Staatsangehörigkeit / Citizenship: *Deutsch*
Gegenwärtige Anschrift / Present address: *Kronsdorf Kreis*

Ständiger Wohnsitz / Permanent residence: *Kreis Eckernförde*
Beruf / Occupation: *Opern u. Konzertsängerin*

Gegenwärtige Stellung / Present position: *Opern u. Konzertsängerin*
Stellung, für die Bewerbung eingereicht / Position applied for: *Opern- und*

Stellung vor dem Jahre 1933 / Position before 1933: *Opern u. Konzertsängerin*
Konzertsängerin

B. MITGLIEDSCHAFT IN DER NSDAP
NAZI PARTY AFFILIATIONS

1. Waren Sie jemals ein Mitglied der NSDAP? Ja, Nein *klein* — Have you ever been a member of the NSDAP? yes, no. Dates. *no*
2. Daten —
3. Haben Sie jemals eine der folgenden Stellungen in der NSDAP bekleidet? — Have you ever held any of the following positions in the NSDAP?
(a) REICHSLEITER, oder Beamter in einer Stelle, die einem Reichsleiter unterstand? Ja — Nein *klein* — Titel der — Stellung — Daten — REICHSLEITER or an official in an office headed by any Reichsleiter? yes, no; title of positions; dates. *no*
(b) GAULEITER, oder Parteibeamter innerhalb eines Gaues? Ja — Nein *klein* — Titel der — Stellung — Daten — GAULEITER or a Party official within the jurisdiction of any Gau? yes; no; dates; location of office. *no*
(c) KREISLEITER, oder Parteibeamter innerhalb eines Kreises? Ja — Nein *klein* — Titel der — Stellung — Amtsort — Daten — KREISLEITER or a Party official within the jurisdiction of any Kreis? yes, no; title of position; dates; location of office. *no*
(d) ORTSGRUPPENLEITER, oder Parteibeamter innerhalb einer Ortsgruppe? Ja — Nein *klein* — Titel der — Stellung — Daten — ORTSGRUPPENLEITER or a Party official within the jurisdiction of an Ortsgruppe? yes, no; title of position; dates; location of office. *no*
(e) Ein Beamter in der Parteikanzlei? Ja — Nein *klein* — An official in the Party Chancellery? yes, no; dates; title of position. *no*
(f) Ein Beamter in der REICHSLEITUNG der NSDAP? Ja — Nein *klein* — Titel der — Stellung — Daten — An official within the Central NSDAP headquarters? yes, no; dates; title of positions. *no*
(g) Ein Beamter im Hauptamte für Erzieher? Im Amte des Beauftragten des Führers für die Überwachung der gesamten geistigen und weltanschaulichen Schulung und Erziehung der NSDAP? Ein Direktor oder Lehrer in irgend einer Parteiausbildungsschule? Ja — Nein *klein* — Titel der — Stellung — Name der Einheit oder Schule — An official within the NSDAP's Chief Education Office? In the office of the Führer's Representative for the Supervision of the Entire Intellectual and Politico-philosophical Education of the NSDAP? Or a director or instructor in any Party training school? yes, no; dates; title of position; Name of unit or school. *no*
(h) Waren Sie Mitglied des KORPS DER POLITISCHEN LEITER? Ja — Nein *klein* — Daten der — Mitgliedschaft — Were you a member of the CORPS OF POLITICAL LEITER? yes, no; dates of membership. *no*
(i) Waren Sie ein Leiter oder Funktionär in irgend einem anderen Amte, Stelle oder Stelle (ausgenommen sind die unter C unten angeführten Gliederungen, angeschlossenen Verbände und betreuten Organisationen der NSDAP)? Ja — Nein *klein* — Daten — Stellung — Were you a leader or functionary of any other NSDAP offices or agencies (except Formations, Affiliated Organizations and Supervised Organizations which are covered by questions under C below)? yes, no; dates; title of position. *no*
(j) Haben Sie irgendwelche nahe Verwandte, die irgend eine der oben angeführten Stellungen bekleidet haben? Ja — Nein *klein* — Wenn ja: deren Namen und Anschriften und eine Bezeichnung deren Stellung — Have you any close relatives who have occupied any of the positions named above? yes, no; if yes, give the name and address and a description of the position. *no*

C. TÄTIGKEITEN IN NSDAP HILFSORGANISATIONEN
C. NAZI "AUXILIARY" ORGANIZATION ACTIVITIES

Geben Sie hier an, ob Sie ein Mitglied waren und in welchem Ausmasse Sie an den Tätigkeiten der folgenden Gliederungen, angeschlossenen Verbände und betreuten Organisationen teilgenommen haben.

Indicate whether you were a member and the extent to which you participated in the activities of the following Formations, Affiliated Organizations or Supervised Organizations.

M 6 Fragebogen zur Entnazifizierung

M 7 Die Anklagepunkte der Nürnberger Prozesse
Die folgenden Handlungen, oder jede einzelne von ihnen, stellen Verbrechen dar, für deren Aburteilung der Gerichtshof zuständig ist. Der Täter solcher Verbrechen ist persönlich verantwortlich:
5 a) Verbrechen gegen den Frieden: Nämlich: Planen, Vorbereitung, Einleitung oder Durchführung eines Angriffskrieges oder eines Krieges unter Verletzung internationaler Verträge, Abkommen und Zusicherungen.

b) Kriegsverbrechen: Nämlich: Verletzungen der Kriegsgesetze oder -gebräuche. Solche Verletzungen umfassen, ohne jedoch darauf beschränkt zu sein, Mord, Misshandlungen, oder Deportation zur Sklavenarbeit oder für irgendeinen anderen Zweck von Angehörigen der Zivilbevölkerung von oder in besetzten Gebieten, Mord oder Misshandlungen von Kriegsgefangenen oder Personen auf hoher See, Töten von Geißeln, Plünderung öffentlichen oder privaten Eigentums, die mutwillige Zerstörung von Städten, Märkten oder Dörfern (...).
c) Verbrechen gegen die Menschlichkeit: Nämlich: Mord, Ausrottung, Versklavung, Deportation oder andere unmenschliche Handlungen, begangen an irgendeiner Zivilbevölkerung vor oder während des Krieges, Verfolgung aus politischen, rassischen oder religiösen Gründen (...).

Der Prozess gegen die Hauptkriegsverbrecher vor dem Internationalen Militärgerichtshof. Bd. I. Nürnberg 1947, S. 10f.

M 8 Scheitern einer vollständigen Entnazifizierung
Es gibt viele Persönlichkeiten, die vom NS-Staat profitierten, später aber trotzdem Karriere machten oder wieder in wichtige Ämter kamen. Nur zwei Beispiele von vielen:
– Hans Ernst Schneider alias Hans Schwerte (1909–1999): war hoher SS-Funktionär im Stab Himmlers; nennt sich nach 1945 Hans Schwerte und wird berühmter Germanistik-Professor und Rektor der Uni Aachen; wird 1995 enttarnt; viele Persönlichkeiten in seinem Umfeld müssen ihn gedeckt haben.
– Hans Globke (1898–1973): schrieb in der Nazi-Zeit u.a. einen juristischen Kommentar zu den Rassengesetzen; wird nach dem Krieg (ab 1953) als Staatssekretär einer der wichtigsten Berater des Bundeskanzlers Adenauer.

Zusammenstellung nach GEO Epoche Nr. 9 (2002: Deutschland nach dem Krieg 1945–1955, S. 107 ff.

Fragen und Anregungen

❶ Erläutere die Beweggründe der Alliierten, Deutschland zu entnazifizieren und die Schwierigkeiten, die damit einhergingen. (VT, M1–M4)

❷ Begründe, warum die Entnazifizierung nicht endgültig gelungen ist. (VT, M8) Interpretiere in diesem Zusammenhang das Plakat M4.

❸ Recherchiere, welche Funktion die in M6 namentlich Genannten im NS-Staat innehatten.

❹ Versuche, den allgemeinen Anklagepunkten der Nürnberger Prozesse einige konkrete historische Fakten aus der Zeit des Nationalsozialismus zuzuordnen. (M7)

❺ Diskutiert darüber, warum es beinahe unmöglich war, alle in den Nationalsozialismus verstrickten Deutschen vor Gericht zu stellen oder zur Verantwortung zu ziehen.

5. Bayern nach 1945

1945	Fritz Schäffer wird von der US-Militärregierung zum Ministerpräsidenten ernannt. Ihm folgt Wilhelm Hoegner (SPD) nach. Die ersten Parteien werden zugelassen.
1946	Am 1. Dezember findet die Wahl zum ersten Landtag statt.
1946	Die Verfassung des Freistaates Bayern tritt am 2. Dezember in Kraft.

Ende April 1945 hatten die Amerikaner München besetzt. Schon zwei Wochen später wurden von hier aus landesweite Aufgaben aus den Bereichen Justiz, öffentliche Sicherheit, Erziehung und Gesundheit gesteuert. Dabei galt in Bayern – wie auch in den anderen amerikanisch besetzten Gebieten – die Direktive „JCS 1067". Ihr Schlüsselsatz lautete: „Deutschland wird nicht mit dem Zweck der Befreiung besetzt werden, sondern als besiegte feindliche Nation." Den US-Soldaten war es damit verboten, private Kontakte zu Deutschen aufzunehmen. Im täglichen Umgang miteinander zeigte sich die Situation aber bald differenzierter. Zwar konnten Militärpatrouillen Personen festnehmen, die in Verdacht standen, Schwarzmarktgeschäfte zu betreiben, und ihre Waren beschlagnahmen. Es gab aber auch Soldaten, die den Deutschen Zigaretten zusteckten, die diese wieder in Lebensmittel umtauschen und damit den Familienunterhalt sichern konnten. So kam es, dass die Bevölkerung in den US-Soldaten bald die Befreier sah, mit denen sich gut zusammenleben ließ.

M 1 Einmarsch der Amerikaner in München am 30. April 1945

In der amerikanischen Zone sollte das politische Leben bald wieder beginnen. Schon am 19. September 1945 wurden die Länder Hessen, Württemberg-Baden und Bayern wiedergegründet. Bayern entstand dabei in seinen alten Grenzen neu, lediglich die Pfalz und der Kreis Lindau wurden an die französische Besatzungsmacht abgetreten. Im verbleibenden Gebiet schufen die Amerikaner eine einheitliche Verwaltung.

Neugründung des Landes Bayern

Schon Ende Mai 1945 hatte die Militärregierung Fritz Schäffer, den früheren Vorsitzenden der Bayerischen Volkspartei, zum ersten Ministerpräsidenten ernannt. Da er die ehemaligen NS-Parteimitglieder nicht rigoros genug aus der Verwaltung entfernte, wurde er bereits vier Monate später wieder entlassen und durch Wilhelm Hoegner (SPD) ersetzt. Die bayerische Staatsregierung musste sich strikt an die Anweisungen der Militärregierung halten. Dabei stand sie vor fast unlösbaren Problemen: Wie sollte die Versorgung der Bevölkerung sichergestellt, wie die öffentliche Verwaltung aufgebaut werden? Die Menschen in den Städten litten unter Hunger, Kälte und Wohnungsnot. Erschwerend kam hinzu, dass Bayern zwei Millionen Flüchtlinge und Heimatvertriebene aufnehmen musste.

Fritz Schäffer und Wilhelm Hoegner – die ersten Ministerpräsidenten

Ab Herbst 1945 wurden wieder Parteien zugelassen: zuerst auf kommunaler, dann auf regionaler Ebene, schließlich landesweit. Schon im November 1945 bekamen die vom Regime der Nationalsozialisten völlig unbelasteten Kommunisten die Zu-

Zulassung von Parteien

lassung für ganz Bayern. Anfang 1946 folgten die SPD und die neu gegründete CSU, dann die Liberalen, 1948 schließlich die Bayernpartei, die ein Sammelbecken der bäuerlich-konservativ-katholischen Bevölkerungskreise wurde.

Demokratie von unten – die Verfassung von 1946

Auch an der Entscheidung über die Verfassung war die Bevölkerung beteiligt: Wilhelm Hoegner hatte im Schweizer Exil einen Verfassungsentwurf erarbeitet, der der verfassunggebenden Versammlung als Beratungsgrundlage diente. Die endgültige bayerische Verfassung wurde durch eine Volksabstimmung am 1. Dezember 1946 mit 71% der Stimmen angenommen. Ähnlich den Bestimmungen der Weimarer Verfassung sieht die Verfassung des Freistaates die Möglichkeit der Bürgerbeteiligung mittels Volksentscheid vor. Die CSU setzte die Einrichtung des Senats als zweiter Kammer durch, die nicht vom Volk gewählt wurde. Der Senat, der durch einen Volksentscheid 1998 abgeschafft wurde, hatte das Recht der Gesetzesinitiative und eine beratende Funktion.

Die erste Landtagswahl

Nach den Vorstellungen der Amerikaner wurde die Demokratie von unten her aufgebaut. Im Laufe des Jahres 1946 wurden Wahlen auf kommunaler und auf regionaler Ebene abgehalten. Bei der Wahl zum ersten bayerischen Landtag am 1. Dezember erhielt die CSU 52,3%, die SPD 28,6% der gültigen Stimmen. Die FDP kam auf 5,6%, die KPD auf 6,1% und die Wirtschaftliche Aufbauvereinigung (WAV) auf 7,4% der Stimmen. Die CSU ging mit der SPD und der WAV eine Koalitionsregierung ein, Hans Ehard (CSU) wurde zum Ministerpräsidenten gewählt.

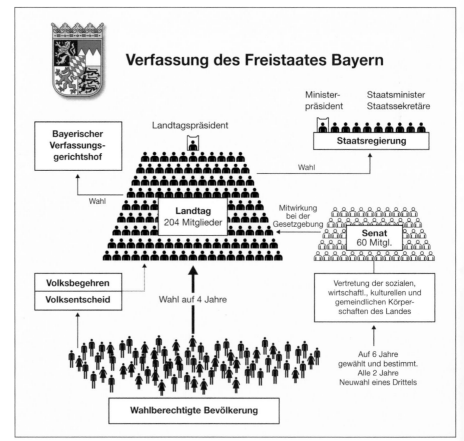

M 2 Verfassung des Freistaates Bayern (1. 12. 1946)

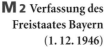

M 3 Ganze Stadtteile Münchens lagen 1945 in Schutt und Asche

M 4 „Waschtag", März 1948

M 5 Zeitungsstand am Hauptbahnhof 1949

M 6 Eine Mutter berichtet über den Alltag in den Nachkriegsjahren in München

Meine Tochter Ute (7 Jahre), ein gewitztes Milberts-hofener Schlüsselkind, stand sich mit den in unserem Stadtteil noch bestehenden Landwirtschaftsunterneh-men recht gut. Sie half beim Heuen, bekam dafür ein gutes Stück Brot, dann beim Sammeln der Ähren oder 5
Kartoffelkäfer ablesen, im Herbst dann Kartoffel-klauben, immer brachte sie stolz Brot, etwas Milch oder gar Kartoffeln. Zwar nicht sehr viel, auch die Öko-nomen waren recht sparsam, aber ein großer Gärtner-meister mit viel Land an der Schmalkaldenerstraße, der 10
war besonders „neidig". So schlich sich meine Tochter einmal abends zwischen finster und siehst mich nicht in die Gärtnerei, um Freilandkohlrabi für den Kochtopf zu bringen. Doch sie bedachte nicht die Sperrstunde, und tatsächlich fuhr schön langsam die MP (US-Militär- 15
polizei) im Jeep die Straße entlang, ließ die Schein-werfer über das Gelände tasten und meine Tochter drückte sich in die Furchen fest an den Boden. Voller Dreck und Baz kam sie heim, stolz 4 Kohlrabi in der Hand: „Mami, die Amis hab' i sauber blitzt, und den 20
gscherten Gärtner auch!" Eine Beute von 4 Kohlrabi! Aber sie füllten wieder mal die Mägen.

Nach: F. Prinz, M. Krauss (Hg.): Trümmerleben. München 1985, S. 28.

M 7 Trümmerräumung in München 1947

M 8 Sprachtipps aus dem „Pocket Guide 10, Germany" für US-Soldaten
Die verwendete Umschrift sollte helfen, Verständigungsprobleme zu beseitigen.

Good morning	GOO-ten MAWR-gen (guten Morgen)	One	AINSS (Eins)
How are you?	Vee GAYT ess ee-nen? (Wie geht es Ihnen?)	Two	TSVAI (Zwei) Three DRAI (Drei)
Sir	main HAYR (mein Herr)	Five	FEWNF (Fünf)
Miss	FROY-lain (Fräulein)	Six	ZEKS (Sechs)
Please	BIT-tuh (Bitte)	Seven	ZEE-ben (Sieben)
Excuse me	fayr-TSAI-oong (Verzeihung)	Eight	AHKHT (Acht)
Do you understand?	Fer-SHTAY-en zee? (Verstehen Sie?)	Ten	TSAYN (Zehn)
		Twelve	TSVERLF (Zwölf)
Speek slowly	SHPRESH-en zee LAHNK-zahm (Sprechen Sie langsam)	Nineteen	NOYN-tsayn (Neunzehn)
		Twenty-one	AIN-oont-tsvahn-tsik (Einundzwanzig)
Where is a restaurant?	Vo IST ain ress-to-RAHNG (Wo ist ein Restaurant?)	Forty	FEER-tsik (Vierzig)
Where is a toilet?	Vo ist ai-nuh twa-LET-tuh (Wo ist eine Toilette?)	Seventy	ZEEP-tsik (Siebzig)
		What's that?	VAHSS ist DAHSS (Was ist das?)
To the right	nahkh RESHTS (nach rechts)	I want cigarettes	ish MERSH-tuh tsee-ga-RET-ten (ich möchte Zigaretten)

Nach: F. Prinz und M. Krauss (Hrsg.): Trümmerleben. Texte, Dokumente, Bilder aus den Münchner Nachkriegsjahren. München 1985. S. 182 f.

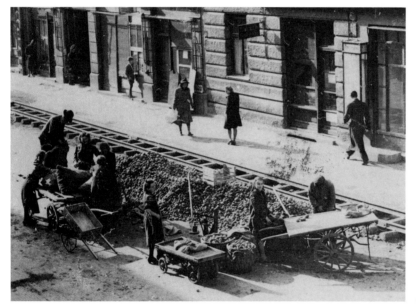

M 9 Kartoffelverkauf in der Amalienstraße in München 1946

Fragen und Anregungen

1 Beschreibe die Menschen, die auf der Abbildung M1 dargestellt sind: ihre Kleidung, ihre Mimik und ihre Körperhaltung. Was kannst du daraus ablesen?

2 Das Elend der Bevölkerung war in der unmittelbaren Nachkriegszeit groß. Finde Belege für diese Aussage in den Quellen. (M3–M7, M9)

3 Beschreibe und erkläre das Verhalten des Mädchens, von dem in M6 berichtet wird.

4 Welche Schlüsse auf das Verhältnis der amerikanischen Soldaten zur deutschen Bevölkerung lässt der Auszug aus dem „Pocket Guide" (M8) zu?

5 Recherche: Vergleiche die Verfassung Bayerns von 1946 (M2) mit der derzeit gültigen. Welche Unterschiede kannst du feststellen? Erkläre sie.

6. Zwei Millionen Flüchtlinge und Vertriebene werden Bayern

M 1 Dank für eine große Leistung

Anlässlich der Feier zum 50-jährigen Bestehen der Schirmherrschaft Bayerns für die Sudetendeutschen im November 2004 nahm Ministerpräsident Edmund Stoiber den Dank der Sudetendeutschen für eine große Leistung entgegen: die erfolgreiche Eingliederung von 2 Millionen Menschen in Bayern, die nach dem Zweiten Weltkrieg aus ihrer Heimat geflohen oder vertrieben worden waren.

Neubürger für Bayern

1939 hatte Bayern etwa 7 Millionen Einwohner. Wenige Jahre nach dem Zweiten Weltkrieg waren es über 9 Millionen: als Flüchtlinge und Vertriebene aus dem Osten waren 2 Millionen Menschen nach Bayern gekommen. 21,2% der bayerischen Bevölkerung waren nun solche Neubürger. Niederbayern, Oberfranken und Schwaben waren am stärksten davon betroffen, aber auch anderswo stieg die Bevölkerung sprunghaft an, z.B. im mittelfränkischen Weißenburg von 8500 Einwohner im Jahr 1939 auf 14000 im Jahr 1946.

Schwierige Aufnahme

Die Neubürger – meist Frauen, Kinder und ältere Menschen – wurden zunächst in eigenen Flüchtlingslagern oder in Turnhallen, Wirtshäusern, Schulen und ehemaligen Kasernen untergebracht. Viele Flüchtlingslager konnten erst um 1952 aufgelöst werden, aus einigen entstanden neue Städte: Geretsried, Neutraubling, Traunreut, Waldkraiburg und Neugablonz bei Kaufbeuren sind solche Neugründungen. Da es in den oft zerstörten Städten an Wohnraum erheblich mangelte, wurden die Neubürger auch auf die ländlichen Gegenden verteilt. Doch die Neuankömmlinge fanden dort kaum Arbeit, auch waren sie bei den Einheimischen oft nicht willkommen, da diese Wohnraum abgeben mussten. Sie wurden als „lästige Fresser", „Habenichtse" und „Faulpelze" beschimpft. So fand bald eine erneute Umsiedlung statt, hin zu größeren Städten, wo der umfangreiche Wiederaufbau Arbeitsplätze und eine bessere Unterbringung zu ermöglichen schien.

Bayerns Regierung handelt

Noch 1945 wurde eine eigene Flüchtlingsverwaltung eingerichtet, mit zahlreichen über das ganze Land verstreuten Flüchtlingsämtern. Etwa 15 Jahre lang unterstützten diese Ämter die Heimatvertriebenen bei der Suche nach Arbeit und Wohnungen. Als die Alliierten 1950 die Gründung politischer Parteien freigaben, entstand auch in Bayern der BHE, der „Bund der Heimatvertriebenen und Entrechteten". Hier konnte diese „Flüchtlingspartei" sogar einen besonderen Einfluss ausüben, da sie von 1950–1962 an der Regierung beteiligt war und u.a. den Arbeitsminister stellte, zu dessen Zuständigkeiten die Flüchtlingsverwaltung gehörte. Bayern machte deutlich, dass es sich den über einer Million Vertriebenen aus dem Sudetenland besonders verpflichtet fühlte, indem es 1954 die Schirmherrschaft über sie übernahm. Die Sudetendeutschen ihrerseits leisteten als gut qualifizierte Arbeitskräfte aus einer weitgehend auch industriell geprägten Gegend einen entscheidenden Beitrag zum Aufschwung des damals noch sehr landwirtschaftlich bestimmten Bayern. Mitte der 1960er Jahre konnte die Eingliederung der Sudetendeutschen und anderer Heimatvertriebener in Bayern als geglückt angesehen werden. Ihr Wunsch nach Wiedergewinnung der alten Heimat und nach Rückkehr dorthin verstummte immer mehr. Sie hatten eine neue Heimat gefunden. Sie wurden Bayern.

M 2 Aus der Charta der deutschen Heimatvertriebenen

Im August 1950 veröffentlichten die Vertreter der Vertriebenen eine feierliche Erklärung. In dieser „Charta der deutschen Heimatvertriebenen" heißt es:
Wir Heimatvertriebenen verzichten auf Rache und Vergeltung. Dieser Entschluss ist uns ernst und heilig im Gedenken an das unendliche Leid, welches im Besonderen das letzte Jahrzehnt über die Menschheit
5 gebracht hat. Wir werden jedes Beginnen mit aller Kraft unterstützen, das auf die Schaffung eines geeinten Europa gerichtet ist, in dem die Völker ohne Furcht und Zwang leben können. Den Menschen mit Zwang von seiner Heimat zu trennen, bedeutet, ihn im Geist
10 zu töten. Wir haben dieses Schicksal erlitten und erlebt. Daher fühlen wir uns berufen zu verlangen, dass das Recht auf Heimat als eines der von Gott geschenkten Grundrechte anerkannt und verwirklicht wird.

Nach: F. P. Habel und H. Kistler: Die Grenze zwischen Deutschen und Polen. Reihe Kontrovers. Bonn o. J., S. 51 f.

M 3 Vom Selbstverständnis der Flüchtlinge und Vertriebenen

Aus der Rede Erich Simmels zum 10-jährigen Bestehen des Kreisverbandes Kronach des BvD (Bund vertriebener Deutscher) am 1. Juni 1958. Erich Simmel war Mitbegründer des BHE und 1954 - 1962 als Staatssekretär im Bayerischen Staatsministerium für Landwirtschaft und Forsten für die Integration heimatvertriebener Bauern zuständig.
Wir wollen nicht sprechen von dem Unrecht, das die Vertreibung dieser Millionen nach menschlichem und göttlichem Recht bedeutet. Nein – von alledem sei in dieser Feierstunde nicht die Rede. 10 Jahre sind ein lan-
5 ger Zeitraum für einen entwurzelten Volksteil, der in Not und brennender Heimatsehnsucht, im Wechsel zwischen Hoffnung und Verzagen litt und lebte und trotz allem zu einem staatserhaltenden, ja staatsfördernden Bestandteil seines Aufnahmelandes gewor-
10 den ist. Dieser letzteren Tatsache seien unsere Gedanken bei der heutigen Feier zugewendet.
Eine Leistung war es, dass wir helfen konnten nicht zu verzweifeln, sondern wieder Boden unter den Füßen zu bekommen. Wir haben gearbeitet für die wirt-
15 schaftliche und soziale Eingliederung in der neuen Heimat, für Wohnung und berufliche Unterbringung. So haben wir durch unseren Zusammenschluss unsere Schicksalsgefährten davor bewahrt, in Radikalismus zu verfallen.
20 Und eine weitere Leistung war es, dass wir unseren Schicksalsgefährten dazu verholfen haben, ihr Volkstum zu bewahren, die kulturellen Werte aus der alten

Heimat zu pflegen und sie in die neue hinüberzubringen. Es ist nicht leicht zwei Leben zu führen: Das eine in der Gegenwart mit allen seinen geistigen und körperlichen Anforderungen – das andere, imaginäre, in der Vergangenheit. Die Erinnerungen an diese und mit ihnen die Sehnsucht bleiben lebendig. Wir sind Wanderer zwischen zwei Welten.
Aber gerade dadurch sind wir in unserer neuen Heimat weitgehend auch Gebende geworden, dadurch, dass wir die Tradition und das Wissen um die alte Heimat pflegen, besonders in der deutschen Jugend, auf dass diese wisse, nicht nur wo Bordeaux und Neapel, sondern auch wo Breslau, Reichenberg, Stettin und Königsberg liegen.
Nun lassen Sie mich am Schluss noch einer letzten Leistung gedenken, die die größte aus unserem großen Aufgabengebiet werden soll: Sie besteht darin, dass die Idee der Rückgliederung der deutschen Ostgebiete aufrecht erhalten geblieben ist und weiter bleiben wird. Das Recht auf Heimat ist unverjährbar und nur wenn wir selbst darauf verzichten sollten, würden wir unsere Ostgebiete verlieren. Gegen einen solchen Verzicht werden wir uns auch weiter mit allen Kräften wehren und es soll unsere Aufgabe sein, alles daran zu setzen, unsere Sache zu der des gesamten deutschen Volkes zu machen. Denn die deutschen Ostgebiete haben nicht nur die Heimatvertriebenen verloren, sondern sollen dem ganzen deutschen Volk entrissen werden.

Nach: P. Zeitler: Politik von Flüchtlingen – für Flüchtlinge. In: R. Endres (Hrsg.): Bayerns vierter Stamm. Köln 1998, S. 114 ff. gekürzt.

M 4 Die Schirmherrschaft Bayerns für die Sudetendeutschen

Am 7. November 1962 bekräftigte die Bayerische Regierung durch eine Urkunde einen bereits 1954 gefassten Beschluss:
Eingedenk der jahrhundertealten historischen und kulturellen Bindungen zwischen den bayerischen und den böhmischen Ländern und der verwandtschaftlichen Beziehungen der Altbayern, Franken und Schwaben zu den Deutschen in Böhmen, Mähren und Schlesien und als Zeichen der Anerkennung des Freistaates Bayern und der bayerischen Bevölkerung für die Verdienste der Mitbürger aus dem Sudetenland, hat die Bayerische Staatsregierung anlässlich des fünften Sudetendeutschen Tages zu Pfingsten 1954 in München die Schirmherrschaft über die Sudetendeutsche Volksgruppe übernommen. Die Bayerische Staatsregierung verleiht mit der Übernahme dieser Schirmherrschaft sichtbaren Ausdruck vor allem ihrem Dank dafür, dass die heimatvertriebenen Sudetendeutschen

einen wertvollen Beitrag auf politischem, kulturellem und sozialem Gebiet zum Wiederaufbau des Freistaates Bayern geleistet und sich als eine zuverlässige Stütze unserer freiheitlichen demokratischen Ordnung bewährt haben. Die Bayerische Staatsregierung betrachtet die sudetendeutsche Volksgruppe als einen Stamm unter den Volksstämmen Bayerns. Sie bekennt sich zum Heimat- und Selbstbestimmungsrecht der Sudetendeutschen, das sie jederzeit mit dem ganzen Gewicht ihres Einflusses vertreten will.

www.sudeten-by.de/schirmherrschaft.htm

M 5 Bayerns „Vierter Stamm"

In seiner Festansprache auf dem Heimattag 2005 der Siebenbürger Sachsen (deutsche Vertriebene aus Rumänien) in Dinkelsbühl sagte Günther Beckstein als stellvertretender Ministerpräsident Bayerns:

Sie wissen: Die Bayern sind besonders heimatverbundene Leute. Und wir sagen immer: Bayern besteht aus den traditionellen Stämmen der Altbayern, der Schwaben und der Franken. Und dann ist ein vierter Stamm hinzugekommen, der zunächst nur die Sudetendeutschen umfasst hat, den wir aber seit vielen Jahren erweitert haben: der Stamm der Vertriebenen. Und diesem vierten Stamm sagen wir ein besonders herzliches Dankeschön, weil die Vertriebenen einen eminent wichtigen Beitrag zum Aufbau Bayerns geleistet haben. Ohne die Vertriebenen wäre es nie gelungen, Bayern zu dem Aufsteigerland zu machen, das wir in den letzten Jahren geworden sind.

Sie haben ganz wesentlich beim Aufbau unseres Landes Bayern mitgewirkt, das 1945 und 1950 insgesamt ein rückständiges Land war, jedenfalls am Ende der Bundesrepublik.

Nach: Siebenbürgische Zeitung Online, 20.Mai 2005.

M 6 Der Reichenberger Brunnen in Augsburg

Die Stadt Augsburg übernahm 1955 die Patenschaft für die aus der böhmischen Stadt Reichenberg (Liberec) vertriebenen Deutschen. Heute ist Liberec eine der offiziellen Partnerstädte Augsburgs. Der Reichenberger Brunnen vor der Kongresshalle trägt die folgende Inschrift:

Die Stadt Reichenberg wurde im 13. Jahrhundert gegründet. Ihre Bürger entwickelten sie zum Hauptort der deutschen Industrie und Kultur in Böhmen. Sie liebten ihre Stadt und ihre Heimat, aus der sie 1945 vertrieben wurden. Als Zeichen des Dankes errichteten ⁵ im Jahr 1980 in ihrer Patenstadt Augsburg diesen Brunnen die Sudetendeutschen aus Stadt und Land Reichenberg.

Errichtet vom „Heimatkreis Reichenberg Stadt und Land e. V."

10

Fragen und Anregungen ....

1 Fasse die Schwierigkeiten und Probleme bei der Aufnahme und Eingliederung der Flüchtlinge und Vertriebenen in Bayern zusammen. (VT, M3)

2 Formuliere die Haltung der Vertriebenenverbände gegenüber dem Schicksal der Vertreibung in den 1950er-Jahren.(M2 und M3)

3 Erläutere die Leistungen der Vertriebenen in ihrer eigenen Sicht und in der Sicht der bayerischen Regierung. (M3 und M5)

4 Warum kam es zur Schirmherrschaft Bayerns für die Sudetendeutschen und worin liegt ihre Bedeutung? (M4 und M5)

7. Aus Verbündeten werden Gegner

seit Kriegsende	Die Sowjetunion gestaltet die SBZ kommunistisch um.
1946	Die USA verzichten auf deutsche Reparationen.
ab 1946	Konflikte zwischen den USA und der UdSSR nehmen zu.

M 1 Handshake zwischen Verbündeten bei Torgau an der Elbe

Das Bündnis der Alliierten zerbricht

Gemeinsam besiegten die Alliierten Nazi-Deutschland. Der Kampf gegen den gemeinsamen Feind ließ das Zweckbündnis so unterschiedlicher Staaten wie der kommunistischen Sowjetunion und den demokratischen USA relativ stabil bleiben. Als im April 1945 sowjetische und amerikanische Truppen bei Torgau aufeinander stießen, fielen sich die Soldaten freundschaftlich in die Arme. Nur wenige Zeit später waren aus Verbündeten Gegner geworden.

Schon während des Krieges war es nicht so, dass die Alliierten sich immer einig gewesen wären. Aber um den Sieg nicht zu gefährden, nahmen z. B. die Westalliierten so manche Provokation Stalins hin. Nach 1945 wurde die Unvereinbarkeit der Ziele immer augenfälliger, obwohl die Siegermächte anfänglich Entschlossenheit bekundeten, die Anti-Hitler-Koalition über den Krieg hinaus fortzusetzen. Die Konferenz von Potsdam war ein Versuch, noch einmal Einigkeit zu demonstrieren. Die Behandlung der Besatzungszonen in Ost und West verlief dennoch sehr unterschiedlich.

Entwicklung in der SBZ

Bereits 1946 wurde klar, dass es kaum möglich war, Deutschland als wirtschaftliche und politische Einheit zu behandeln, wie es in Potsdam beschlossen worden war. Stalin nutzte die Gunst der Stunde, um die sowjetische Besatzungszone (SBZ) im Sinn des sowjetischen Systems umzugestalten. So wurden die nach Kriegsende entstandenen Parteien genötigt, sich der Idee des Kommunismus unterzuordnen. KPD und SPD mussten sich zwangsweise zur „Sozialistischen Einheitspartei Deutschlands" (SED) zusammenschließen. Großgrundbesitzer (mit einem Besitz von über 100 Hektar) wurden in einer „Bodenreform" enteignet, Fabriken, Banken und Versicherungen verstaatlicht. So waren in der SBZ rasch die Weichen für die Entwicklung zu einem kommunistischen Staat gestellt, was den Vorstellungen der Westmächte grundsätzlich widersprach.

Unterschiedlicher Umgang mit den Reparationen

Die unterschiedlichen deutschlandpolitischen Vorstellungen der Alliierten zeigten sich auch in der Reparationenfrage. Die Franzosen und Sowjets beuteten ihre Zonen wirtschaftlich aus; sie schafften Rohstoffe, Industriegüter und Industrieanlagen aus ihren Zonen nach Hause. Die Amerikaner hingegen verzichteten bereits im Frühjahr 1946 auf Reparationen. Sie hatten erkannt, dass durch Demontage von Industrieanlagen sowie durch den Entzug von Waren die Notlage der Bevölkerung in Deutschland immer schlimmer werden würde. General Lucius

D. Clay, der amerikanische Militärbefehlshaber, stellte deshalb die Abgabe von Reparationen aus der US-Zone an Frankreich und die Sowjetunion, die jenen zugestanden worden waren, ein.

Damit wollte er erreichen, dass sich die beiden Staaten zu einer gemeinsamen Deutschlandpolitik im Alliierten Konrollrat bereit erklärten. Grundsätzlich wollten die USA Deutschland schon ab 1946 nicht mehr als besiegten Feind behandeln, sondern es durch Hilfen wieder auf die Beine bringen.

Die gegensätzlichen Auffassungen in der Deutschlandpolitik spiegelten auf begrenztem Raum einen weit darüber hinaus gehenden Konflikt. Die USA und die Sowjetunion hatten grundsätzlich andere Vorstellungen von der Ordnung der Welt. Sie traten auch für höchst unterschiedliche und nicht vereinbare Gesellschaftsmodelle ein (freiheitliche Demokratie – Kommunismus). Der am 12. April 1945 gestorbene US-Präsident Roosevelt hatte die Vision gehabt, durch einen Zusammenschluss aller unabhängigen Staaten in den „Vereinten Nationen" Konflikte in Zukunft friedlich zu regeln. Als Führungsstaaten sollten die Siegermächte des Zweiten Weltkriegs im „Weltsicherheitsrat" dienen. Aber eine effektive sowjetisch-amerikanische Zusammenarbeit war von Anfang an unrealistisch, zumal Roosevelts Nachfolger Truman einen wesentlich härteren Kurs gegenüber der Sowjetunion einschlug. Der Grund dafür war, dass die USA extrem beunruhigt darüber waren, wie die UdSSR ihre Nachbarstaaten in ihren Machtbereich einbezog. In Polen, der Tschechoslowakei, Ungarn, Rumänien und Bulgarien wurde das stalinistische System genauso eingeführt wie in der deutschen SBZ. Die USA wollten unter allen Umständen ein weiteres Vordringen des Kommunismus in Europa verhindern und intensivierten im Gegenzug die Zusammenarbeit mit den westlichen europäischen Staaten. Das war der Beginn der Aufteilung der Welt in zwei „Blöcke", einen westlich-demokratischen unter amerikanischer Führung (die UdSSR nannte ihn kapitalistisch bzw. imperialistisch) und einem östlich-kommunistischen, den die Sowjetunion autoritär führte.

Beginn der Blockbildung in Ost und West

M 2 Bär und Adler
(Karikatur von Bruce Russel aus der Los Angeles Times, 1945)
Auf den Zetteln steht: „verantwortungslose Stellungnahmen", „sich vertiefende Verdachtsmomente".

Blockbildung

So bezeichnet man die nach 1945 einsetzende Formierung von Staaten in zwei einander feindlich gegenüber stehenden „Blöcken" (einen westlichen und einen östlichen). Die Führungsstaaten USA und UdSSR scharten dabei zahlreiche Verbündete um sich.

JUNKERLAND IN BAUERNHAND

Der Bauer sichert die Ernährung der Städter

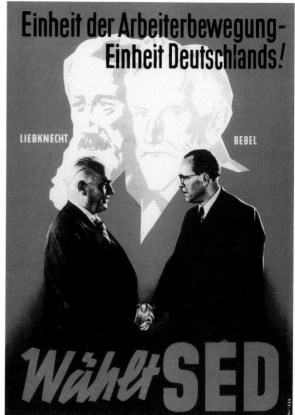

Einheit der Arbeiterbewegung-
Einheit Deutschlands!

LIEBKNECHT   BEBEL

Wählt SED

M 3 Propaganda in der SBZ

Zwei Plakate, die für die Maßnahmen in der SBZ werben sollten (links von 1945; rechts zur Landtagswahl in der SBZ 1946). Mit „Junkerland" war der Besitz der ehemaligen Großgrundbesitzer gemeint, denen die Kommunisten eine Mitschuld an der Etablierung des Nationalsozialismus gaben. Rechts besiegeln Wilhelm Pieck (KPD) und Otto Grotewohl (SPD) den Zusammenschluss ihrer Parteien in der SBZ. Im Hintergrund zu sehen sind Karl Liebknecht und August Bebel, zwei „Urväter" der Arbeiterbewegung.

M 4 Sowjetische Demontage in der SBZ

Die Statistik erfasst die Demontagen (in Prozent), ermittelt im Vergleich mit der Industriekapazität von 1936:

Industriezweig	Deutsche Schätzung (in %)
Eisengießerei u. Hüttenwerke	50–55
Schwere Maschinenindustrie	55–63
5 Kraftfahrzeugindustrie	55–63
Elektroindustrie	55–63
Feinmechanische u. optische Industrie	55–63
Zellstoff- u. Papierindustrie	40–50
Stickstoffindustrie	50–55
10 Textilindustrie	20–30

Nach: Bundeszentrale für politische Bildung (Hrsg.): Informationen zur politischen Bildung Nr. 231: Geschichte der DDR. Bonn 1991, S. 58

M 5 Churchills Haltung zur Sowjetisierungspolitik der UdSSR (März 1946)

Von Stettin an der Ostsee bis hinunter nach Triest an der Adria ist ein „Eiserner Vorhang" über den Kontinent gezogen. Hinter jener Linie liegen alle Hauptstädte der alten Staaten Zentral- und Osteuropas: Warschau, Berlin, Prag, Wien, Budapest, Belgrad, Bukarest und Sofia. Alle jene berühmten Städte liegen in der Sowjetsphäre und alle sind sie in dieser oder jener Form nicht nur dem sowjetrussischen Einfluss ausgesetzt, sondern auch in ständig zunehmendem Maße der Moskauer Kontrolle unterworfen. (…)
Die kommunistischen Parteien, die in allen östlichen Staaten Europas bisher sehr klein waren, sind überall großgezogen worden, sie sind zu unverhältnismäßig hoher Macht gelangt und suchen jetzt überall die totalitäre Kontrolle an sich zu reißen. (…)

Welches auch die Schlussfolgerungen sind, die aus diesen Tatsachen gezogen werden können, eines steht fest, das ist sicher nicht das befreite Europa, für dessen Aufbau wir gekämpft haben. Es ist nicht ein Europa, das die unerlässlichen Elemente eines dauernden Friedens unterhält.

Keesing's Archiv der Gegenwart 1946, hrsg. United Press, S. 669 f.

M 6 Die neue Deutschlandpolitik der USA

Aus einer Rede des amerikanischen Außenministers James F. Byrnes in Stuttgart am 6. September 1946:
Die USA sind der festen Überzeugung, dass Deutschland als Wirtschaftseinheit verwaltet werden muss. (…) Für einen erfolgreichen Wiederaufbau Deutschlands ist die gemeinsame Finanzpolitik wesentlich. (…)

Es ist auch notwendig, dass ein Verkehrs-, Nachrichten- und Postwesen in ganz Deutschland ohne Rücksicht auf Zonenschranken eingeführt wird. (…) Um die größtmögliche Erzeugung und die zweckmäßigste Verwendung und Verteilung der Nahrungsmittel sicherzustellen, müsste eine zentrale Verwaltungsstelle für Landwirtschaft geschaffen werden. (…) Deutschland muss die Möglichkeit haben, Waren auszuführen, um dadurch soviel einführen zu können, dass es sich wirtschaftlich selbst erhalten kann. (…) Das amerikanische Volk wünscht, dem deutschen Volk die Regierung Deutschlands zurückzugeben.

Geschichte in Quellen. Bd. 7. Die Welt seit 1945. Bearbeitet v. H. Krause u. K. Reif. München 1980, S. 93 ff.

M 7 Der Machtbereich der Sowjetunion in Europa nach 1945

Fragen und Anregungen

1 Erkläre, welche Ziele die Sowjetunion mit ihren Maßnahmen in der SBZ verfolgte. (VT, M3, M4)

2 Interpretiere die beiden Plakate. Warum muss vor allem das rechte kritisch „gelesen" werden? (VT, M3)

3 Erläutere, welche Gefahr Winston Churchill in der Politik der Sowjetunion sieht. Erkläre den Begriff „Eiserner Vorhang". (M5)
Überprüfe die Bedenken anhand der Karte. (M7)

4 Stelle fest, welche Industriebereiche besonders stark von der Demontage betroffen waren. Begründe! (M4)

5 Erarbeite, inwiefern der amerikanische Außenminister eine „neue" Behandlung Deutschlands anstrebt. Welche Hindernisse erschweren die Durchführung? (M6)

6 Versuche nun, die Karikatur M2 zu erklären.

8. Blockbildung im Zeichen des Kalten Krieges

1949	Die „North Atlantic Treaty Organization", die „NATO", wird gegründet.
März 1953	Stalin stirbt. Nikita Chruschtschow wird Regierungschef der UdSSR.
1950–1953	Der Koreakrieg endet mit der Teilung des Landes.
17. Juni 1953	Bürger der DDR erheben sich gegen das SED-Regime.
1955	Der Warschauer Pakt wird gegründet.
1956	Es kommt zu Volksaufständen in Polen und Ungarn.

M 1 Die Atombombe –
eine neue Dimension des Krieges

Der Kalte Krieg beginnt

Die USA hatten sich am 6. und 8. August 1945 mit dem Atombombenabwurf auf die japanischen Städte Hiroshima und Nagasaki als Atommacht etabliert. 1949 testete die UdSSR erfolgreich eine Atombombe. Damit standen sich zwei Mächte gegenüber, die ein in der Menschheitsgeschichte noch nie da gewesenes Vernichtungspotential in Händen hielten. Der beginnende Rüstungswettlauf war von grundsätzlich anderer Qualität als alle bisherigen Gegnerschaften in der Geschichte. Der Ausbruch eines Krieges zwischen den beiden „Supermächten", die sich seit dem Auseinanderbrechen der Anti-Hitler-Koalition feindlich gegenüberstanden, beschwor erstmals das Grauen der Vernichtung der Menschheit.

Dies führte dazu, dass sich beide Mächte bemühten, ihre Auseinandersetzungen immer unterhalb der Schwelle eines direkten, „heißen" Krieges zu halten. Für diese „Beinahe-Kriegs-Situation", die über vierzig Jahre die Weltpolitik beherrschte, prägte der Journalist Walter Lippman bereits 1947 den Begriff „cold war" – „Kalter Krieg".

Containment-Politik und „Zwei Lager Theorie"

Das Ziel der amerikanischen Regierung war, die Ausbreitung des Kommunismus zu verhindern, ihn „einzudämmen" (engl. containment) Deshalb sollten nichtkommunistische Staaten durch wirtschaftliche Unterstützung und militärische Abkommen fest an die USA gebunden werden. Diese Strategie stützte sich auf Überlegungen des Russlandexperten der US-Regierung, G.F. Kennan. In einer Rede vor dem US-Kongress, die weltweit Aufsehen erregte, stellte Präsident Truman diese Grundsätze der US-Politik am 12. März 1947 unmissverständlich dar.

Die UdSSR reagierte darauf mit der Gründung der Kominform, des „Kommunistischen Informationsbüros". Hier waren alle europäischen kommunistischen Parteien vertreten, die die Führung durch die Sowjetunion anerkannten. Damit sicherte sich die UdSSR Einfluss auch in westlichen Ländern. Begründet wurde diese Politik mit der „Zwei-Lager-Theorie", die die offizielle politische Linie aller mit der UdSSR verbündeten Staaten wurde. Danach waren die USA und ihre Verbündeten Imperialisten, die alle freien Völker unterwerfen wollten. Die UdSSR und ihre Verbündeten müssten dagegen Widerstand leisten.

Als praktische Ausführung der Truman-Doktrin wurde 1947 der Marshallplan beschlossen, der Hilfszahlungen zum Wiederaufbau für die vom Krieg zerstörten Länder vorsah. Neben Westdeutschland erhielten v. a. auch Länder diese Hilfe, die man gegen eine kommunistischen Einflussnahme gewissermaßen impfen wollte, z. B. Griechenland und Italien. Die UdSSR dagegen verbot ihren Satellitenstaaten, so auch der SBZ und späteren DDR, die Teilnahme am Marshallplan, um sie vor dem Kapitalismus zu „schützen". 1949 rief die UdSSR als Antwort auf den „imperialistischen" Marshallplan für die Staaten des Ostblocks den RGW („Rat für gegenseitige Wirtschaftshilfe" oder „Council of Mutual Economic Aid" – „COMECON") ins Leben.

Die wirtschaftliche Blockbildung ging Hand in Hand mit der militärischen. 1949 unterzeichneten 10 europäische Staaten, die USA und Kanada den Nordatlantik-pakt. Die NATO verstand sich als Verteidigungsbündnis gegen die UdSSR. 1952 traten Griechenland und die Türkei bei, die die USA als wichtige strategische Part-ner im Mittelmeer betrachteten. 1955 wurde die Bundesrepublik Deutschland auf-genommen.

Im selben Jahr 1955 schuf die Sowjetunion ein militärisches Gegenbündnis, den Warschauer Pakt, dem u. a. Polen, die ČSSR und auch die DDR beitraten. Durch das Recht der UdSSR, in den Unterzeichnerländern Truppen zu stationieren, sicherte sie sich so die Herrschaft in den Satellitenstaaten.

So entstand – im Wechselspiel der gegenseitigen Reaktionen – ein Geflecht aus militärischen und wirtschaftlichen Bündnissen in Ost und West, das sich zu zwei feindlichen Blöcken verfestigte, die den gesamten Erdball umfassten.

Dass der Kalte Krieg ein weltweiter Konflikt war, zeigte sich zuerst in Korea. Korea war bei Kriegsende nach Absprache der Siegermächte USA und UdSSR entlang des 38. Breitengrades in zwei Besatzungszonen geteilt worden. Der Norden stand unter sowjetischer, der Süden unter amerikanischer Besatzung. Beide Besatzungsmächte

Bündnisse in Militär und Wirtschaft zementieren die Blöcke

Der Koreakrieg

Kalter Krieg

Vom Journalisten Lippman 1947 geprägter Begriff für den Ost-West-Konflikt. Beide Supermächte wollten angesichts der Gefahr einer atomaren Vernichtung einen „heißen" Krieg vermeiden, aber gleichzeitig doch ihre Machtstellung behaupten und ausbauen. Eingebun-den in die feindlichen Militärbündnisse NATO und Warschauer Pakt bekämpften sich die beiden Welt-mächte in Stellvertreterkriegen, durch Spionage, Pro-paganda, wirtschaftlichen und politischen Druck.

NATO

Die NATO verstand sich während des Kalten Krieges zwar vorwiegend als Verteidigungsbündnis gegen die UdSSR, verfolgt mit ihrer Gründung aber auch weitere Ziele, v. a. die Regelung internationaler Streitfälle, ge-meinsamen Widerstand gegen bewaffnete Angriffe und Beistandspflicht. Neben der Führungsmacht USA gehören ihr Kanada und viele europäische Staaten an, die Bundesrepublik Deutschland seit 1955.

Warschauer Pakt

Der 1955 von der Sowjetunion gegründete Warschauer Pakt stellte ein Gegenbündnis zur NATO dar. Er ver-stand sich als „Vertrag über Freundschaft, Zusammen-arbeit und Beistand" zwischen den Staaten des Ost-blocks und war neben dem RGW dessen wichtigste multilaterale Organisation.
Der Warschauer Pakt wurde 1990 aufgelöst.

M 2 Die Spinne
Karikatur aus der sowjetischen Zeitschrift „Krokodil", 1950.
(Die beiden Wörter bedeuten „Westeuropa".)

M 3 Der Krake
Vergleiche die beiden Karikaturen in der Gestaltung, den
Motiven und der Aussageabsicht.

unterstützten jeweils Politiker ihrer Weltanschauung, so dass nach dem Abzug der
Besatzungstruppen 1949 ein kommunistisches Nordkorea und ein westliches Südkorea entstanden – eine Situation, die der in Deutschland ähnlich war.
1949 endete der chinesische Bürgerkrieg mit dem Sieg der Kommunisten unter
Mao Zedong. Damit stand der Ausbreitung des Kommunismus in Asien kaum
noch etwas im Wege. 1950 griff Nordkorea den Süden an und eroberte ihn fast
ganz. Dabei erhielt es Hilfe von China und der UdSSR, die jedoch nicht direkt ein-
griffen. Die USA setzen im UNO-Sicherheitsrat eine Entsendung von Truppen
gegen Nordkorea durch und führten diesen Einsatz an. Es kam zu einem wechsel-
vollen Krieg, bei dem der amerikanische Oberbefehlshaber Mac Arthur den Einsatz von Atomwaffen verlangte. Präsident Truman lehnte dies jedoch ab. Schließlich wurde 1953 in einem Waffenstillstand der 38. Breitengrad wieder als Grenze
zwischen Nord- und Südkorea festgelegt.
Eine Erfahrung aus dem Koreakrieg war, dass die Großmächte den Einsatz von
Atomwaffen und einen direkten Konflikt zwar vermieden, aber auch nicht dulde-
ten, dass die andere Seite ihr Einflussgebiet ausdehnte. Dieser erste „Stellvertreter-
krieg" kostete zwei Millionen Soldaten und einer Million Zivilisten das Leben.

Status quo in Europa   In Europa hofften nach dem Tod Stalins im März 1953 viele Menschen v. a. des Ost-
blocks auf mehr politische Freiheiten. Jedoch zeigte sich bereits im Juni 1953, als
sich in der DDR die Arbeiter gegen die SED erhoben (s. S. 135), dass auch der neue
Ministerpräsident Chruschtschow als Nachfolger Stalins keinen Widerstand gegen
die Vormachtstellung der UdSSR duldete. Sowjetische Truppen schlugen die Aufstände nieder.

1956 forderten Arbeiter in Posen und anderen Städten Polens „Mehr Brot" und „Russen raus" und sprachen damit die zwei Hauptursachen der Unzufriedenheit aus. Auch hier beendeten sowjetische Truppen die Aufstände nach wenigen Tagen.

Trotzdem revoltierten im Oktober 1956 in Ungarn Studenten und Arbeiter gegen die stalinistische Führung des Landes. Sie verlangten u. a. ein Mehrparteiensystem. Der Aufstand breitete sich rasch im ganzen Land aus. Der neue Ministerpräsident Imre Nagy verkündete Ungarns Austritt aus dem Warschauer Pakt. Die UdSSR war nicht gewillt diesen Weg in die Unabhängigkeit zu dulden. Die Truppen des 1955 gegründeten Warschauer Paktes schlugen auch diese Erhebung blutig nieder. Verzweifelt baten die Ungarn den Westen, vor allem die USA, im Namen des Selbstbestimmungsrechts um Hilfe. Aber die Westmächte beschränkten sich auf Protestnoten. Der Aufstand wurde gewaltsam beendet, Imre Nagy hingerichtet.

Der Verlauf dieser Ereignisse zeigt, dass die Großmächte ihre gegenseitigen Einflussgebiete mittlerweile respektierten und offene Einmischung in die Machtsphäre des anderen vermieden. Die Anerkennung des Status quo (lat. gegenwärtiger Zustand) in Europa wurde ein wichtiges Prinzip in der Politik des Ost-West-Konfliktes, wie sich auch 1968 – mehr als ein Jahrzehnt später – in der Tschechoslowakei zeigen sollte. Auch diesen Versuch eines Ostblockstaates, mehr Freiheit zu erhalten, beendete die UdSSR ohne Widerstand des Westens mit Waffengewalt.

M 4 Filmplakat, 1963

Der Geheimagent James Bond verteidigt die „gute" westliche Welt gegen die „böse" östliche Welt. An Agentenfilmen lässt sich die jeweilige weltpolitische Lage und das entsprechende Feindbild gut erkennen.

M 5 Das Symbol sowjetischer Macht: der Panzer

1953 (Berlin, links), 1956 (Budapest, Mitte) und 1968 (Prag, rechts) walzten und schossen sowjetische Panzer die Volksaufstände nieder.

M 6 Die Truman-Doktrin

Am 12. März 1947 verkündete Präsident Truman neue Grundsätze für die amerikanische Außenpolitik:

(…) Im gegenwärtigen Augenblick der Weltgeschichte muss fast jede Nation zwischen zwei verschiedenen Lebensarten wählen. Zu oft ist die Wahl keine freie.
5 Die eine Art zu leben gründet sich auf den Willen der Mehrheit und zeichnet sich durch freie Institutionen, repräsentative Regierungen, freie Wahlen, Garantien der persönlichen Freiheit, Freiheit der Rede und der Religion und Freiheit von politischer Unterdrückung aus. Die zweite Lebensart hat als Grundlage den
10 Willen einer Minderheit, die mit Gewalt der Mehrheit gegenüber geltend gemacht wird. Sie stützt sich auf Terror und Unterdrückung, kontrollierte Presse und Rundfunk, von vornherein bestimme Wahlen und auf die Unterdrückung der persönlichen Freiheit. Ich bin
15 der Ansicht, dass wir den freien Völkern beistehen müssen, ihr eigenes Geschick auf ihre Weise zu bestimmen. Ich glaube, dass unser Beistand in erster Linie in Form von wirtschaftlicher und finanzieller Hilfe gewährt werden sollte. (…) Ich fordere daher den Kon-
20 gress auf, die Ermächtigung zu erteilen, dass Griechenland und die Türkei (…) Unterstützung in Höhe von 400 Millionen Dollar erhalten.

Nach: E. O. Czempiel, C.-Ch. Schweitzer: Weltpolitik der USA nach 1945. Einführung und Dokumente. Bonn 1989, S. 53.

M 7 Der Wettbewerb der „Weltsysteme"

Chruschtschow im Februar 1959:

Die Wirtschaft ist das Hauptfeld, auf dem sich der friedliche Wettbewerb des Sozialismus mit dem Kapitalismus entfaltet und wir sind daran interessiert, diesen Wettbewerb in historisch kurzer Zeit zu gewinnen.
5 (…) Der Produktionsstand der USA ist der Gipfel, bis zu dem sich die Wirtschaft des Kapitalismus aufschwingen konnte. (…) Den Stand der USA zu übertreffen bedeutet, die höchsten Kennziffern des Kapitalismus zu übertreffen. (…) Damit wird die Überlegenheit des
10 Weltsystems des Sozialismus über das Weltsystem des

Kapitalismus in der materiellen Produktion (…) gesichert.

Nach: G. v. Rauch: Machtkämpfe und soziale Wandlungen in der Sowjetunion seit 1923. Stuttgart 1979, S. 34.

M 8 Der Wettlauf im Weltall

M 8a Die „Eroberung des Weltraums" beginnt

Als die UdSSR 1957 einen unbemannten Satelliten in die Erdumlaufbahn schoss, war damit nicht nur der Transport von Atomraketen möglich, der Westen erlebte dieses Ereignis als den „Sputnikschock", der die Angst auslöste, der Kommunismus sei dem Westen überlegen. Am 12. April 1961 schickte die UdSSR den ersten Menschen, den Kosmonauten Juri Gagarin, in den Weltraum:

Mit großer Freude und berechtigtem Stolz stellt das Zentralkomitee der Kommunistischen Partei fest, dass diese neue Ära in der fortschrittlichen Entwicklung der Menschheit unser Land, das Land des siegreichen Sozialismus, eingeleitet hat. Unser Land hat alle anderen Staaten der Welt überflügelt (…).

Nach: W. Lautermann und M. Schlenke (Hrsg.): Geschichte in Quellen. Band 7: Die Welt seit 1945, S. 742.

M 8b Die erste Mondlandung

1968 landete ein Amerikaner, Neil Armstrong, als erster Mensch auf dem Mond. Präsident Kennedy hatte in seiner Rede an das amerikanische Volk vom 25. Mai 1961 dieses Ziel vorgegeben:

Ich meine, dass diese Nation sich verpflichten sollte, das Ziel zu verwirklichen, noch vor Ende dieses Jahrzehnts einen Menschen auf dem Mond landen zu lassen und ihn unversehrt zur Erde zurückzubringen. Kein einziges Raumfahrtprojekt während dieses Zeitraums wird die Menschheit mehr beeindrucken oder wichtiger sein für die zukünftige Erforschung des Weltraumes; auch wird keines so schwierig und kostspielig sein. Es wird nicht der einzelne Mensch sein, der zum Mond fliegt, es wird eine ganze Nation sein.

Fragen und Anregungen

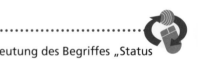

❶ Die Truman-Doktrin bestimmte die amerikanische Außenpolitik der nächsten Jahre. Schreibe die Argumente Trumans in Schlagworten heraus und interpretiere sie. (VT, M6)

❷ Lies die Quellen M7, M8a und M8b.
Arbeite die Gebiete heraus, auf denen der Wettlauf zwischen den Supermächten stattfindet und stelle deren Ziele und Argumente einander gegenüber.

❸ Erkläre die Bedeutung des Begriffes „Status quo" im Zusammenhang mit dem Ost-West-Konflikt. (VT)

❹ Zeige, in welchen Punkten der Koreakrieg ein typisches Beispiel für den Kalten Krieg ist. (VT)

❺ Recherchiere im Internet zu dem Schlagwort „Kalter Krieg". Du wirst viele Einträge finden. Beachte kritisch ihre Verfasser und die Entstehungszeit.

9. Deutschland wird ein geteiltes Land

1947	Aus der britischen und der amerikanischen Zone wird die Bizone gebildet. Die erste gesamtdeutsche Ministerpräsidentenkonferenz scheitert.
1948	Die Währungsreform findet am 20. Juni (West) und am 23. Juni (Ost) statt.
1948/49	Die sowjetische Besatzungsmacht verhängt vom 24. Juni 1948 bis zum 12. Mai 1949 eine Blockade über Berlin.

M 1 Der deutsche Michel

In Karikaturen steht der deutsche Michel oft als Sinnbild für Deutschland. Diese Karikatur trägt die Bildunterschrift: „Die beiden Michel: Du bist 'ne Marionette!"
(Aus der „Main-Post" vom 12. August 1950.)

Die zunehmenden Gegensätze zwischen den USA und der UdSSR prägen auch die Entwicklung Deutschlands. Die Probleme bei der gemeinsamen alliierten Verwaltung Nachkriegsdeutschlands veränderten den Umgang der amerikanischen Besatzungsmacht mit ihrer Zone. Die wirtschaftlichen Schwierigkeiten taten ein Übriges: Die Amerikaner hatten erkannt, dass die katastrophale Versorgungslage in den Westzonen, die sich im „Hungerwinter" 1946/47 zeigte, langfristig nur durch den Zusammenschluss der Zonen verbessert werden konnte. Die Bildung einer Westzone scheiterte jedoch an der Haltung Frankreichs, das das Saargebiet für sich beanspruchte und am Widerstand der Sowjetunion, die um ihre Demontagen und Reparationslieferungen fürchtete. In dieser Lage handelten die Amerikaner und Briten alleine und legten ihre Zonen zum 1. Januar 1947 zum „Vereinigten Wirtschaftsgebiet" (Bizone) zusammen. Sie schufen eine gemeinsame Verwaltung für Wirtschaft, Finanzen, Ernährung und Landwirtschaft, Verkehr, Post- und Fernmeldewesen unter deutscher Leitung. Dieser Wirtschaftsrat, der am 25. Juni 1947 in Frankfurt erstmals zusammentrat, kontrollierte die bizonalen Verwaltungen und besaß Gesetzgebungskompetenz, wenn auch mit alliiertem Vorbehalt. Zwar war mit der Errichtung der Bizone nur eine wirtschaftliche Vereinigung beabsichtigt, doch gewann das „Vereinigte Wirtschaftsgebiet" immer mehr an politischer Bedeutung: Die Kluft zwischen den Westzonen und der SBZ wurde tiefer.

Bildung der Bizone und des Wirtschaftsrats

Anfang Juni 1947 trafen sich auf Einladung des bayerischen Ministerpräsidenten Hans Ehard die Ministerpräsidenten aller deutschen Länder in München, um über drängende wirtschaftliche Fragen und die Schaffung einer gesamtdeutschen Vertretung zu verhandeln. Die Konferenz war jedoch aufgrund der unterschiedlichen Interessen der Besatzungsmächte von vornherein zum Scheitern verurteilt: Die Ministerpräsidenten der französischen Zone hatten nur die Befugnis, über wirtschaftliche Fragen zu verhandeln, die Vertreter der sowjetischen Besatzungszone hatten die strikte Weisung bekommen, unverzüglich abzureisen, falls das Thema der politischen Einigung Deutschland nicht diskutiert werden könnte. Eine von allen akzeptierte Tagesordnung war damit unmöglich geworden, sodass die Teilnehmer aus der SBZ noch vor Beginn der eigentlichen Konferenz München verließen. Damit war der Versuch deutscher Politiker gescheitert, im Schatten des Kalten Krieges eine gemeinsame Politik für alle Besatzungszonen zu gestalten.

Scheitern der Münchner Ministerpräsidentenkonferenz

Truman-Doktrin und Marshallplanhilfe

Als die Sowjetunion versuchte, nicht nur die osteuropäischen, sondern auch die westlich orientierten Staaten Griechenland und Türkei in ihren Machtbereich einzubeziehen, verschärften sich die Spannungen noch einmal. In dieser Situation trat der amerikanische Präsident Truman im Frühjahr 1947 dem Expansionsstreben der Sowjetunion mit der Truman-Doktrin (Eindämmungspolitik) entgegen. In diesem Zusammenhang regte der amerikanische Außenminister Marshall zur Herstellung einer funktionierenden Weltwirtschaft und um die europäischen Staaten enger an die USA zu binden, eine finanzielle Unterstützung (European Recovery Program) an. Etwa 13 Milliarden Dollar flossen aufgrund des Marshallplans nach Europa. Die Summe von ca. 1,4 Milliarden Dollar, die die Westzonen erreichte, förderte den wirtschaftlichen Aufschwung und stärkte – wie beabsichtigt – die Westbindung.

Ende des Alliierten Kontrollrates

Bei einem Treffen der Außenminister in London (November/Dezember 1947) bezeichnete der sowjetische Außenminister Molotow die Truman-Doktrin und den Marshallplan als Mittel eines „imperialistischen Krieges", den die USA gegen die Sowjetunion vorbereiteten. Die Feindseligkeiten zwischen den USA und der UdSSR traten damit offen zutage. Der US-Regierung war nun an der schnellen Gründung eines westdeutschen Teilstaates gelegen, auch Großbritannien, Frankreich und die Beneluxstaaten zogen mit. Aus Protest gegen diese Bestrebungen rief die Sowjetunion am 20. März 1948 ihren Vertreter aus dem Alliierten Kontrollrat zurück. Damit bestand die gemeinsame Vier-Mächte-Verwaltung für Deutschland nur noch auf dem Papier; die Anti-Hitler-Koalition war endgültig zerbrochen.

Währungsreform in West und Ost

Die deutsche Wirtschaft war durch die Politik Hitlers völlig ruiniert. Die Reichsmark wurde als Zahlungsmittel kaum noch akzeptiert, der Schwarzhandel blühte. Die Marshallplanhilfe konnte die Wirtschaft nur ankurbeln, wenn sie in Deutschland auf eine stabile Währung traf; eine Währungsreform war unumgänglich. Deshalb waren schon im Oktober 1947 die neuen Banknoten in den Vereinigten Staaten gedruckt und unter strengster Geheimhaltung nach Frankfurt gebracht worden. Ende Juni 1948 war es dann soweit: Am Freitag, dem 18. Juni, erfuhren die Deutschen der Westzonen, dass sie noch am gleichen Wochenende eine neue Währung bekommen würden. Jeder Bewohner der Westzonen erhielt 40 DM, später noch einmal 20 DM als Erstausstattung. Sparguthaben wurden im Verhältnis 100:6,5 abgewertet. Die Leidtragenden waren vor allem die Sparer, während Besitzer von Sachwerten und Immobilien nichts einbüßten.

In den Westsektoren Berlins wurde die neue Währung noch nicht eingeführt. Als die sowjetische Militärverwaltung am 23. Juni selbst eine – ebenfalls lange vorbereitete Währungsreform für die SBZ und ebenso im sowjetischen Sektor Berlins durchführte, stellten die Westalliierten auch in ihren Sektoren Berlins die Währung um. Die Sowjetunion reagierte darauf mit der Blockade Berlins.

M 2 Schaufenster nach der Währungsreform

M 3 Plakat aus der Bundesrepublik (1950) **M 4** Plakat aus der SBZ (1948)

Den Streit um die neue Währung sahen die Sowjets als Chance, die Machtverhält-nisse in Berlin in ihrem Sinn zu entscheiden: Am 24. Juni 1948 sperrten sie die Zu-fahrtswege nach Berlin zu Wasser und zu Lande mit dem Ziel, die Herrschaft über ganz Berlin zu übernehmen. Die Bevölkerung in den Westsektoren war einge-schlossen. Auch die Versorgung Berlins mit lebenswichtigen Gütern schien un-möglich. Da die Erreichbarkeit Berlins im Potsdamer Abkommen nicht genau ge-regelt war, blieb den Westmächten nur noch der Weg über die Luft. In dieser Krisensituation reagierte der Militärgouverneur der amerikanischen Zone, Lucius D. Clay. Er organisierte sofort eine Luftbrücke, mit der die Stadt von den West-zonen aus durch Flugzeuge („Rosinenbomber") mit Brennstoff, Industriegütern und Lebensmitteln versorgt wurde. Unter extrem widrigen Bedingungen gelang es, 2,11 Millionen Tonnen Güter in ca. 280 000 Flügen nach Westberlin zu transpor-tieren. Dies und die entschlossene Haltung der Berliner, trotz aller Einschränkun-gen nicht aufzugeben, zwang Stalin schließlich, die Blockade am 12. Mai 1949 auf-zuheben.

Blockade Berlins

Noch während der Blockade vollzog sich in Berlin eine entscheidende Verände-rung: Am 30. November 1948 erklärte die SED die rechtmäßig gewählte Stadt-regierung unter Ernst Reuter (SPD) für abgesetzt. Diese zog daraufhin in das West-berliner Rathaus Schöneberg um, um von dort aus die Regierungsgeschäfte für die Westsektoren weiter zu führen. In Ostberlin regierte der neu gewählte Oberbürger-meister Friedrich Ebert (SED). Berlin war nun dreifach gespalten: Geteilt in vier Sektoren, regiert von zwei Bürgermeistern und getrennt in zwei Währungsgebiete.

Die Spaltung Berlins

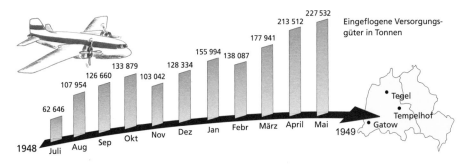

M 5 Berliner Luftbrücke
Von den 2,11 Millionen Tonnen Gütern entfielen 67 % auf Kohle, 24 % auf Lebensmittel und 9 % auf Rohstoffe.

Währungsreform

Der Begriff Währungsreform besagt, dass eine alte Währung durch eine neue abgelöst wird. In Deutschland kam es 1923 (nach dem Ersten Weltkrieg) und wieder nach dem Zweiten Weltkrieg zu einer Währungsreform. Am 20. Juni 1948 wurde in den drei westlichen Besatzungszonen durch die Besatzungsmächte die Ablösung der Reichsmark durch die Deutsche Mark (DM) durchgeführt.

M 6 Mitteilung der sowjetischen Militärverwaltung
Infolge einer technischen Störung an der Eisenbahnstrecke war die Transportverwaltung der Sowjetischen Militärverwaltung in Deutschland gezwungen, in der Nacht zum 24. Juni sowohl den Passagier- als auch den
5 Güterverkehr auf der Strecke Berlin-Helmstedt in beiden Richtungen einzustellen.

Nach: ADN, Berlin, 23. Juni 1948

M 7 Nachricht von General Clay nach Washington
Die Tschechoslowakei haben wir verloren, Norwegen schwebt in Gefahr. Wenn Berlin fällt, folgt Westdeutschland als nächstes. Wenn wir beabsichtigen, Europa gegen den Kommunismus zu halten, dürfen wir uns nicht von der Stelle rühren. Wir können Demütigungen und Druck, die nicht zum Kriege führen, in Berlin einstecken, ohne das Gesicht zu verlieren. Wenn wir fortgehen, gefährden wir die europäische Position.

L. D. Clay: Entscheidung in Deutschland. Frankfurt a. M. 1950, S. 400.

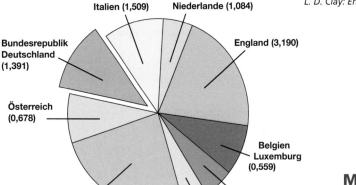

M 8 Zuwendungen durch den Marshallplan bis 1952
Angaben in Milliarden US-Dollar.

Fragen und Anregungen

❶ Erläutere, warum die Karikatur die beiden Michel als Marionetten darstellt. (VT, M1)

❷ Untersuche die Plakate (M3, M4) im Hinblick auf die sprachlichen und die bildlichen Elemente.

❸ Lege dar, welche Auswirkungen die Währungsreform für die Bevölkerung hatte. (VT, M2)

❹ Welche Gründe gaben die Sowjets für die Blockade Berlins vor, welche Auswirkungen sah der US-Militärgouverneur Clay? (M6, M7) Wie reagierte er auf die Blockade? (VT, M5)

❺ Erläutere, wie sich die Berlin-Blockade auf die Stadt Berlin und auf die Beziehung Westdeutschlands zu den Siegermächten des Zweiten Weltkriegs auswirkte. (VT, M5, M6)

10. Die Gründung der beiden deutschen Staaten

1948–1949	Der Parlamentarische Rat berät über eine Verfassung für Deutschland.
1949	Gründung der beiden deutschen Staaten: Am 23. Mai wird das Grundgesetz verkündet. Wahl des ersten deutschen Bundestages: Konrad Adenauer (CDU) wird erster Bundeskanzler der Bundesrepublik Deutschland. Mit dem Inkrafttreten der Verfassung am 7. Oktober wird die DDR gegründet.

M 1 **Briefmarken mit den Staatsemblemen,** herausgegeben aus Anlass des 20-jährigen Bestehens der beiden deutschen Staaten. Die Bundesrepublik übernahm den leicht veränderten Reichsadler, die DDR schuf ein neues Zeichen: Hammer, Zirkel und Ährenkranz sollte das Bündnis von Arbeitern, Intelligenz und Bauern verdeutlichen. – Vergleiche das jeweilige Staatsverständnis.

Empfehlungen der Londoner Sechs-Mächte-Konferenz

Als klar wurde, dass eine gemeinsame Verwaltung durch die Alliierten an den Gegensätzen zwischen Ost und West gescheitert war, wurden im Juni 1948 auf der Londoner Sechs-Mächte-Konferenz Empfehlungen zur Gründung eines westdeutschen Teilstaates erarbeitet. Die USA, England, Frankreich und die Benelux-Staaten entschieden, dass sich die Deutschen staatlich organisieren und in eine Allianz mit den ehemaligen westlichen Kriegsgegnern eingebunden werden sollten.

Die Entwicklung im Westen: Frankfurter Dokumente

Daraufhin beschloss die Londoner Konferenz die westdeutsche Staatsgründung und präzisierte in den sogenannten Frankfurter Dokumenten ihre Vorstellungen, die am 1. Juli den deutschen Ministerpräsidenten durch die Militärgouverneure der Westzonen übergeben wurden. Darin war festgeschrieben:
- Die Ministerpräsidenten sollten bis zum 1. September 1948 eine verfassunggebende Versammlung einberufen.
- Eine Überprüfung der deutschen Ländergrenzen sollte stattfinden.
- Es würde ein Besatzungsstatut geben.

Die Ministerpräsidenten, die vom 8. bis 10. Juli im Hotel „Ritterhof" in Koblenz tagten, wollten eine Vertiefung der Spaltung zwischen Ost und West vermeiden und plädierten deshalb für die Hervorhebung des provisorischen Charakters des neuen Staates. Um den Begriff „Verfassung" zu vermeiden, schlugen sie stattdessen den Begriff „Grundgesetz" vor. Es war künftig auch nicht mehr von einer „Verfassunggebenden Versammlung", sondern von einem „Parlamentarischen Rat" die Rede. In Anbetracht der Tatsache, dass nur die Bevölkerung im Westen, nicht die im Osten über die neue Verfassung hätte abstimmen können, lehnten sie eine Volksabstimmung über den Verfassungsentwurf ab und setzten gegenüber den Alliierten durch, dass das Grundgesetz durch die Zustimmung der Länderparlamente in Kraft trat.

Der Verfassungskonvent von Herrenchiemsee

Ein von den Ministerpräsidenten berufener „Ausschuss von Sachverständigen", zu dem der bayerische Ministerpräsident Wilhelm Hoegner eingeladen hatte, erarbeitete vom 10. bis 23. August 1948 in Herrenchiemsee die Grundgedanken zu einem Verfassungsentwurf. Der „Herrenchiemseer Konvent" besaß zwar keine Entscheidungskompetenz, sein Verfassungsvorschlag diente jedoch dem Parlamentarischen Rat später als Arbeitsgrundlage.

Der Parlamentarische Rat

Am 1. September 1948 trat in Bonn der Parlamentarische Rat zusammen. Ihm gehörten 65 Abgeordnete an: 19 der CDU, 8 der CSU, 27 der SPD, 5 der FDP und je 2 von KPD, DP und Zentrum. Anwesend waren außerdem fünf Abgeordnete aus Berlin, die jedoch nur beratendes Stimmrecht besaßen. Zum Präsidenten des Parlamentarischen Rates wurde Konrad Adenauer gewählt, den Vorsitz des Hauptausschusses übernahm Carlo Schmid (SPD).

Das Grundgesetz: Lehren aus Weimar

Die Abgeordneten, die eine detaillierte Verfassungsgrundlage für den provisorischen westdeutschen Teilstaat erarbeiten sollten, orientierten sich in vielen Punkten an den Überlegungen des Herrenchiemseer Verfassungskonvents. Einig waren sie sich darin, dass das Grundgesetz nicht die Schwächen der Weimarer Verfassung wiederholen dürfe. Deshalb wurde die politische Macht des Reichspräsidenten auf den Bundeskanzler und den Bundestag verteilt. Der Bundespräsident sollte im Wesentlichen repräsentative Aufgaben wahrnehmen. Die Stellung des Kanzlers wurde gestärkt. Er bestimmt die Richtlinien der Politik und ist vom Vertrauen der Mehrheit der Abgeordneten, nicht des Präsidenten abhängig. Neu geschaffen wurde das Instrument des konstruktiven Misstrauensvotums. Dieses regelt, dass die Abwahl eines Kanzlers nur bei gleichzeitiger Wahl eines neuen Kanzlers möglich ist. Damit sollten politische Führungskrisen vermieden werden. Das Bundes-

M 2 Unterzeichnung des Grundgesetzes
Der Bürgermeister von Westberlin Ernst Reuter unterzeichnet am 23. Mai 1949 in Bonn das Grundgesetz. Am rechten Bildrand ist Theodor Heuss, der erste Bundespräsident der BRD, zu sehen, hinter und neben ihm sitzen alle wichtigen Politiker Westdeutschlands.

verfassungsgericht wurde als neues Organ geschaffen. Seine Aufgabe ist es, darüber zu wachen, dass sich alle Gesetze und politischen Entscheidungen mit dem Grundgesetz in Einklang befinden.

Außerdem wurde das Grundgesetz so angelegt, dass es die Errichtung einer Diktatur verhindern, einen Handlungsspielraum zur Selbstbehauptung gegen die Besatzungsmächte bieten und den Ausbau eines sozialen Rechtsstaats gewährleisten könne. Die Deutsche Frage, das heißt die Wiedervereinigung Deutschlands, blieb ein in den Artikeln 23 und 146 anzustrebendes Ziel.

Nach langen, oft kontrovers geführten Debatten, stimmten am 8. Mai 1949 53 der 65 Abgeordneten für den Entwurf des Grundgesetzes. Dagegen stimmten sechs der acht CSU-Abgeordneten sowie die Abgeordneten der KPD, der DP und des Zentrums. Mit Ausnahme Bayerns, dem die neue Staatsordnung zu wenig föderalistisch war, stimmten die Landtage aller westdeutschen Länder dem Grundgesetz zu. Die drei Militärgouverneure genehmigten das Grundgesetz am 12. Mai, am 23. Mai 1949 wurde es in einer feierlichen Plenarsitzung des Parlamentarischen Rates verkündet und trat am folgenden Tag in Kraft. Am 14. August 1949 fand die Wahl zum ersten Deutschen Bundestag statt.

Die Gründung der Bundesrepublik Deutschland

Die Gründung der DDR erfolgte einige Monate nach der Gründung der Bundesrepublik Deutschland. Dies sollte den Anschein erwecken, als hätte der Westen das Auseinanderbrechen der deutschen Besatzungszonen zementiert und die sowjetische Militärverwaltung würde nur darauf reagieren. In Wirklichkeit hatte man sich in der SBZ schon seit 1946 Gedanken über eine Verfassung gemacht, auch die ökonomischen (Enteignungen) und politischen (kommunistische Umgestaltung) Voraussetzungen waren schon geschaffen.

Schon im Dezember 1947 initiierte die SED einen Volkskongress, der angeblich die Einheit Deutschlands und den Abschluss eines Friedensvertrags, in Wirklichkeit aber die Gründung eines ostdeutschen Teilstaates vorbereiten sollte. Ein zweiter Volkskongress wählte im Frühjahr 1948 einen ständigen deutschen Volksrat, der eine Verfassung beraten und beschließen sollte. Schon im Oktober 1948 legte dieser einen Verfassungsentwurf vor, der auf den Vorstellungen der SED von 1946 basierte. Ein nach einer Einheitsliste gewählter 3. Volkskongress bestätigte den Verfassungsentwurf im Mai 1949.

Aus taktischen Gesichtspunkten wurde dann die Gründung der Bundesrepublik Deutschland abgewartet, bevor am 7. Oktober 1949 die Verfassung in Kraft gesetzt wurde. Der 2. Deutsche Volksrat erklärte sich selbst zur provisorischen Volkskammer, Otto Grotewohl (SED, früher SPD) wurde zum Ministerpräsidenten, Wilhelm Pieck (SED, früher KPD) zum Staatspräsidenten gewählt. 34 Abgeordnete aus den fünf Landtagen in der SBZ bildeten die Länderkammer.

Die Gründung der DDR

Die Deutsche Frage

Unter der Deutschen Frage versteht man die ungelöste nationale Frage, die durch die Teilung Deutschlands nach 1945 als Folge des Zweiten Weltkriegs und des Kalten Kriegs entstanden ist. Die Politik aller Bundesregierungen war bis 1990 darauf ausgerichtet, die Deutsche Frage offen zu halten und damit die Einheit Deutschlands wiederherzustellen. Das Vorgehen war jedoch unterschiedlich: Nach der Gründung der Bundesrepublik Deutschland wurde diese von den westdeutschen Politikern als einzig legitime Vertreterin aller Deutschen gesehen. Erst 1972 unter der sozialliberalen Regierung wurde die Existenz der DDR anerkannt. Durch die Wiedervereinigung am 3. Oktober 1990 wurde die Deutsche Frage gelöst.

M 3 Provisorium Bundesrepublik

Der Staatsrechtler Carlo Schmid (SPD), führender Kopf bei den Verfassungsberatungen, schreibt 1979 :
Ich warnte davor, sich so zu verhalten, als seien wir es, die zu verantworten haben, was die Alliierten in London über Deutschland beschlossen hatten. Ihre Entscheidung sei Ausdruck ihrer politischen Interessen,
5 und diese seien nicht unbedingt mit den Interessen unseres Volkes identisch. Das deutsche Volk aller Besatzungszonen habe den Willen, in Einigkeit, Recht und Freiheit in einem gemeinsamen Hause zu leben. Werde im Westen Deutschlands ein Staat geschaffen,
10 dann werde die östliche Besatzungsmacht als Gegenmaßnahme einen ostdeutschen Staat ins Leben rufen. (...) Auf jeden Fall aber müsse, was immer wir schaffen, den Charakter eines Provisoriums haben, das nur so lange in Geltung bleiben solle, als nicht das ganze Volk
15 die Möglichkeit habe, gemeinsam den Staat aller Deutschen zu errichten. Heute können wir kein endgültiges „Deutsches Haus" bauen, sondern nur ein Notdach, das uns für die Zeit des Übergangs Schutz gewährt.

C. Schmid: Erinnerungen. Bern 1979, S. 327 ff.

M 4 Bayerns „Nein" zum Grundgesetz

Am 2. Juli 1949 begründete Ministerpräsident Ehard (CSU) die Ablehnung des Grundgesetzes:
Die Mehrheit der bayerischen Volksvertretung folgte unserem Rate zum Nein, das wir für notwendig hielten, damit Bayern im kommenden Bunde die Sache des Föderalismus mit freien Händen vertreten kann. Wir
5 erläuterten unser Nein offen und freimütig vor der ganzen Welt dahin, dass wir trotz dieses Neins uns zugehörig zu dem Ganzen betrachten, das durch die Bundesverfassung als der Anfang eines deutschen Bundesstaates nun einmal zustande gekommen ist, ob
10 man in Bayern ja oder nein dazu sagt. Ich glaube, dass das eine sehr zielklare, konsequente und ehrliche Politik war, die der bayerischen und der deutschen Lage gerecht wird.

H. Ehard: Bayerische Politik. Hrsg. v. K. Schwend, München 1952, S. 51.

M 5 Konrad Adenauer

– geboren am 5. Januar 1876 in Köln
– Abitur, Jurastudium
– ab 1917 Oberbürgermeister von Köln (1933 durch die Nationalsozialisten abgesetzt)
– unter den Nationalsozialisten wegen seiner Gegnerschaft zum Regime mehrfach verhaftet
– 1945 Einsetzung als Kölner Oberbürgermeister durch die Amerikaner, von den Briten abgesetzt
– 1. Vorsitzender der CDU in der britischen Zone (nach 1946)
– 1. Bundeskanzler der Bundesrepublik Deutschland (1949–1963)
– gestorben am 19. April 1967

Fragen und Anregungen

❶ Beschreibe die Abbildung M2 genau und gehe dabei auf die dem Bild innewohnende Symbolik ein.

❷ Mit welchen Argumenten spricht sich der Staatsrechtler Carlo Schmid für das „Grundgesetz" aus? (M3) Worin lagen die Bedenken Bayerns, diesem zuzustimmen? (M4)

❸ Diskutiert, welche Haltung die Politiker in der SBZ zur westdeutschen Staatsgründung einnahmen und wie sich das auswirkte. (VT)

❹ Liste in Form einer Tabelle den Weg zur Gründung der Bundesrepublik Deutschland auf. (VT)

❺ Welche politische Rolle hatte Konrad Adenauer in den Jahren nach dem Zweiten Weltkrieg inne? Wie ist diese zu erklären? (VT, M5)

11. Das politische und wirtschaftliche System der Bundesrepublik Deutschland und der DDR

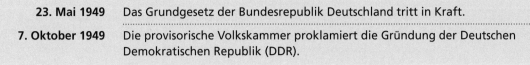

23. Mai 1949	Das Grundgesetz der Bundesrepublik Deutschland tritt in Kraft.
7. Oktober 1949	Die provisorische Volkskammer proklamiert die Gründung der Deutschen Demokratischen Republik (DDR).

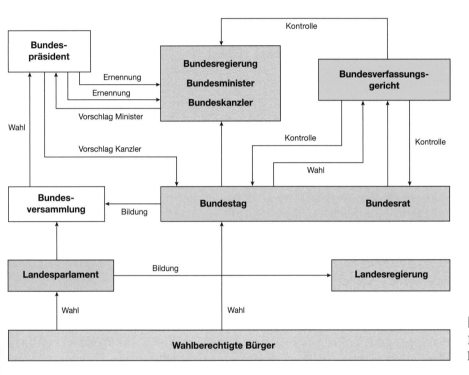

M 1 Verfassung der Bundesrepublik Deutschland (1949–1990)

Grundlagen der Verfassung

Das Grundgesetz der Bundesrepublik Deutschland berücksichtigt moderne staatspolitische Vorstellungen wie die Gewaltenteilung. Auch die Menschenrechte wurden als Grundrechte in der Verfassung verankert. Anders als in der Weimarer Republik sind sie zu unveränderbaren Rechten aufgewertet, sie wurden damit bindendes Recht und sind dem Zugriff des Präsidenten und anderer Verfassungsorgane entzogen. Der Begriff „Bundesrepublik" weist darauf hin, dass es sich bei dem 1949 gegründeten deutschen Weststaat um einen Bundesstaat handelt, der in einzelne Länder gegliedert ist. Sowohl dem Bundesstaat als auch den Ländern fallen klar definierte Aufgaben zu: Die Bundesregierung entscheidet z. B. über die Außenpolitik und die Landesverteidigung, die Länder bestimmen die Bildungspolitik. Innen- und Finanzpolitik regeln die Länderregierungen und die Bundesregierung gemeinsam. Von diesem föderalistischen System versprach man sich eine Verlagerung der Macht auf verschiedene Ebenen und Gremien. Dies war den „Vätern" der Verfassung ganz wichtig, da sie nach den Erfahrungen mit dem Nationalsozialismus vermeiden wollten, dass noch einmal eine Partei uneingeschränkt herrschen kann.

Schutz der Verfassung

Bei den Verfassungsberatungen hatte man sich bemüht, die Schwächen der Weimarer Verfassung zu beseitigen und das Grundgesetz vor dem Zugriff von Verfassungsfeinden zu schützen. Die politische Macht wurde deshalb auf mehrere Institutionen verteilt. Elemente direkter Demokratie wie Volksbegehren und Volksentscheid gibt es nur in manchen Ländern (z. B. in Bayern bis 1998), aber nicht auf Bundesebene. Dahinter stand die Befürchtung, sie könnten – ähnlich wie in Weimar – zu politischer Agitation gegen den Staat missbraucht werden. Um mit dem Grundgesetz eine „wehrhafte Demokratie" zu sichern, wurden grundlegende, unabänderliche Bestimmungen aufgenommen. Dieser Verfassungskern, die sogenannte „freiheitlich-demokratische Grundordnung", ist in Artikel 20 festgeschrieben.

Die Maßnahmen zum Schutz der Verfassung erklären die politische Stabilität der Bundesrepublik Deutschland.

Die Entwicklung im Westen: Wirtschaftswunder und ...

Die 50er-Jahre brachten der Bundesrepublik Deutschland innenpolitische Stabilität; das lag vor allem an der von Wirtschaftsminister Ludwig Erhard (CDU) gesteuerten Wirtschafts- und Sozialpolitik. Erhards Konzept der sozialen Marktwirtschaft versuchte die liberalen Ideen des freien Wettbewerbs und des Privateigentums mit den Vorgaben des Sozialstaates zu vereinen. Dies gelang so gut, dass man bald vom deutschen Wirtschaftswunder sprach. Die Gründe für dieses „Wirtschaftswunder" waren:
– Aufgrund der guten Ausbildung der Arbeiter hatten die produzierten Güter eine hohe Qualität.
– Durch den Zustrom aus der DDR kamen hoch qualifizierte, leistungsbereite Arbeitnehmer in die Bundesrepublik Deutschland.
– Die Löhne blieben bis 1955 auf einem unverändert niedrigen Lohnniveau. Deutsche Produkte waren damit auf dem Weltmarkt konkurrenzfähig.
– Die deutsche Wirtschaft wurde von außen angekurbelt (Marshallplanhilfe) und erhielt steuerliche Erleichterungen.
– Die Weltwirtschaft entwickelte sich in den 50er-Jahren im Allgemeinen günstig. So kam es, dass im Jahr 1958 Vollbeschäftigung herrschte. Die Wahlkampfparole der CDU/CSU „Wohlstand für alle" war zwar hoch gegriffen, doch standen Ende der 50er-Jahre ausreichend Wohnungen zur Verfügung, die Menschen konnten ihre Konsumwünsche befriedigen, Urlaub und Urlaubsreisen waren üblich geworden und die Fünf-Tage- bzw. 40-Stunden-Woche begann sich durchzusetzen. Zudem war die Eingliederung der Vertriebenen aus den deutschen Ostgebieten gelungen.

... Aufbau des Sozialstaats

Die gute Konjunktur und die schnell wachsende Wirtschaft machten es möglich, dass die Regierung und das Parlament den Sozialstaatsgedanken des Grundgesetzes [Art. 20(1)] in praktische Politik umsetzen und ein dichtes „soziales Netz" knüpfen konnten. Im Lastenausgleichsgesetz von 1952 wurde geregelt, dass die Bevölkerungsgruppen, die durch den Zweiten Weltkrieg besonders große Schäden an Hab und Gut erlitten hatten, von der Gemeinschaft einen Ausgleich erhalten sollten. Die finanziellen Mittel dafür erhob der Staat von denen, die von den Kriegsereignissen weniger betroffen waren. Auch die Rentner wurden am wachsenden Lebensstandard beteiligt: Die „dynamische Rente", die 1957 eingeführt wurde, koppelte die Rente an den Bruttoarbeitslohn. Gab es für die Erwerbstätigen Lohnerhöhungen, wurden diese prozentual für die Rentner übernommen. Das Betriebsverfassungsgesetz von 1952 legte fest, dass in Betrieben des Bergbaus und der eisen- und stahlerzeugenden Industrie Arbeitnehmer und Aktionäre zu gleichen Teilen in der Betriebsführung vertreten sein sollten.

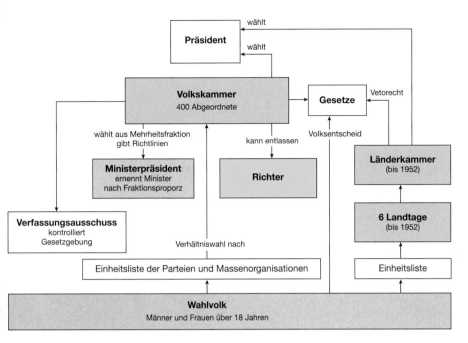

Flussdiagramm "Verfassung der DDR (1949–1968)":

- **Präsident** — wählt (von Volkskammer)
- **Volkskammer** 400 Abgeordnete
- **Gesetze** — Vetorecht
- wählt aus Mehrheitsfraktion / gibt Richtlinien
- kann entlassen
- Volksentscheid
- **Ministerpräsident** ernennt Minister nach Fraktionsproporz
- **Richter**
- **Länderkammer** (bis 1952)
- **Verfassungsausschuss** kontrolliert Gesetzgebung
- Verhältniswahl nach
- **6 Landtage** (bis 1952)
- **Einheitsliste der Parteien und Massenorganisationen**
- **Einheitsliste**
- **Wahlvolk** Männer und Frauen über 18 Jahren

M 2 Verfassung der DDR (1949–1968)

Die erste Wirtschaftskrise und Versuche zu ihrer Lösung

Als die dringendsten Konsumwünsche befriedigt waren, stockte Mitte der 60er-Jahre das Wirtschaftswachstum – die erste Rezession der Nachkriegszeit hatte die Bundesrepublik Deutschland erreicht. Viele Firmen mussten Konkurs anmelden, Arbeitnehmer wurden entlassen. Wurden 1955 noch die ersten Gastarbeiter aus Italien angeworben, stieg die Zahl der Arbeitslosen im Jahr 1966 auf fast 650 000. Da sich die Wirtschaft nicht erholte, reagierte die Politik: Eine Große Koalition aus CDU/CSU und SPD unter Bundeskanzler Kurt Georg Kiesinger trat an, die Probleme zu lösen. Schon 1967 wurde das Stabilitätsgesetz verabschiedet, das die öffentlichen Haushalte auf die Ziele des „magischen Vierecks" verpflichtete: Vollbeschäftigung, Geldwertstabilität, außenwirtschaftliches Gleichgewicht und Wirtschaftswachstum waren die Punkte, die von der Politik gleichermaßen angestrebt werden sollten. Damit und mit dem Instrument der antizyklischen Wirtschaftspolitik (der Staat kurbelt durch gezielte Förderprogramme die lahmende Wirtschaft in Krisenzeiten an) gelang es, die erste Wirtschaftskrise zu überwinden.

Die Verfassung der DDR von 1949

Die Verfassung der DDR von 1949 war in vielen Aspekten an die Weimarer Reichsverfassung angelehnt. Anders als in der Bundesrepublik gab es aber keine Gewaltenteilung. So war die Volkskammer der DDR als das höchste Verfassungsorgan sowohl mit Gesetzgebungs- als auch mit Regierungsfunktionen ausgestattet. Es gab auch eine Reihe von Bestimmungen, die der DDR einen demokratischen Anstrich verliehen; z. B. war die Wahl zur Volkskammer als „allgemein, gleich, unmittelbar und geheim" beschrieben. Auch von Rede-, Versammlungs- und Pressefreiheit war die Rede. Mit Hilfe anderer Verfassungsartikel konnten diese jedoch außer Kraft gesetzt werden. Grundsätzlich waren die Verhältnisse in der DDR nicht durch die Verfassung, sondern durch Entscheidungen der SED und das Spitzelwesen des „Ministeriums für Staatssicherheit", im Volksmund „Stasi" genannt, bestimmt.

Wahlrecht – Wahlzwang

Während man in der Bundesrepublik Deutschland auf Parteienpluralismus setzte, gab es in der DDR ein Blocksystem. D. h., die Parteien und ihre Vertreter konnten nicht individuell gewählt werden, sondern die Wahlzettel fassten alle Parteien zu einem Block zusammen, für den man stimmen konnte. War man mit der Vorschlagsliste nicht einverstanden, blieb als einzige Alternative, nicht zur Wahl zu gehen. Da die Teilnahme an der Wahl kontrollierbar war, wurde ein Fernbleiben als Ablehnung des gesamten politischen Systems gedeutet. DDR-Bürger, die sich an den Wahlen nicht beteiligten, hatten deshalb oft mit staatlichen Repressalien zu rechnen.

Planwirtschaft

Wie sehr die DDR von der Sowjetunion abhängig war, zeigt sich vor allem in der Wirtschaftspolitik. 1950 trat die DDR dem „Rat für Gegenseitige Wirtschaftshilfe" (RGW/COMECON) – dem Gegenstück zum westlichen „European Recovery Program" (ERP) – bei. Die DDR-Wirtschaft wurde damit abhängig von den Vorgaben Moskaus. Der „Aufbau des Sozialismus" nach sowjetischem Vorbild wurde in der DDR ab 1951 mit der Losung „Von der Sowjetunion lernen, heißt siegen lernen" populär gemacht.

VEB und LPGs

Die meisten Industrie- und Handwerksbetriebe wurden verstaatlicht und zu so genannten „Volkseigenen Betrieben" (VEB) umgewandelt. Sie entwickelten sich bald zu einem wichtigen Faktor im wirtschaftlichen Leben der DDR. Doch auch private Betriebe – im Einzelhandel und im Handwerk – gab es noch. In der Landwirtschaft wurden die Menschen gezwungen, sich zur Erhöhung der Produktivität zu „Landwirtschaftlichen Produktionsgenossenschaften" (LPGs) zusammenzuschließen. Land und Vieh, Gebäude und Geräte sollten nach den Anweisungen staatlicher Stellen gemeinsam genutzt werden. Die Güterproduktion wurde von der Regierung zentral geplant und durch Fünfjahrespläne gelenkt. Das Hauptgewicht lag auf der Schwerindustrie, der chemischen Industrie und der Energiegewinnung – die Konsumbedürfnisse der Bevölkerung wurden dabei nicht berücksichtigt. Güter des täglichen Lebens blieben knapp. So blieb der Lebensstandard trotz hoher Arbeitsleistungen deutlich niedriger als in der Bundesrepublik.

M 3

	Grundgesetz der Bundesrepublik Deutschland (1949)	Verfassung der DDR (1949)
Staatsoberhaupt		
Regierung		
Ländervertretung	Bundesrat, bestehend aus Mitgliedern der Länderregierungen. Mitbestimmung bei der Gesetzgebung ...	
Volksvertretung		Volkskammer, Abgeordnete werden vom Volk aus einer Einheitsliste gewählt. Beschluss der Gesetze ...
Wahlberechtigte Bürger		
Wirtschaftsform		

M 4 Die freiheitlich-demokratische Grundordnung

In unserer Verfassung wird zweimal der Begriff *freiheitliche demokratische Grundordnung* verwendet [Art. 18, Art. 21 (2) GG]. Damit ist die demokratische Ordnung in Deutschland gemeint, in der demokratische Prinzipien [Art. 20 GG] und oberste Grundwerte gelten, die unantastbar sind. Allen voran gehört dazu die Würde des einzelnen Menschen [Art. 1 GG]. In der deutschen Demokratie herrschen Freiheit und Gleichheit vor dem Gesetz. Eine Diktatur ist ausgeschlossen. In regelmäßigen allgemeinen Wahlen bestimmt das Volk selbst, wer es regieren soll. Dabei hat es die Auswahl zwischen konkurrierenden Parteien. Wer die Mehrheit der Wählerstimmen erhält, regiert anschließend – aber immer nur für einen bestimmten Zeitraum. Denn Demokratie ist nur *Herrschaft auf Frist*. Eine Partei, die einmal am Ruder ist, muss auch wieder abgewählt werden können. Als grundlegende Prinzipien der freiheitlichen demokratischen Grundordnung hat das Bundesverfassungsgericht genannt:

– Achtung vor den im Grundgesetz konkretisierten Menschenrechten, vor allem vor dem Recht der Persönlichkeit auf Leben und freie Entfaltung,
– die Volkssouveränität,
– die Gewaltenteilung,
– die Verantwortlichkeit der Regierung,
– die Gesetzmäßigkeit der Verwaltung,
– die Unabhängigkeit der Gerichte,
– das Mehrparteienprinzip und
– die Chancengleichheit für alle politischen Parteien mit dem Recht auf verfassungsmäßige Ausübung einer Opposition.

E. Thurich: Pocket Politik. Demokratie in Deutschland. Bundeszentrale für politische Bildung. Bonn 2003, S. 76 f.

M 5 Die antifaschistisch-demokratische Grundordnung der DDR

Aus einer Rede von Walter Ulbricht im Januar 1949:
Wir haben uns bereits seit 1945 bemüht, gemeinsam mit den anderen Parteien und Massenorganisationen des antifaschistisch-demokratischen Blocks die Grundlage für eine solche friedliche, demokratische Entwicklung zu schaffen. (...) Es handelt sich um eine anti- 5 faschistisch-demokratische Ordnung, das heißt: Die faschistischen Kriegsverbrecher und Kriegsinteressenten wurden entmachtet; es wurden bedeutende strukturelle Veränderungen in Staat und Wirtschaft durchgeführt. Es erfolgte eine demokratische Umwälzung in 10 der sowjetischen Besatzungszone Deutschlands. Durch die Enteignung der Kriegsverbrecher gingen die Schlüsselstellungen in der Wirtschaft in die Hände des Volkes über. (...) Es genügt nicht mehr, von der führenden Rolle der Arbeiterklasse zu reden. Es ist vielmehr 15 notwendig, dass sich die Arbeiterklasse täglich ihre führende Rolle erwirbt, (...) indem sie unter der Führung ihrer Partei, der Sozialistischen Einheitspartei, (...) eine breite Bewegung für den demokratischen Aufbau entfaltet. 20

Nach: W. Ripper (Hrsg.): Weltgeschichte im Aufriss. Deutschland im Spannungsfeld der Siegermächte. Frankfurt a. M. 1982, S. 277 f.

M 6 Konrad Adenauer (re.) bei der Vorstellung seines Kabinetts vor den hohen Kommissaren (li.), 21. 9. 1949
Demonstrativ betritt er den Teppich, der eigentlich den Besatzungsmächten vorbehalten war.

Fragen und Anregungen

1 Vergleiche die Verfassung und das wirtschaftliche System der Bundesrepublik Deutschland und der DDR. Übertrage dazu die Tabelle von S. 126 in dein Heft und ergänze sie mit Hilfe von M1, M2 und dem Verfassertext. Welche Gemeinsamkeiten, welche Unterschiede kannst du feststellen?

2 Auf welchen Aspekten basiert die freiheitlich-demokratische Grundordnung? (VT, M4)? Wofür erscheint dir diese auch heute noch wichtig?

3 Lege dar, auf welche Prinzipien und Wertvorstellungen sich die DDR gründet. (VT, M5)

12. Nachkriegszeit: Leben im Westen und im Osten Deutschlands

M 1 Plakat aus dem Jahr 1945

Der Krieg wirkt noch lange nach in ganz Deutschland. Millionen von Menschen sind noch lange unmittelbar betroffen: Menschen, die durch den Luftkrieg alles verloren haben, die vielen Flüchtlinge und Vertriebenen. Und doch glauben die Menschen fest an ein besseres Morgen. Im Zeichen des Kalten Krieges verändert sich Deutschland. Im Westen anders als im Osten.

Durch die Strassen Bettlern gleich, Ziehn wir dank dem NAZI-Reich

Demokratie und wirtschaftlicher Erfolg im Westen

Durch die Einbindung in den Westen wurde das Leben in der Bundesrepublik immer mehr durch die Abkehr von der nationalsozialistischen Ideologie der Volksgemeinschaft geprägt. Die Familie zählte wieder als wichtigster Baustein der Gesellschaft, die Bürgerrechte des Individuums und die Prinzipien der parlamentarischen Demokratie fanden immer breitere Anerkennung. Meinungsumfragen nach dem Kriege zeigten allerdings, dass die überwiegende Mehrheit der Bundesbürger die Zeit des Nationalsozialismus eher verdrängte als sich mit ihr bewusst auseinanderzusetzen und sich so rasch mit dem neuen Staat und der Demokratie identifizierte. Ausschlaggebend dafür war auch der erstaunliche wirtschaftliche Aufstieg. Die Modernisierung des Lebens machte große Fortschritte: Es gab bald bessere und größere Wohnungen, Straßenbau, Motorisierung und damit Mobilität, vielfältige Freizeitgestaltung. Gestärkt wurden das eigene Selbstbewusstsein und die Gewissheit, auf dem richtigen Weg zu sein, durch den Blick nach Osten: in den Ostsektor Berlins und in die DDR.

Unzufriedenheit und Unterdrückung im Osten

Im Ostsektor Berlins und in der DDR baute die sowjetische Besatzungsmacht einen sozialistischen Staat unter der Führung der SED auf und überließ zunächst die dortige Wirtschaft sich selbst, ja schwächte sie erheblich, indem zunächst noch Reparationen eingefordert wurden: Ganze Fabrikanlagen und Eisenbahnlinien wurden abgebaut und in die Sowjetunion transportiert. „Die Partei, die hat immer recht …“, dieser Refrain aus einem Parteitagslied der SED von 1950 galt in der DDR auch für die folgenden Jahrzehnte. Kritik am sozialistischen Staat wurde zur „staatsfeindlichen Hetze“ erklärt, für die Zuchthausstrafen bis zu acht Jahren festgelegt wurden. Zuständig für die Verfolgung von Oppositionellen und die Bespitzelung der Bürger insgesamt war das „Ministerium für Staatssicherheit“ im Volksmund „Stasi“, „Firma“ oder „VEB (Volkseigener Betrieb) Guck, Horch und Greif“ genannt.

Diesem Anpassungsdruck entzogen sich viele Bürger der DDR und Ostberlins durch den Rückzug ins Private. Jugendliche und Erwachsene schufen sich „private Nischen", in denen sie von Politik und Staat unbehelligt bleiben wollten.

Der führende SED-Politiker Erich Honecker wollte durch wirtschaftliche Fortschritte bei der Bevölkerung mehr Zustimmung für den Staat DDR gewinnen. Der Wohnungsneubau wurde verstärkt, die Mieten blieben sehr niedrig. Betriebs- und Schulküchen übernahmen die Essenversorgung am Arbeitsplatz und beim ganztägigen Schulbesuch. Die Kleinkinder wurden in Kinderkrippen betreut, so dass über 90 Prozent der Frauen berufstätig sein konnten. Wenn auch die Preise für Grundnahrungsmittel niedrig gehalten wurden, so blieb der Einkauf doch mit Schwierigkeiten verbunden: lange Schlangen vor den Geschäften, Versorgungslücken bei vielen Produkten und oft schlechte Qualität. Die wachsende Ausstattung der Haushalte z. B. mit Fernsehgeräten und Waschmaschinen änderte wenig an der Unzufriedenheit der Bürger. Sie verglichen ihre Lebensbedingungen nicht mit dem Leben in den anderen Ostblockstaaten, sondern mit der Bundesrepublik, deren Wohlstand viele über das Westfernsehen kannten. Hinzu kamen die wachsende Abgrenzung gegenüber dem Westen und die ständige Erfahrung des Eingesperrtseins, der Bevormundung, der Unterdrückung.

Amerikanisierung und neue Lebensqualität in der Bundesrepublik

Die enge Anlehnung der Bundesrepublik an den Westen führte zu einer wachsenden Orientierung an den USA. Dies zeigte sich im Alltag an neuen Konsumwünschen, die vom Kaugummi bis zur Coca-Cola, vom Western im Kino bis zur Jazzmusik, zum Rock n' Roll und weiteren modernen Musikrichtungen reichten. Dies galt aber auch für Idole aus dem Bereich des Films wie James Dean und Marilyn Monroe oder in der Politik wie John F. Kennedy und Martin Luther King. Der Einfluss der USA wurde seit den 50er-Jahren darüber hinaus in der Sprache, der Kunst, der Werbung und vielen anderen Bereichen des alltäglichen Lebens spürbar. Diese „Amerikanisierung" hielt auf vielen Gebieten (Konsum, Mode, Musik u. a.) auch noch an, als die USA in den zu Ende gehenden 60er-Jahren ihre Funktion als Vorbild zu verlieren begannen und heftig kritisiert wurden. Zu diesem Wandel kam es unter anderem durch Fernsehberichte über die amerikanische Kriegsführung in Vietnam.

Einen zunehmenden Stellenwert bekam für den Einzelnen, wie auch für die Familie, die Freizeitgestaltung. In den 50er-Jahren hieß Freizeit noch Familienzeit, d. h. gemeinsame Spiele, Spaziergänge oder Ausflüge ins Grüne. Durch die Verkürzung der Arbeitszeit, durch die Motorisierung und durch zeitsparende Technik im Haushalt ergaben sich dann vielfältige neue Möglichkeiten der Gestaltung der täglichen Freizeit oder der jährlichen Urlaubszeit. Das reichte vom geselligen Freizeit- und Fitnesssport bis zur Reise in andere Länder. Die Bundesbürger suchten die Verwirklichung ihrer Lebenswünsche nicht nur im beruflichen Aufstieg, sondern zunehmend auch in einer außerberuflichen Lebensqualität.

M 2 Offene Grenzen für Bürger der BRD
Millionen Westdeutsche gingen jedes Jahr auf Reisen, vor allem in den warmen Süden.

M 3 Im Westen Deutschlands

Der VW-Käfer (1) wurde zum Symbol des wirtschaftlichen Aufschwungs.

Große Kaufhäuser nach amerikanischem Vorbild (2) trugen erheblich zur Entwicklung der „Konsumgesellschaft" bei. Es entstand eine eigene Jugendkultur, vor allem in der Mode und in der Musik (3).

M 4 Im Osten Deutschlands

Der Staat organisierte auch teilweise die Freizeit von klein auf. So gehörten 90 % der Schüler der Klassen 1–8 zu den „Jungen Pionieren" (4), anschließend zur „Freien Deutschen Jugend (FDJ)".

Zum Alltag im Osten Deutschlands gehörten die langen Schlangen vor den Geschäften (5), wenn gerade eine Versorgungslücke vorübergehend geschlossen war, und die verfallenden Fassaden vieler Wohnhäuser (6).

Bediene Dich selbst

M 5 Konsumgesellschaft Bundesrepublik
Ein Selbstbedienungsladen nach amerikanischem Vorbild

M 6 Wandel des Lebensgefühls in der Bundesrepublik

Frage: „Wann in diesem Jahrhundert ist es Ihrem Gefühl nach Deutschland am besten gegangen?"

	Oktober 1951	Juni 1959	Ende 1963
In der Gegenwart	2 %	42 %	62 %
Zwischen 1933 und 1939	42 %	18 %	11 %
Weimarer Republik	7 %	4 %	5 %
Vor 1914, im Kaiserreich	45 %	28 %	16 %
Weiß nicht	4 %	8 %	6 %

E. Noelle-Neumann: Umfragen in der Massengesellschaft. Reinbek 1965.

M 7 Daten zur wirtschaftlichen Entwicklung in der Bundesrepublik

Bestand an Wohnungen je 1000 Einwohner	1949 204	1974 375	
Durchschnittsverdienste aller Arbeitnehmer pro Monat	1949 260 DM	1964 532 DM	
Haushaltsausgaben pro Monat 4-Personen-Haushalt	1949 206 DM	1966 926 DM	
durchschnittliche Arbeitszeit pro Woche	1955 47,1 Std.	1960 44,1 Std.	
Arbeitslosenquote	1950 11 %	1960 1,3 %	1970 0,7 %

M 8 Bespitzelung eines Schriftstellers

Erich Loest, geb. 1926 in Mittweida/Sachsen, war als junger Journalist und Schriftsteller Mitglied der SED. Damals war er überzeugt von den Idealen des Kommunismus. Seine Kritik an der offiziellen Darstellung des Aufstandes vom 17. Juni 1953 führte zum Bruch mit dem SED-Staat. Als Kritiker wurde er wegen „konterrevolutionärer Umtriebe" für sieben Jahre (1958–1964) in das Gefängnis Bautzen in Sachsen eingesperrt. Auch nach der Entlassung wurde Loest in seinem Wohnort Leipzig von der Stasi bespitzelt. Seine Jugend- und Hafterfahrungen verarbeitete er in zahlreichen Werken. 1981 konnte er mit einem Visum in den Westen ausreisen, wo er seither lebt und arbeitet. Später erhielt er Einblick in seine „Stasi-Akte", die seine Bespitzelung dokumentiert. Die Süddeutsche Zeitung berichtete darüber:

Doch jetzt geht die Sache Erich Loest wieder und wieder durch den Kopf wie er sich jahrelang im Fadenkreuz der Stasi bewegt hat: wie er mittels Wanzen in seiner Wohnung abgehorcht wurde; wie ihn Stasi-Observierer auf Schritt und Tritt verfolgten, wie man 5 durch die Anzettelung von Intrigen seine schriftstellerische Arbeit kaputtzumachen versuchte; wie ein halbes Dutzend oder mehr Spitzel mobilisiert wurden, um seiner Gedanken habhaft zu werden. Und auch, wie man seine Familie zu ‚zersetzen' versuchte, indem 10 man über die Kinder Loests umfassende ‚Aufklärungsmaßnahmen' einleitete.

Ein Berichtstag, eher wahllos herausgriffen: der 29. Januar 1980. Es war ein Tag, an dem Erich Loest beschloss, den zum bloßen Instrument des Regimes ver 15 kommenen Schriftstellerverband der DDR zu verlassen. Er tippte einen einzigen Satz: „Hiermit trete ich aus dem Schriftstellerverband der DDR aus." Und die Wanzen vom Runden Eck (Stasi-Quartier in Leipzig) hielten fest: „Gegen 7:00 Uhr schreibt L. auf seiner Schreib- 20 maschine (etwa 1:10 Minuten). Dieses Schriftstück wird neu in die Maschine eingespannt und wieder ausgespannt. Auf Grund der Handhabung der Maschine ist vermutlich ein kurzes Schreiben verfasst worden. Anschließend hantiert L. im Wohnzimmer. Ab 7.50 Uhr ist 25 Ruhe im Objekt".

Süddeutsche Zeitung vom 3./4. November 1990, S. 3

Fragen und Anregungen

❶ Erläutere die wirtschaftliche Entwicklung in der Bundesrepublik und die Folgen für den Alltag. (M1, M2 und M6, M7)

❷ Stelle ausgehend von M3 Beispiele zur „Amerikanisierung" im Westen zusammen.

❸ Beschreibe den Einfluss der SED auf Staat und Gesellschaft in der DDR. (VT, M4, M8)

❹ Licht und Schatten im Alltag der DDR. Erläutere diese Feststellung. (VT und M4)

Recherchieren in Bibliotheken

Obwohl das Internet heute zu fast jedem Thema eine Vielzahl von Informationen bietet, kommt man – zumindest wenn man sich genauer mit einem Thema befassen will – meist nicht um den Besuch einer wissenschaftlichen Bibliothek herum. Dort kann man nicht einfach an ein Regal gehen und ein Buch aussuchen, das einem gefällt, denn oft umfasst der Bestand einer großen Bibliothek mehrere hunderttausend, oft sogar einige Millionen Bände. Eine Suche am Regal wäre sehr mühsam. Oft ist ein großer Teil der Bücher auch in sogenannten Magazinen untergebracht, zu denen der Benutzer keinen Zugang hat. Er muss sich die gewünschte Literatur erst von einem Bibliotheksmitarbeiter bringen lassen.

Jedes Buch hat eine Signatur

Bei der gezielten Suche nach Büchern zu einem Thema gibt es in allen Bibliotheken Hilfsmittel. Jedes Buch hat einen bestimmten Platz im Regal, der durch eine Bibliotheksnummer, die sogenannte Signatur, festgelegt wird. Diese besteht aus einer Kombination aus Zahlen und Buchstaben und ist auf dem Buchrücken notiert. Um ein Buch in der Bibliothek zu finden, muss man also die Signatur kennen. Diese Kodes können je nach Bibliothek unterschiedlich sein. Die großen deutschen Bibliotheken haben jedoch ein recht einheitliches System zur Kennzeichnung.

Vom Zettelkasten …

Bis vor einigen Jahrzehnten wurden die Bücher in allen Bibliotheken auf Karteikarten registriert, die in Zettelkästen eingeordnet wurden. Meist gibt es eine Abteilung, in der die Bücher unter dem Namen des jeweiligen Autors oder Herausgebers alphabetisch abgelegt sind. Um ein Buch zu finden, muss man also den Namen des Autors kennen. Zusätzlich gibt es aber auch ein Schlagwort- und/oder ein Stichwortverzeichnis. Dafür wird für jedes Buch eine Anzahl an Stichwörtern (meist Bestandteile des Titels) oder Schlagwörtern (thematische Schwerpunkte des Buches) festgelegt. Für jeden dieser Begriffe gibt es Karteikarten, auf denen alle Bücher, die in der Bibliothek zu diesem Thema vorhanden sind, notiert wurden. So kann man eine thematische Suche beginnen.

… zur Onlinerecherche

In vielen Bibliotheken gibt es immer noch Zettelkästen. Manche Bibliotheken haben stattdessen einen sogenannten Mikrofiche-Katalog, der mit Hilfe eines speziellen Gerätes durchsucht werden kann. Inzwischen sind aber die meisten großen, aber auch kleineren Bibliotheken dazu übergegangen, zumindest die neuen Bestände mit Hilfe von Computerprogrammen zu katalogisieren. Das geht natürlich viel schneller als das Blättern in einem Karteikasten. Auch die Suche selbst kann effizienter gestaltet werden: Man kann nicht nur nach Autorennamen oder Schlagwörtern suchen, sondern z. B. auch nach einem ganzen Titel oder nach Erscheinungsjahren. Viele Bibliothekskataloge sind auch online zu erreichen, so dass man die Suche auch von daheim aus via Internet unternehmen kann. Über die sogenannte Fernleihe kann man Bücher aus anderen Bibliotheken bestellen. Das geht normalerweise auch von kleineren Bibliotheken, z. B. Stadtbibliotheken, aus.

Methodische Arbeitsschritte:

1. Für die Suche nach Büchern, z. B. zum Thema „Alltag in der DDR" muss man auf den Bestand einer wissenschaftlichen Bibliothek zurückgreifen. Die wichtigsten bayerischen Bibliotheken sind im sogenannten „Bibliothekenverbund Bayern" (BVB) zusammengeschlossen. Eine Liste mit Links zu ihren Online-Katalogen findest du unter http://bvba2.bib-bvb.de/bvb_biblist_sort_ger.html.

2. Bei der Online-Recherche erscheint auf dem Bildschirm deines Computers eine sogenannte „Suchmaske". Darin kannst du verschiedene Suchbegriffe eintragen. Zu Beginn ist die Suche mit Schlagworten am erfolgversprechendsten. Auf jede Eingabe hin stellt das Programm eine Liste von passenden Titeln zusammen. Ist die Liste zu umfangreich, beispielsweise wenn du das Schlagwort „DDR" eingegeben hast, musst du die Suche eingrenzen, etwa durch den Begriff „Alltag". Starte weitere Suchanfragen mit leicht veränderten Schlagworten, z. B. Deutschland 1945–1990.

3. Am Ende jeder Suche hast du eine mehr oder weniger lange Listen mit Suchergebnissen auf dem Bildschirm. Diese enthält sehr knappe Angaben zu jedem Buch. Beim Durchsehen der Listen stößt du möglicherweise auf Titel, die nicht besonders viel mit deinem Thema zu tun haben. Andererseits gibt es sicher Bücher, die zu deinem Thema passen. Bei manchen bist du vielleicht nicht ganz sicher. Über den Befehl „Volltext" bekommst du für jedes Buch ganz genaue Informationen: Name des Autors, der Titel und Untertitel, Erscheinungsjahr und -ort, Verlag und natürlich die Signatur. Durch diese Angaben kannst du noch besser entscheiden, welche Bücher für dich interessant sind. Von diesen solltest du dir Autor, Titel und Signatur notieren oder ausdrucken. Beim Durchsehen der Listen kann dich sicher auch dein Lehrer unterstützen.

4. Liegt die entsprechende Bibliothek in deiner Nähe, kannst du dir dort die ausgesuchten Bücher anschauen und evtl. auch ausleihen. Wohnst du weiter entfernt, musst du die Bücher über eine Stadtbibliothek mit Fernleihe bestellen. Auch dazu brauchst du die genauen Daten des jeweiligen Buches.

BÜCHERLISTE „Alltag in der DDR"

Lüdke, Alf (Hrsg.): Akten, Eingaben, Schaufenster – die DDR und ihre Texte, 1997, 50/NG 6970 L948

Alheit, Peter: Arbeiterleben in den 1950er-Jahren, 1990, 01/MS 6350 W488-11

Filmer, Werner: Alltag im Anderen Deutschland, 1985, 01/MS 1206 F487

Alltag in den neuen Bundesländern, 1991, 31/PC 2700 A 442(3)

Pesch, Dieter: Alltagsleben in der DDR, 1991, 52/MS 1206 P 473

Alltagssport in der DDR, 99/ZX 7254 H665

Bauernmarkt, 1987 01/GN 2164 B344

Lewin, Waldtraut: Mauersegler, 1999, 01/GN 9999 L673 M4

Fragen und Anregungen ....

❶ Die obenstehende Liste wurde von einem Schüler mit Hilfe des OPAC (= „Online Public Access Catalogue"), also der öffentlich zugängliche digitale Katalog einer Bibliothek) der Universität Augsburg zum Thema „Alltag in der DDR" zusammengestellt. Leider fehlen einige wichtige Informationen ...
Suche die entsprechende Website der Universitätsbibliothek Augsburg auf und versuche über Online-Suche die fehlenden Angaben zu vervollständigen.

❷ Der Schüler ist bei seiner Suche wenig konzentriert vorgegangen. Einige der Angaben (bei den vollständig lesbaren Titeln) sind unkorrekt, andere Bücher passen nicht zum Thema. Verbessere die falschen Angaben und stelle fest, welche Titel nicht auf die Liste gehören.

13. Die Außen- und Deutschlandpolitik der Bundesrepublik Deutschland und der DDR

17. Juni 1953	Ein Volksaufstand erschüttert das politische System der DDR.
5. Mai 1955	Die Bundesrepublik Deutschland wird Mitglied der NATO.
14. Mai 1955	Die DDR wird in den Warschauer Pakt aufgenommen.
13. August 1961	Der Bau der Berliner Mauer beginnt.

M 1 **Juni 1963: John F. Kennedy in Westberlin**

„Vor zweitausend Jahren war der stolzeste Satz, den ein Mensch sagen konnte, der: Ich bin ein Bürger Roms. Heute ist der stolzeste Satz, den jemand in der freien Welt sagen kann: Ich bin ein Berliner. (…) Sie leben auf einer verteidigten Insel der Freiheit. (…) Alle freien Menschen, wo immer sie leben mögen, sind Bürger dieser Stadt Berlin, und deshalb bin ich als freier Mann stolz darauf, sagen zu können: Ich bin ein Berliner."
Amerika Dienst, 27. Juni 1963 (gekürzt).

Westorientierung der Bundesrepublik Deutschland

Das Bestreben von Bundeskanzler Adenauer war es von Anfang an, die Anerkennung der Westmächte, vor allem der USA und Frankreichs zu erlangen. Die Bundesrepublik war bislang nur begrenzt souverän. Das Besatzungsstatut, das von Frankreich, den USA und Großbritannien verabschiedet wurde und ab dem 21. September 1949 bis zum In-Kraft-Treten der Pariser Verträge (5. Mai 1955) galt, räumte der Regierung zwar das „größtmögliche Maß an Selbstregierung" ein, sicherte den Alliierten aber bestimmte Befugnisse, z. B. die Kontrolle der Entmilitarisierung, der Innen- und Außenpolitik und der Finanzverwaltung. Die Aufnahme der Bundesrepublik in internationale Gremien wie die „Organisation für europäische wirtschaftliche Entwicklung" (OEEC) im Jahr 1949, die die Marshallplan-Gelder verteilte, oder den Europarat (1950) diente gleichermaßen ihrer Aufwertung wie auch ihrer Kontrolle. Das Ergebnis waren die formelle Beendigung des Kriegszustandes 1951 und die Möglichkeit, ein eigenes deutsches Außenministerium einzurichten.

Die Stalin-Noten

Als der Korea-Krieg die Welt in Atem hielt, wurde in Europa diskutiert, ob die Bundesrepublik wieder eine eigene Armee haben solle. Der französische Ministerpräsident René Pleven entwickelte dazu einen Plan. Auch Großbritannien und die USA waren dafür, Westdeutschland an einer europäischen Armee zu beteiligen. Dies versuchte Stalin im März 1952 zu verhindern. In mehreren Schreiben, den sogenannten Stalin-Noten, bot er Folgendes an: einen Friedensvertrag für Deutschland, die Vereinigung der beiden deutschen Staaten, freie Wahlen, die Garantie demokratischer Freiheiten und die Zustimmung zur Aufstellung nationaler Streitkräfte in Deutschland. Im Gegenzug forderte er u. a. die Neutralität Deutschlands und den Abzug aller Besatzungstruppen.

Stalins Angebot klang zwar verlockend, trotzdem wurde es von Adenauer in Abstimmung mit den Westmächten abgelehnt. Die Erfahrungen mit dem Potsdamer Abkommen hatten gezeigt, dass der Begriff „Demokratie" nicht eindeutig war, außerdem sollten die gesamtdeutschen Wahlen nicht unter Aufsicht der Vereinten Nationen stattfinden. Adenauer sah die Stalin-Noten als Störmanöver, das die Westbindung der Bundesrepublik verhindern sollte. Er fürchtete, ein neutrales Deutschland würde eine leichte Beute für eine expansive sowjetische Außenpolitik sein.

NATO-Beitritt und Wiederbewaffnung

Frankreichs Nationalversammlung lehnte die Beteiligung Deutschlands an einer europäischen Armee ebenso ab wie den Plan einer Europäischen Verteidigungsgemeinschaft (EVG). Daraufhin trat die Bundesrepublik Deutschland der Westeuropäischen Union (WEU) und 1955 der NATO (North Atlantic Treaty Organization) bei. Damit wurde auch das Besatzungsregime für die drei Westzonen beendet. Die Alliierten behielten sich nur noch wenige Sonderrechte vor. Sie betrafen Berlin, die eigenen Truppen, die in Westdeutschland stationiert waren, und die Mitsprache bei einer künftigen deutschen Wiedervereinigung. Die Bundesrepublik hatte damit in weiten Teilen ihre Souveränität erlangt.
Viele Deutsche protestierten aufgrund ihrer Erfahrungen in zwei Weltkriegen gegen den Aufbau der Bundeswehr. Adenauer setzte diesen aber gegen den Widerstand der SPD und der Kirchen durch, weil er der Ansicht war, dass nur durch eine Politik der Stärke Verbesserungen im Verhältnis der beiden deutschen Staaten erreicht werden könnten. Trotz heftiger Proteste wurde 1956 die Wehrpflicht eingeführt.

Alleinvertretungsanspruch und Hallstein-Doktrin

Mit der Westintegration ging eine scharfe Abgrenzung gegen die DDR einher. So beanspruchte die Bundesrepublik der einzig rechtmäßige deutsche Staat zu sein (Alleinvertretungsanspruch) und drohte jedem Staat mit dem Abbruch der diplomatischen Beziehungen, der die DDR als zweiten deutschen Staat anerkennen würde (Hallstein-Doktrin). Von dieser Regelung wurde nur bei der Sowjetunion eine Ausnahme gemacht: 1955 weilte Adenauer zu einem Staatsbesuch in Moskau. Als Gegenleistung für die Heimkehr von 10 000 deutschen Soldaten, die immer noch gefangen gehalten wurden, stimmte er der Aufnahme diplomatischer Beziehungen zwischen der Bundesrepublik und der Sowjetunion zu. Die Hallstein-Doktrin wurde dadurch erstmals aufgeweicht.

Volksaufstand 1953 in der DDR

Die wirtschaftliche und politische Entwicklung in der DDR führte im Juni 1953 zu einer ersten großen Krise. Als die DDR-Führung von der Bevölkerung verlangte, mehr zu arbeiten, und gleichzeitig die Löhne senkte, begann der Aufruhr. Am 17. Juni 1953 kam es zu spontanen Streiks auf Baustellen in Ost-Berlin, die auf mehrere hundert Orte übersprangen. Anfangs forderten die Arbeiter nur die Rücknahme der Normerhöhungen, bald wurden aber in der Bevölkerung Forderungen nach freien Wahlen und dem Ende des SED-Regimes laut. Die Sowjetunion ließ daraufhin gegen die Aufständischen Panzer rollen und schlug die Unruhen mit Gewalt nieder. Dabei gab es Tote, später wurden 20 Aufständische zum Tod verurteilt, weitere 1400 Demonstranten zu Zuchthausstrafen.

Fluchtbewegung und Mauerbau

Danach kehrte in der DDR nur oberflächliche Ruhe ein: Die „Abstimmung mit den Füßen" hielt an, jährlich flüchteten zwischen 200 000 und 300 000 Menschen in den Westen. Die SED-Führung ließ deshalb die Grenze zwischen der DDR und der Bundesrepublik durch Wachtürme, Stacheldraht und Minenfelder abriegeln. Der einzige Weg, relativ gefahrlos in den Westen zu kommen, führte ausschließlich über Ost- nach West-Berlin. Da die Hälfte der Flüchtlinge jünger als 25 Jahre war und da es sich vor allem um Bauern und qualifizierte Fachkräfte handelte, war die wirtschaftliche Zukunft der DDR bedroht. Um den Flüchtlingsstrom zu stoppen, begannen streng bewachte Bautrupps auf Weisung der SED-Führung am Morgen des 13. August 1961 mit der Errichtung einer Mauer quer durch Berlin. Damit wurde die letzte offene Stelle zwischen Ost und West geschlossen. Von nun an war die „Republikflucht" nur noch mit tödlichem Risiko möglich: Der „Schießbefehl" verpflichtete die Grenztruppen dazu, Fluchtversuche auch mit gezielten Schüssen zu verhindern. Dennoch lag dem SED-Regime daran, die Akzeptanz der eigenen Staatlichkeit auch im Westen zu erlangen. Schon bald zeigten sich erste Erfolge. Als das Internationale Olympische Komitee (IOC) im Oktober 1968 seine Zustimmung zur Teilnahme des ostdeutschen Staates an den Spielen in Mexiko mit eigener Flagge und Nationalhymne gab, zeigte dies, dass die DDR auf dem Weg zur internationalen Anerkennung war.

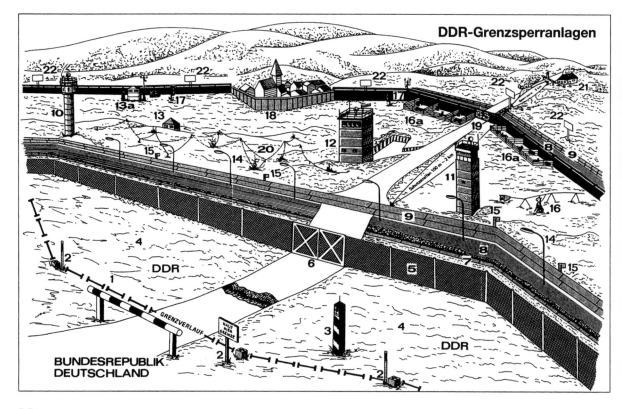

M 2 Skizze Grenzsperranlagen

1 Grenzverlauf mit Grenzsteinen; 2 Grenzhinweisschild bzw. -pfahl unmittelbar vor dem Grenzverlauf; 3 DDR Grenzsäule (ca. 1,9 m hoch, schwarz rot gold mit DDR Emblem); 4 Abgeholzter und geräumter Geländestreifen; 5 Einreihiger Metallgitterzaun (ca. 3,2 m hoch); 6 Durchlass im Metallgitterzaun; 7 Kfz-Sperrgraben (mit Betonplatten befestigt); 8 ca. 6 m bzw. 2 m breiter Kontrollstreifen (Spurensicherungsstreifen); 9 Kolonnenweg mit Fahrspurplatten (Lochbeton) („Begrenzung der vorderen Linie des Einsatzes"); 10 Beton-Beobachtungsturm; 11 Beton-Beobachtungsturm (2 x 2 m); 12 Beton-Beobachtungsturm; 13 Beobachtungsbunker; 13a Beobachtungsbunker mit Schalteinrichtungen, Rundumleuchte und Anschluss; 14 Lichtsperre; 15 Anschlusssäule für das erdverkabelte Grenzmeldenetz; 16 Hundelaufanlage; 16a Hundefreilaufanlage; 17 Modifizierter Schutzstreifenzaun mit elektronischen und akustischen Signalanlagen und Schalteinrichtungen; 18 Betonsperrmauer/Sichtblende; 19 Durchlasstor im Schutzstreifenzaun mit Signaldrähten; 20 Stolperdrähte; 21 Kontrollpassierpunkt zur Sperrzone; 22 Hinweisschild auf Beginn des Schutzstreifens.

M 3 17. Juni 1953

Ein wichtiges Anliegen der Menschen: die Forderung nach freien Wahlen.

M 5 17. Juni 1953

Ein sowjetischer Panzer auf dem Holzmarkt in Jena, auf dem sich rund 30 000 Menschen versammelt hatten.

M 6 Aus einem Bericht der DDR-Zeitung „Neues Deutschland" vom 18. Juni 1953

Im Verlaufe des 17. Juni 1953 versuchten bezahlte verbrecherische Elemente aus West-Berlin die Bevölkerung des demokratischen Sektors zu Gewalttaten gegen demokratische Einrichtungen, Betriebe, Läden und Geschäftshäuser und gegen die Volkspolizei auf- 5
zuhetzen. Die West-Berliner Provokateure zogen plündernd und raubend durch einzelne Straßenzüge, wobei sie zu hinterhältigen bewaffneten Überfällen gegen Volkspolizei und fortschrittlich eingestellten Bevölkerungsteile übergingen. (...) Die Bevölkerung dis- 10
tanzierte sich von den Provokateuren (...) und trug mit zur Festnahme einer großen Anzahl der Täter durch die Volkspolizei bei.

E. Deuerlein: DDR. München 1966, S. 136 f.

M 7 Flüchtlinge aus der DDR

1949	129 245	1956	279 189
1950	197 788	1957	261 622
1951	165 648	1958	204 092
1952	182 393	1959	143 917
1953	331 390	1960	199 188
1954	184 198	1961	207 026
1955	252 870	1962	21 356

M 4 17. Juni 1953

Blick vom amerikanischen Sektor in die Ostberliner Friedrichstraße, auf der ein Kontrollhaus der Volkspolizei in Flammen steht.

M 8 Die Position der Regierung

Aus der Regierungserklärung von Bundeskanzler Adenauer über den Deutschland- und EVG-Vertrag vom 3. Dezember 1952. Abgedruckt auf Plakaten 1954/55 als Stellungnahme der Regierung in der Wiederbewaffnungsdiskussion:

An alle Deutsche!

Wir alle erstreben die Wiedervereinigung Deutschlands in Frieden und Freiheit. Wir wissen, dass wir allein auf uns gestellt dieses Ziel gegen den Willen Sowjetrusslands nicht erreichen können. Im Deutschlandvertrag aber übernehmen die drei Westmächte vertraglich die Verpflichtung, mit der Bundesrepublik zusammen die Wiedervereinigung Deutschlands auf friedlichem Wege unter einer demokratischen Verfassung herbeizuführen. Schon allein das verpflichtet uns gegenüber den Deutschen hinter dem Eisernen Vorhang, den Verträgen mit dem Westen zuzustimmen (…). Es muss unsere Aufgabe sein, die sittlichen Werte des deutschen Soldatentums mit der Demokratie zu verschmelzen. Wir stehen vor der Wahl zwischen Sklaverei und Freiheit! Wir wählen die Freiheit!

„An alle Deutschen!" Flugblatt der CDU mit Auszug aus der Regierungserklärung vom 3. Dezember 1952. Haus der Geschichte, Bonn.

M 9 Werbeplakat für eine in die NATO integrierte Bundeswehr, ca. 1956.

Westintegration

Nach dem Ende des Zweiten Weltkrieges war Deutschland in vier Besatzungszonen geteilt. Während die SBZ im Sinn des Sozialismus umgestaltet wurde, orientierten sich die drei Westzonen an den politischen Vorgaben ihrer Besatzungsmächte. Der beginnende Kalte Krieg zwang die westdeutschen Politiker dazu, sichere Bündnisse zu suchen. Bundeskanzler Adenauer trieb deshalb die Westintegration der Bundesrepublik Deutschland durch den Beitritt zu wichtigen europäischen Gremien voran. Die Bundesrepublik Deutschland wurde schrittweise Mitglied in den wesentlichen Organisationen der westlichen Staatengemeinschaft.

Fragen und Anregungen

❶ Untersuche, welche Bedeutung dem Aufstand in der DDR 1953 zukommt. (M3–M7).

❷ Übertrage die Flüchtlingszahlen aus M7 in ein Balkendiagramm. Werte diese Zeichnung aus, indem du Auffälligkeiten benennst und sie erklärst.

❸ Die Wiederbewaffnung war in der westdeutschen Öffentlichkeit sehr umstritten. Sammelt Argumente für und gegen den Aufbau einer westdeutschen Armee. Berücksichtigt dabei die Quellen M8 und M9. Führt eine Podiumsdiskussion durch, die die jeweiligen Standpunkte verdeutlicht.

❹ Vergleiche die Einbindung der Bundesrepublik Deutschland und die der DDR in die westliche bzw. östliche Staatengemeinschaft und nenne jeweils Gründe für diese Integration.

14. Aussöhnung mit Israel

1952 Die Bundesrepublik Deutschland und Israel unterzeichnen ein Wiedergutmachungsabkommen in Höhe von drei Milliarden DM (Luxemburger Abkommen).

1965 Die Bundesrepublik Deutschland und Israel nehmen diplomatische Beziehungen auf.

M 1 Bundespräsident Köhler in der Knesset
Köhler sprach im Februar 2005 vor dem israelischen Parlament, der Knesset. In den Jahren nach 1945 wäre der Auftritt eines deutschen Politikers in der Knesset noch undenkbar gewesen.

Konsens im Umgang mit Israel

Zwischen den Parteien der Bundesrepublik Deutschland gab es heftige Kontroversen um die deutsche Außenpolitik. In einem Punkt waren sich aber alle Politiker einig – Deutschland sollte für die Gräuel der Nazizeit und die finanziellen Verluste der jüdischen Bevölkerung Wiedergutmachung leisten. Schon Ende 1949 äußerte sich Bundeskanzler Adenauer in einem Zeitungsinterview in diesem Sinne.

Israels Haltung zur „Wiedergutmachung"

Der neu gegründete Staat Israel befand sich in einer schwierigen wirtschaftlichen Aufbauphase und war auf Unterstützung aus dem Ausland angewiesen. Die Abgeordneten diskutierten deshalb im israelischen Parlament, der Knesset, ob mit Deutschland Verhandlungen bezüglich materieller Entschädigungsleistungen geführt werden sollten. Es kam dabei zu wilden Tumulten, weil viele Abgeordnete wirtschaftliche Hilfen und Geldzahlungen als „Blutgeld" für die Shoah ablehnten. Schließlich stimmte aber die Mehrheit der Abgeordneten für Verhandlungen, die im März 1952 in der Nähe von Den Haag (Niederlande) begannen.

Das Luxemburger Abkommen

Schon am 10. September 1952 konnte im neutralen Luxemburg ein Abkommen unterzeichnet werden. Dieses „Luxemburger Abkommen" besagte Folgendes: Der Staat Israel sollte im Laufe von 12 Jahren drei Milliarden DM in bar oder in Form von Warenlieferungen erhalten. Die Organisation „Conference on Jewish Material Claims against Germany" (kurz „Claims Conference"), die die jüdischen Opfer außerhalb Israels vertrat, hatte Anspruch auf 450 Mill. DM. Ansprüche Einzelner, die aufgrund von Verfolgung und Inhaftierung im Nationalsozialismus entstanden sind, waren in diese Regelung nicht eingeschlossen. Im März 1953 stimmten die Abgeordneten des deutschen Bundestags diesem Abkommen mehrheitlich zu.
Das Luxemburger Abkommen signalisierte der Welt, dass sich die Bundesrepublik Deutschland von den politischen Grundüberzeugungen des Naziregimes deutlich abgewandt hatte. Dies erleichterte die Westintegration der neu gegründeten Bundesrepublik. In der DDR vertrat das SED-Regime den Standpunkt, die DDR sei nicht Nachfolgestaat des faschistischen Deutschland und daher nicht zu Leistungen an Israel verpflichtet.

Das Ringen um diplomatische Beziehungen

Um die Aussöhnung mit Israel auf eine institutionelle Basis zu stellen, versuchte die Bundesregierung noch im Jahr 1953 mit Israel diplomatische Beziehungen aufzunehmen. Dies stieß jedoch bei der Regierung in Jerusalem auf Widerstand. Nach 1956 veränderte sich die Lage im Nahen Osten: Israel hatte im Suez-Krieg die Sinai-Halbinsel und den Gaza-Streifen erobert, sollte diese Gebiete jedoch nach

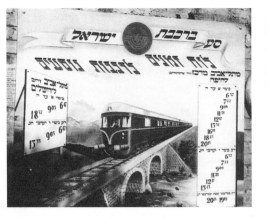

dem Willen der US-Regierung zurückgeben. Deutschland hielt sich aus dieser Frage heraus, wurde nun aber von Israel um Waffenlieferungen ersucht.

Israel war im Nahen Osten zunehmend isoliert. Auf der Suche nach verlässlichen Bündnispartnern zeigte man sich seit Mitte der 50er-Jahre an diplomatischen Beziehungen zur Bundesrepublik interessiert. Nun lagen die Bedenken auf deutscher Seite. Wie würden die arabischen Staaten, zu denen die Bundesrepublik gute Beziehungen pflegte, auf einen Botschafteraustausch zwischen Israel und Deutschland reagieren?

Die Hallsteindoktrin besagte, dass Deutschland keine diplomatischen Beziehungen zu Staaten unterhalten könne, die die DDR völkerrechtlich anerkennen. Das erwies sich nun als Zwickmühle: Würde die Bundesrepublik diplomatische Beziehungen zu Israel aufnehmen, drohten die arabischen Staaten mit der Anerkennung der DDR. Da man dies um jeden Preis verhindern wollte, waren der Regierung Adenauer im Hinblick auf den Botschafteraustausch mit Israel die Hände gebunden.

Waffenlieferungen als Ausweg aus der diplomatischen Krise?

Um beiden Seiten gerecht zu werden und die Hallsteindoktrin aufrechterhalten zu können, wählte man den Weg über militärische Zusammenarbeit. Obwohl die Bundesrepublik Deutschland grundsätzlich keine Waffen in Spannungsgebiete lieferte, sagte Adenauer dem israelischen Staatschef Ben Gurion bei einem Treffen im März 1960 Waffenhilfe zu, was in einem Geheimvertrag 1962 fixiert wurde. Die Regierungen der USA, Großbritanniens und Italiens waren eingeweiht und sollten bei den Waffentransfers behilflich sein. Kritiker warfen der Regierung später vor, sich durch die Waffenlieferungen von der Aufnahme diplomatischer Beziehungen freigekauft zu haben.

Das Geheimabkommen mit Israel wurde im Oktober 1964 von einer Frankfurter Zeitung aufgedeckt. Ludwig Erhard (CDU), inzwischen Bundeskanzler und Nachfolger Adenauers, ließ die Waffenlieferungen sofort einstellen, weil er eine Verschlechterung der deutsch-arabischen Beziehungen befürchtete. Dessen ungeachtet empfing der ägyptische Präsident Nasser im Februar 1965 den DDR-Staatsratsvorsitzenden mit allen protokollarischen Ehren. Die Hallsteindoktrin war nun fragwürdig geworden, wenn auch die arabischen Staaten noch zögerten, die DDR völkerrechtlich anzuerkennen.

Normalisierung der Beziehungen

Schließlich vereinbarten Erhard und der israelische Ministerpräsident Levi Eschkol im Mai 1965 die Aufnahme diplomatischer Beziehungen. Die Hallsteindoktrin war zu diesem Zweck aus pragmatischen Gründen für die Länder des Nahen Ostens ausgesetzt worden. Die Aussöhnung der Bundesrepublik Deutschland mit Israel war indes einen entscheidenden Schritt vorangekommen.

Die Politik der Aussöhnung mit Israel wurde von der deutschen Bevölkerung mitgetragen: Viele Jugendliche und junge Erwachsene begaben sich nach Israel, um dort als Arbeiter in einem ländlichen Kollektiv, dem Kibbuz, Aufbauhilfe zu leisten. Dieser freiwillige soziale Einsatz überzeugte große Teile der Bevölkerung Israels vom Gesinnungswandel im „neuen Deutschland".

M 3 Bundeskanzler Adenauer zur Wiedergutmachung

Aus der Regierungserklärung vom 27. 9. 1951:

Im Namen des deutschen Volkes sind aber unsagbare Verbrechen begangen worden, die zur moralischen und materiellen Wiedergutmachung verpflichten, sowohl hinsichtlich der individuellen Schäden, die Juden erlitten haben, als auch des jüdischen Eigentums, für das heute individuell Berechtigte nicht mehr vorhanden sind. Auf diesem Gebiet sind erste Schritte getan, sehr vieles bleibt aber noch zu tun. Die Bundesregierung wird für den baldigen Abschluss der Wiedergutmachungsgesetzgebung und ihre gerechte Durchführung Sorge tragen.

Ein Teil des identifizierbaren jüdischen Eigentums ist zurückerstattet. Weitere Rückerstattungen werden folgen. (…)

Die Bundesregierung ist bereit, gemeinsam mit den Vertretern des Judentums und des Staates Israel, der so viele heimatlose jüdische Flüchtlinge aufgenommen hat, eine Lösung des materiellen Wiedergutmachungsproblems herbeizuführen, um damit den Weg zur seelischen Bereinigung unendlichen Leides zu erleichtern. Sie ist tief davon durchdrungen, dass der Geist wahrer Menschlichkeit wieder lebendig und fruchtbar werden muss. Diesem Geist mit aller Kraft zu dienen, betrachtet die Bundesregierung als die vornehmste Pflicht des deutschen Volkes. 25

Nach: Jürgen Weber (Hg.): Die Bundesrepublik wird souverän 1950–1955. München, Bayerische Landeszentrale für politische Bildungsarbeit 1986, S. 344.

M 4 Aus den Lebenserinnerungen Nahum Goldmanns

Goldmann (1894–1982), war Gründer und langjähriger Präsident des Jüdischen Weltkongresses.

Ich weiß nicht, was in manchen wirtschaftlich kritischen Augenblicken Israel gedroht hätte, wenn nicht die deutschen Lieferungen gewesen wären. Eisenbahnen und Telefone, Hafeninstallationen und Bewässerungsanlagen, ganze Zweige der Industrie und Landwirtschaft wären auch heute ohne die deutschen Reparationen nicht in dem Stand, in dem sie sind. Und Hunderttausende jüdischer Opfer des Nazismus haben in diesen Jahren aufgrund des Entschädigungsgesetzes erhebliche Beiträge erhalten. 10

N. Goldmann: Mein Leben als deutscher Jude. München 1980, S. 409.

M 5 Moderne Wohnhausanlage in einem „Kibbuz", einer israelischen Gemeinschaftssiedlung

Fragen und Anregungen

❶ Erörtert, warum sich das deutsch-israelische Verhältnis nach 1945 schwierig gestaltete.

❷ Lege dar, warum anfangs Israel keine Botschafter austauschen wollte und warum später die Bundesregierung zögerte. (VT)

❸ Zeige die Bedeutung auf, die das Luxemburger Abkommen für die beiden Staaten hatte. (VT, M2)

❹ Welche Funktion hatte die sog. Wiedergutmachung und welche Haltung dazu nahm Bundeskanzler Adenauer ein? (M3)

❺ Welche Auswirkungen hatten die Bemühungen um Wiedergutmachung? (M1, M2, M4)

DIE WELT IM SCHATTEN
DES KALTEN KRIEGES

Vierzig Jahre lang teilte der Ost-West Konflikt
fast die gesamte Welt in zwei Blöcke, dem von den
USA geführten Westen und dem von der Sowjetunion
beherrschten Osten. Beide atomaren Großmächte kämpften
nicht nur um Macht, Prestige und Einflussgebiete, zwischen
beiden bestand auch ein Systemkonflikt, der weltweit fast alle
Länder erfasste und deren politische, gesellschaftliche und wirtschaftliche Entwicklung entscheidend prägte. Das galt für die
europäische Einigungsbewegung ebenso wie für die Entkolonialisierung, den Nord-Süd- und Nah-Ost-Konflikt oder
andere Krisengebiete. Vor allem das atomare „Gleichgewicht
des Schreckens" verhinderte, dass sich aus dem Kalten Krieg ein
heißer Krieg entfachen konnte.

**„Industrienationen,
Ölmächte und der
Schwarze Peter"**

Die Europäische Gemeinschaft – politisch und wirtschaftlich
(Karikatur von Jupp Wolter)

„Immer an vorderster Front präsent …"
(Karikatur von Fritz Behrendt)

Von höherer Warte betrachtet
(Karikatur von Fritz Berendt,
9. Juli 1962)
Deute die Personen und den
Vorgang, der durch sie aus-
gedrückt wird.

„Europa lebe hoch".
Karikatur von Peter Leger.
Ordne die Karikatur zeitlich ein.

Atombombe – die neue Dimension eines Krieges
„Mit dieser Bombe haben wir jetzt eine neue und
revolutionäre Steigerung der Zerstörung erreicht.
Es ist die Atombombe. Es ist eine Nutzung der Urkraft
des Weltalls …"
(US-Präsident Harry S. Truman am 7. 8. 1945)

1. Europa: von der Vision zur Integration

1949	Der Staatenbund des Europarats wird gegründet.
1951	Die Montanunion schafft den Rahmen für eine gemeinsame Kohle-Stahl-Politik mehrerer Staaten.
1954	Der Plan einer Europäischen Verteidigungsgemeinschaft (EVG) scheitert.
1957	Die Europäische Wirtschaftsgemeinschaft (EWG) soll einen gemeinsamen europäischen Markt von sechs Staaten verwirklichen.

Die europäische Vision

Der Erste und der Zweite Weltkrieg hatten den Nationalismus als einen Irrweg entlarvt, der viele Millionen Menschen das Leben gekostet hatte. Bereits nach dem Ersten Weltkrieg vertrat daher die von Graf Coudenhove-Kalergie gegründete Paneuropa-Bewegung in den zwanziger Jahren die Idee einer Einigung Europas, um weitere Kriege zu verhindern. 1930 schlug der französische Außenminister Briand eine Europäische Union vor, scheiterte jedoch an der Ablehnung der meisten Regierungen, die auf der nationalen Souveränität beharrten. Noch blieb die Einigung Europas eine Vision, doch nach dem Zweiten Weltkrieg hofften viele Menschen im zerstörten Europa erneut auf eine Einigung ihres Erdteils. Nach der Katastrophe des Krieges schien die Zeit des Handelns endlich gekommen. Noch galt es aber, große Meinungsunterschiede zu überwinden. Die Verfechter der europäischen Integration waren nicht einig, ob Europa einen Bundesstaat, in dem die Einzelstaaten ihre Macht beschränken, oder einen Staatenbund, der den Einzelstaaten ihre Selbstständigkeit belässt, bilden sollte. Die „europäischen Idealisten" forderten die rasche politische Vereinigung zum Bundesstaat, die „Realisten" die schrittweise, wirtschaftliche Einigung in einem Staatenbund.

Kalter Krieg und Westeuropäische Integration

Zudem beendete der Kalte Krieg die Hoffnungen auf eine Einigung Gesamteuropas, denn die Blockbildung teilte den Kontinent in ein demokratisches Westeuropa und ein kommunistisches Osteuropa. Andererseits gab der Kalte Krieg der europäischen Idee eine neue Notwendigkeit und Dynamik. Die Bedrohung durch die Sowjetunion verstärkte die Bemühungen, die nationalen Gegensätze in Westeuropa zu überwinden. Die USA förderten 1948 den Zusammenschluss von Großbritannien, Frankreich und den Beneluxländern zur „Organization for European Economic Cooperation" (OEEC). Diese Länder verwalteten die Hilfsgelder des Marshall-Plans und berieten über Maßnahmen des wirtschaftlichen Aufbaus. Ein Jahr später wurde in Straßburg der Europarat gegründet, dem die Länder der OEEC, fünf weitere europäische Staaten, die USA und Kanada beitraten. Der Europarat sieht regelmäßige Treffen der europäischen Parlamentarier vor, die aber keine bindenden Beschlüsse fällen können. Durch seine Vereinbarungen, besonders die „Europäische Konvention zum Schutze der Menschen" von 1953, gewann der Europarat jedoch an moralischer Autorität.

Wirtschaftlicher Zusammenschluss in Westeuropa

Eine übernationale Integration war durch den lockeren Verbund des Europarats jedoch noch nicht gegeben. Frankreich tat den ersten Schritt in diese Richtung. 1950 schlug der französische Außenminister Robert Schuman Bundeskanzler Adenauer mit der Gründung einer Montanunion eine starke wirtschaftliche Integration vor. Diese sollte nach dem Ende der alliierten Ruhrkontrolle verhindern, dass die wirtschaftliche Konkurrenz zwischen Frankreich und Deutschland erneut eine politische Gegnerschaft hervorrufe. Kern des Projekts bildete der Plan eines einheitlichen Marktes für Kohle und Stahl in Westeuropa. 1951 schlossen sich Frankreich, die Bundesrepublik Deutschland, Italien und die Beneluxländer zur Montanunion (EGKS) zusammen und bauten im Bereich von Bergbau und Schwerindustrie einen gemeinsamen Markt aus. Als der Koreakrieg die Befürchtungen eines sowjetischen Angriffs gegen das militärisch unterlegene Westeuropa nährte, riet Frankreich zur Gründung einer Europäische Verteidigungsgemeinschaft (EVG). Das Militärbündnis, dem auch die Bundesrepublik Deutschland mit ihren neu zu bildenden Streitkräften angehören sollte, scheiterte jedoch an Bedenken der französischen Parlamentsmehrheit. Eine so weitgehende politische und militärische Einigung Westeuropas stieß noch auf zu starke Vorbehalte.

Der Erfolg der Montanunion förderte die Idee, die wirtschaftliche Integration Westeuropas zu vertiefen. 1957 traten die „Römischen Verträge" zwischen den Ländern der Montanunion in Kraft, die die Bildung der „Europäischen Atomgemeinschaft" (EURATOM) und der Europäischen Wirtschaftsgemeinschaft (EWG) vorsahen. Die Mitglieder wollten binnen zwölf Jahren einen gemeinsamen freien Markt ohne Binnenzölle und ohne rechtliche Sonderregelungen für Güter aller Art, Dienstleistungen, Kapital- und Zahlungsverkehr herstellen. Die Bürger der EWG sollten im Vertragsgebiet ihren Wohnsitz frei wählen können. Die Verträge sicherten den Ankauf von Nuklearmaterial und dessen friedliche Nutzung, um Europas Atomindustrie unabhängig von den USA und der Sowjetunion aufzubauen.

Die Bildung eines gemeinsamen Marktes

Europäische Integration/Einigung

Integration meint allgemein die Zusammenfügung einzelner Teile zu einem einheitlichen Ganzen. Auf die demokratischen Staaten Westeuropas, heute Europas, bezogen, bezeichnet der Begriff den stufenweisen Einigungsprozess in Politik, Wirtschaft und Gesellschaft. Überstaatliche Organe der Europäischen Union handeln in diesen Bereichen für alle Staaten der Gemeinschaft.

Der gemeinsame freie Markt besteht heute weitgehend uneingeschränkt, während die politische Einheit nur schrittweise und über einen längeren Zeitraum hergestellt werden kann.

M 1 Gegen nationale Grenzen
„Am Sonntagnachmittag haben 300 junge Europäer an der deutsch-französischen Grenze bei St. Germanshof die Grenzbäume eingerissen und die Schlagbäume zerstört", las man am 8. August 1950 in der Frankfurter Allgemeinen Zeitung. Franzosen, Deutsche, Italiener, Niederländer, Belgier und Schweizer nahmen an der Aktion teil. Auf dem Plakat steht: „Wir fordern die Gründung eines europäischen Parlaments und einer europäischen Regierung."

M2 Frieden für Europa
1930 schlug der französische Außenminister Briand die Bildung eines europäischen Bundesstaates vor.
(Karikatur der Zeitschrift „Kladderadatsch").

M3 Kommen die Vereinigten Staaten von Europa?
Aus der Züricher Rede von Winston Churchill 1946:
Wir müssen eine Art Vereinigte Staaten von Europa schaffen. Nur dann können viele hundert Millionen Menschen sich wieder den einfachen Freuden und Hoffnungen hingeben, die das Leben lebenswert
5 machen. Der Weg dorthin ist einfach. Es ist dazu nichts weiter nötig, als dass Hunderte von Millionen Männern und Frauen Recht statt Unrecht tun und Segen statt Fluch dafür ernten. (…) Wir müssen in die Zukunft blicken. Wir können es uns nicht leisten, den Hass und
10 die Rachegefühle, die aus dem Unrecht der Vergangenheit entstanden sind, durch die kommenden Jahre mitzuschleppen. Wenn Europa vor unermesslichem Elend (…) bewahrt werden soll, dann ist ein Akt des Glaubens an die europäische Familie nötig. (…) Wenn
15 das Gebäude der Vereinigten Staaten von Europa gut und gewissenhaft errichtet wird, muss darin die materielle Stärke eines einzelnen Staates von untergeordneter Bedeutung sein. (…) Großbritannien, (…) das mächtige Amerika und, ich hoffe es zuversichtlich,
20 Sowjetrussland – denn dann wäre alles wahrhaft gut – müssen die Freunde und Förderer des neuen Europa sein und für sein Recht auf Leben und Wohlstand eintreten.

Nach: R. Foerster: Die Idee Europa 1300-1946. München 1963, S. 253 f.

M4 Europa – ein Konkurrent der Großmächte?
Es wäre zweifellos übertrieben (…) zu behaupten, dass die vereinigten Völker Europas der amerikanischen Regierung ihre Bedingungen diktieren können. Aber sie würden sicherlich über mehr Stärke verfügen, um ihren Standpunkt zur Geltung zu bringen. Würde diese aus der Einigkeit hervorgehende Kraft eine endgültige Tatsache werden, die sich nicht nur gegenüber der Großmacht des Westens, sondern auch gegenüber dem Osten zeigen könnte? Muss man annehmen, dass dies der Grund wäre, die diese Einheit aus der Sicht mancher als unerwünscht erscheinen lässt?

Leitartikel der französischen Zeitung Le Monde vom 12. Juni 1947.

M5 Robert Schuman über die Gründung der EGKS
(**E**uropäische **G**emeinschaft für **K**ohle und **S**tahl)
Die Vereinigung der europäischen Nationen erfordert, dass der jahrhundertealte Gegensatz zwischen Frankreich und Deutschland ausgelöscht wird. Das begonnene Werk muss in erster Linie Deutschland und Frankreich umfassen. (…) Die französische Regierung schlägt vor, die Gesamtheit der französischen und deutschen Kohlen- und Stahlproduktion unter eine gemeinsame Obere Aufsichtsbehörde zu stellen, in einer Organisation, die den anderen europäischen Staaten zum Beitritt offen steht. Die Zusammenlegung der Kohlen- und Stahlorganisation wird sofort die Schaffung gemeinsamer Grundlagen für die wirtschaftliche Entwicklung sichern.

P. Fontaine: Ein neues Konzept für Europa. Die Erklärung von Robert Schuman – 1950-2000. Luxemburg 2000, S.36 f.

... ein schönes Papier   ... mit geradezu ...

unwahrscheinlichen ...   Möglichkeiten ...

M6 Der Schuman-Plan in der Karikatur
(Süddeutsche Zeitung vom 14./15. Juli 1951)

M 7 Die EVG – Schutzschild gegen die totalitären Diktaturen (Plakat von Paul Colin 1954) C(ommunauté) E(uropéenne de) D(éfense) ist der französische Begriff für EVG.

M 8 EVG – Furcht vor dem „deutschen Militarismus" (Plakat der Kommunistischen Partei Frankreichs, 1953) Welche geschichtlichen Erfahrungen liegen diesen Plakaten zugrunde?

M 9 Präambel der Rechte für die europäischen Bürger

Die zehn Gründungsstaaten des Europarates (Dänemark, Schweden, Norwegen, Niederlande, Luxemburg, Belgien, Frankreich, Italien, Großbritannien, Irland) beschlossen am 4. 11. 1950 folgende Erklärung:
Die (…) Mitglieder des Europarats (...) in Bekräftigung des tiefen Glaubens an diese Grundfreiheiten, welche die Grundlage von Gerechtigkeit und Frieden in der Welt bilden und die am besten durch eine wahrhaft demokratische politische Ordnung sowie durch ein gemeinsames Verständnis und eine gemeinsame Achtung vor diesen Grundfreiheiten zugrunde liegenden Menschenrechten gesichert werden; entschlossen, als Regierungen europäischer Staaten, die vom gleichen Geist beseelt sind und ein gemeinsames Erbe an politischen Überlieferungen, Idealen, Achtung der Freiheit und Rechtsstaatlichkeit besitzen, die ersten Schritte auf dem Weg zu einer kollektiven Garantie bestimmter in der Allgemeinen Erklärung aufgeführter Rechte zu unternehmen, haben Folgendes vereinbart (…)

Konvention zum Schutze der Menschenrechte und Grundfreiheiten vom 4. 11. 1950

M 10 Montanunion und Kalter Krieg
(Karikatur der sowjetischen Zeitschrift „Krokodil" vom 10. Januar 1950)
Beschreibe die Darstellung des Hitler-Gegners Adenauer, der „Braut" Robert Schumans, und suche Gründe dafür.

Fragen und Anregungen

❶ Fasse zusammen, welche Hoffnungen nach 1945 auf das vereinigte Europa gerichtet waren. (M1, M3)
Erkläre die Gründe für das Scheitern der gesamteuropäischen Visionen.

❷ Lege dar, welche Befürchtungen die westeuropäische Integration hervorrief. (M4, M6, M7)

❸ Zeige die Schritte der Integration in Westeuropa und die damit verbundenen Erwartungen. (M6, M9, VT)

❹ Suche Gründe, warum die militärische, jedoch nicht die wirtschaftlichen Einigung der Sechsergemeinschaft scheiterte. (M6–M8)

Sprachwirrwarr in Europa?

Bei der Internet-Suche von „Europäische Union Sprachen" fand sich unter der ersten Adresse folgender Text:
Übersetzungshilfen und Hilfsmittel für das Verfassen von Texten in den Sprachen der Europäischen Union: Die Europäische Union arbeitet mit 23 Amtssprachen. Sämtliche EU-Rechtsvorschriften müssen in all diesen Sprachen veröffentlicht werden. Außerdem verständigt sie sich mit den Behörden und mit der Öffentlichkeit in den Mitgliedstaaten in deren Sprachen. Die Übersetzer der EU-Organe machen dies durch ihre Arbeit hinter den Kulissen möglich – eine komplizierte, aber unverzichtbare Aufgabe. Auf dieser Seite findest du Links zu kostenlos einsehbaren Online-Datenbanken und Leitfäden sowie interne und externe Diskussionsbeiträge zu Übersetzungsfragen.

© Europäische Gemeinschaften 2007

http://ec.europa.eu/translation/index_de.htm, 15. 5. 07

Die Europäische Union veröffentlicht ihre Dokumente wie alle Staaten und internationalen Organisationen immer in englischer Sprache. Deswegen erleichtern gute englische Sprachkenntnisse die historische und politische Informationsarbeit. Der folgende Buchauszug aus einem englischsprachigen Geschichtsbuch zitiert die Reaktion eines amerikanischen Politikers auf einen europäischen Integrationsplan. Versuche den Inhalt in Stichpunkten festzulegen. Welche Personen und welcher Sachverhalt werden genannt? Wie wertet der Politiker den Plan? Ermittle glaubhafte Gründe für seine Haltung.

M 1 Robert Schuman talks to US Secretary of State Dean Acheson

On 9 March 1950, at the investigation of Jean Monnet, the French Foreign Minister Robert Schuman proposed to establish the European Coal and Steel Community with a "common market" in coal, coke, steel, iron ore
5 and scrap. The plan was enthusiastically welcomed by the Americans. Here Secretary of State Dean Acheson gives his personal impression of Schuman:

"After a few words of greeting and appreciation of my coming to Paris, Schuman began to expound what later became known as the 'Schuman Plan', so breathtaking a step towards the unification of Western Europe that at first I did not grasp it. The whole French-German production of coal and steel would be placed under a joint high authority, with an organization open to the participation of other European nations (…) As he talked, we caught his enthusiasm and the breadth of his thought, the rebirth of Europe, which, as an entity, had been eclipsed since the Reformation." (Dean Acheson, Sketches in Life)

Nach: Frederic Delouche: Illustrated History of Europe. Paris 1992, S. 360.

M 2 „Die EGKS – eine Brücke zwischen den Völkern"
Zum gleichen Plan erschien die folgende Zeichnung in der britischen Satirezeitschrift „Punch" 1950, betitelt „The bridge of concord". Erkläre die Sichtweise des Zeichners zum Coal & Steel Plan.

Methodische Arbeitsschritte:

1. Unterstreicht unbekannte Wörter und Begriffe.
2. Fasst in Stichworten das erste Textverständnis zusammen.
3. Versucht nun schriftlich eine Übersetzung, die möglichst nahe am Originaltext bleibt. Bei unklaren Begriffen vermerkt die unterschiedlichen deutschen Bedeutungen und erschließt deren Sinn aus dem Textzusammenhang.
4. Überarbeitet nun diese Version und erstellt eine sprachlich gute Fassung. Diskutiert dann die noch unklaren Stellen und stellt die verschiedenen Bedeutungsmöglichkeiten heraus.

2. Aus Erbfeinden wurden Freunde

1945	Elsass-Lothringen wird nach mehrfachem Wechsel zwischen Deutschland und Frankreich unbestrittener Bestandteil Frankreichs.
1963	Im Elysée-Vertrag beschließen Deutschland und Frankreich eine enge Zusammenarbeit und gründen das Deutsch-Französische Jugendwerk.

M 1 Elsässische Plakate

Das linke Plakat wurde 1940, das in der Mitte und das rechte 1945 veröffentlicht. Deute die nationalen Symbole und gib die Aussage der Plakate in ihrem geschichtlichen Zusammenhang wieder.

Eine der wichtigsten Voraussetzungen für eine Einigung Europas war die Aussöhnung zwischen Deutschland und Frankreich, die sich lange Zeit als „Erbfeinde" gegenüberstanden. Vor allem der Streit um das Elsass hatte diese „Erbfeindschaft" begründet.

Seit dem Dreißigjährigen Krieg beanspruchte Frankreich das zum „Heiligen Römischen Reich deutscher Nation" gehörende Elsass. 1681 wurden auch die Bewohner der Freien Reichsstadt Straßburg zu Untertanen des französischen Königs. Und nach der Französischen Revolution und dem Kaiserreich Napoleons verstanden sich die deutschsprachigen Elsässer mehrheitlich als Bürger Frankreichs. 1871 wurde nach dem Deutsch-Französischen Krieg das Deutsche Kaiserreich im französischen Königsschloss in Versailles ausgerufen. Frankreich musste damals das Elsass und Teile Lothringens abtreten, fand sich jedoch nicht mit dem Gebietsverlust ab. In beiden Ländern schürte die nationale Propaganda den Hass auf den „Erbfeind". Die Gegnerschaft galt als unüberbrückbar und trug auch zum Ausbruch des Ersten Weltkriegs bei. Das Elsass kehrte nach der deutschen Niederlage 1919 wieder zu Frankreich zurück. 1940 – nach dem Sieg Deutschlands über Frankreich – blieb ein großer Teil des Landes bis 1944 besetzt, das Elsass wurde vorübergehend dem Deutschen Reich eingegliedert. Seit 1945 ist es ein unbestrittener Teil Frankreichs. Der Streit um das Elsass bildet nun kein Hindernis mehr für die Aussöhnung zwischen Deutschland und Frankreich.

Der Zankapfel Elsass und die deutsch-französische „Erbfeindschaft"

M 2 Deutsch-französische Aussöhnung
Präsident de Gaulle (re.) und Bundeskanzler Adenauer (li.)

M 3 Die Montanunion – Ende eines Feindbildes
Wie wird das in der Karikatur von 1952 deutlich?

Begrenzte Annäherung

Nach 1945 befürworteten gerade Franzosen, die im Widerstand gegen Deutschland gekämpft hatten, die Verständigung mit einem demokratischen Deutschland. Diese Einsicht, dass man die „Erbfeindschaft" beider Völker nach zwei Weltkriegen überwinden müsse, setzte sich bei Politikern beider Länder durch. Allerdings erleichterte die Tatsache, dass die Bundesrepublik einen weniger bedrohlichen deutschen Teilstaat darstellte, Frankreich die Annäherung und die westeuropäische Integration. So bot der Montanunionsplan Schumans Deutschland die Mitgliedschaft in einer europäischen Organisation, Frankreich jedoch den Einfluss auf die deutsche Wirtschaft. Die Konfliktlage des Kalten Krieges und das Ziel Frankreichs, im sich einigenden Europa eine größere Unabhängigkeit von den USA zu gewinnen, förderten zudem die Zusammenarbeit zwischen den beiden Nachbarstaaten.

Zusammenarbeit und Freundschaft

Der deutsche Bundeskanzler Konrad Adenauer und der französische Staatspräsident General de Gaulle wollten die Annäherung durch die Aussöhnung ihrer Völker vollenden. Sie schlossen 1963 den Vertrag über die Zusammenarbeit beider Länder, den Elysée-Vertrag, ab. Als Kernpunkt wurden regelmäßige Treffen und Beratungen zwischen den Regierungen vereinbart, um eine enge Abstimmung in wichtigen Belangen der Außen- und Sicherheitspolitik zu begründen. Das Deutsch-Französische Jugendwerk entstand, das in 40 Jahren die Begegnung von sieben Millionen Jugendlichen durch gemeinsame Fahrten, Tagungen oder Aufenthalte im Nachbarland durchführte. So wirkte und wirkt diese Einrichtung als eine Brücke zwischen Deutschen und Franzosen. Vereine, Dörfer, Städte und Regionen suchten und fanden Partner im jeweiligen Nachbarland.

Ein Motor der europäischen Integration

Die enge deutsch-französische Kooperation wird seitdem als ein Motor der europäischen Einigung verstanden. De Gaulle hoffte allerdings vergeblich, durch die Zusammenarbeit mit Deutschland Frankreichs Stellung gegenüber den USA zu stärken. Die Bundesrepublik suchte weiterhin die enge Anlehnung an die USA. Wiederholt jedoch fanden führende Politiker beider Staaten unabhängig von ihrer politischen Richtung zu persönlicher Freundschaft. Das traf besonders auf den Sozialdemokraten Helmut Schmidt und den Liberalen Giscard d'Estaing, den Christdemokraten Helmut Kohl und den Sozialisten Mitterand sowie den Sozialdemokraten Gerhard Schröder und den Gaullisten Jacques Chirac zu.

M 4 Auszug aus dem Elysée-Vertrag

1. Auf dem Gebiet des Erziehungswesens richten sich die Bemühungen hauptsächlich auf folgende Punkte: a) Sprachunterricht: Die beiden Regierungen erkennen die wesentliche Bedeutung an, die die Kenntnis der Sprache des anderen in jedem der beiden Länder für die deutsch-französische Zusammenarbeit zukommt. Zu diesem Zweck werden sie sich bemühen, konkrete Maßnahmen zu ergreifen, um die Zahl der deutschen Schüler, die Französisch lernen, und die der französischen Schüler, die Deutsch lernen, zu erhöhen.

2. Der deutschen und der französischen Jugend sollen alle Möglichkeiten geboten werden, um die Bande, die zwischen ihnen bestehen, enger zu gestalten (…).

Die deutsch-französischen Beziehungen. Chronologie und Dokumente 1948-1999. Bonn 2000, S. 181.

M 5 Fördert der Elysée-Vertrag die Sprachkenntnisse?

Vierzig Jahre später lassen die Zahlen an ein Scheitern denken. In Deutschland ist das Französische im Primarbereich nahezu ganz verschwunden;(…) an den Gymnasien geht es zurück (5 % der Gymnasiasten legen eine Abiturprüfung im Fach Französisch ab). In Frankreich hat die Zahl der Gymnasiasten mit Deutsch als Fremdsprache im September 2002 die Millionengrenze unterschritten. Die Entscheidung für Deutsch als erste Fremdsprache – ein lange Zeit als elitär geltender Zug – war nur noch für 7,9 % der Schüler der „Sixième" (Klasse 5 in Deutschland) attraktiv, während sich 1990 noch 12,7 % dafür entschieden hatten. Als zweite Fremdsprache verliert das Deutsche gegenüber dem Spanischen an Bedeutung. „(…) Auf sprachlicher Ebene ist der Elysée-Vertrag ein Misserfolg", bedauert Jean-Michel Hannequart, Präsident der Vereinigung zur Entwicklung des Deutschunterrichts in Frankreich (…) Luc Ferry, der Erziehungsminister, schlug vor, das Englische in der Grundschule und die beiden anderen Sprachen in der Sekundarstufe zu lernen, „denn es wäre schrecklich, wenn wir Deutsche und Franzosen untereinander nur Englisch – und obendrein noch schlechtes Englisch – sprechen würden."

Nicolas Bourcier: „Sprechen Sie français?" „Non, danke!" in: Le Monde, 23. 1. 2003 (Übers. v. Autor).

M 6 Tipp

Eine gemeinsame Gruppenreise, zum Beispiel mit der Klasse, oder eine Sprachenfahrt in unser Nachbarland Frankreich ist sicherlich spannend und erholsam. Für die Vorbereitung von Jugendaustausch, Ferienfahrten und Studienreisen gibt es einen guten Partner, das 5 Deutsch-Französische Jugendwerk. Wendet euch an folgende Adresse:

Molkenmarkt 1, 10179 Berlin; info@dfjw.org; im Internet: http://www.dfjw.org/

Informiert euch über die Ziele und das Programm des 10 Jugendwerks. Diskutiert, inwiefern diese Organisation zu einer Freundschaft zwischen Deutschen und Franzosen beiträgt.

M 7 Bundeskanzler Adenauer nach der Unterzeichnung des deutsch-französischen Vertrages

In der Karikatur bezieht sich Jupp Wolter im „Sonntagsblatt" vom 24. Februar 1963 auf die enge Anlehnung Adenauers an die USA.

Fragen und Anregungen

1 Zeige an Hand der Plakate (M1) die Probleme der Geschichte des Elsass zwischen Deutschland und Frankreich auf.

2 Untersuche, wie die „Erbfeindschaft" zwischen Deutschen und Franzosen entstand und wie sie überwunden wurde. (VT, M2, M3, M7)

3 Stelle zusammen, welche Partnerschaften von Schulen, Gemeinden und Regionen mit Frankreich an deinem Schul- oder Wohnort bestehen.

4 Beurteile die Absicht und den Erfolg des Elysée-Vertrags in Bezug auf die Sprachkenntnisse und den Fremdsprachenunterricht. (M4, M5)

3. Westeuropa wächst zusammen

1967   Das Europa der Sechs schafft in der Europäischen Gemeinschaft einen rechtlichen Rahmen zur ökonomischen Einigung.

1979   Erstmals wählen die Europäer ihr Parlament unmittelbar.

1986   Die 11 EG-Staaten beschließen in der Einheitlichen Europäischen Akte die Grundlage für eine engere politische Zusammenarbeit.

Neue Staaten werden integriert

Zehn Jahre bestanden die westeuropäischen Organisationen, als die sechs Mitgliedstaaten 1967 die Verträge der EGKS, EWG und EURATOM zur „Europäische Gemeinschaft" (EG) zusammenfassten. Großbritannien war wegen der Beziehungen zu den ehemaligen Kolonien der EWG noch nicht beigetreten und hatte zusammen mit einigen europäischen Staaten eine Freihandelszone (EFTA) gebildet. Schließlich wurde Großbritannien 1972 Mitglied der EG, die bessere Entwicklungsmöglichkeiten besaß als die EFTA. Im gleichen Jahr folgten Dänemark und Irland, 1981 Griechenland, 1986 Spanien und Portugal. Weil in diesen drei Ländern bis vor kurzem rechtsgerichtete Diktaturen bestanden hatten, sollten die jungen Demokratien durch den EG-Beitritt gestärkt werden. Wegen hoher Arbeitslosigkeit und rückständiger Landwirtschaft erhielten diese Staaten Übergangsregelungen, die ihnen die wirtschaftliche Anpassung erleichterten.

Die europäischen Institutionen

Die politischen Ordnung der EWG wurde nach dem Modell der Montanunion aufgebaut: Der „Rat", bestehend aus den Regierungschefs oder Fachministern der Mitgliedsstaaten, gestaltete die Entwicklung der EG durch seine Entscheidungen, die mit Mindestmehrheiten oder einstimmig zu beschließen waren. Die nationalen Regierungen benannten insgesamt 20 Kommissare, die als Mitglieder der „Europäischen Kommission" der Verwaltung vorstanden, jedoch auch Anregungen für die Entwicklung der EG gaben. Das seit 1979 direkt gewählte Europäische Parlament kontrollierte die Kommission, besaß jedoch nicht die Machtfülle gewählter nationaler Volksvertretungen, weil es nicht allein den Haushalt, die Gesetze und die Verträge mit ausländischen Mächten beschloss. Dies nährte die Kritik, dass die europäischen Institutionen undemokratisch seien und den Einzelstaaten zu viel Macht einräumten. Der wachsenden Zahl von Mitgliedsstaaten schien die poli-

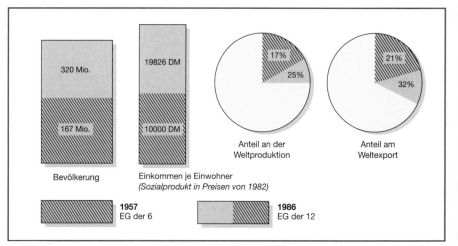

M 1 Das Wachstum der Europäischen Gemeinschaft
Von der EWG der 6 Staaten zur EG der 12 Staaten 1986

tische Integration nicht mehr zu entsprechen. Deswegen beschloss der Europäische Rat 1986 in der „Europäischen Politischen Zusammenarbeit" (EPZ), die Sozial-, Sicherheits-, Außen- und Rechtspolitik der Mitgliedsstaaten abzustimmen und zu vereinheitlichen.

Die EG diente allerdings nicht nur dem Freihandel und der Bildung eines gemeinsamen Marktes, sondern schützte auch die Volkswirtschaften oder besondere Wirtschaftszweige der Mitgliedsstaaten. Das galt besonders für die von der internationalen Konkurrenz bedrohte europäische Landwirtschaft. Um einen Ruin vor allem der europäischen Kleinbauern zu verhindern, begünstigten Agrarzölle die Preise für europäische Agrargüter und erschwerten Einfuhren. Landwirte wurden bei der Umstellung auf Milchproduktion unterstützt. Die folgende Überproduktion von Milcherzeugnissen kaufte die EG auf und lagerte sie tiefgekühlt ein, um die hohen Preise in Europa zu halten.

Europäische Agrarpolitik und ihre Probleme

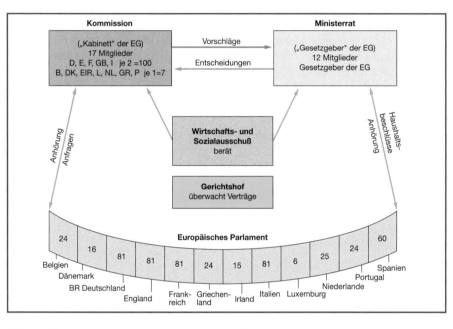

M 2 Die Institutionen der EG

M 3 „Streit um Europa"
Der Karikaturist spielt auf die Entführung der Europa an. Warum kritisiert er die Europapolitik der Mitgliedstaaten?

M 4 Die EG – eine erfolgreiche Geschichte

Radio- und Fernsehansprache des französischen Präsidenten Mitterrand am 30. Jahrestag der Unterzeichnung der Römischen Verträge am 25. März 1987:

Der 25. März 1957 ist eines der wichtigsten Daten unserer Geschichte. Um dessen Tragweite zu verstehen, muss man sich (…) den Zustand unseres Kontinents nach zwei Weltkriegen (…) vergegenwärtigen. Überall
5 Ruinen, verwüstete Erde, ihres Besitzes beraubte Völker, deren Schicksal nunmehr fremden Händen ausgeliefert ist, ein zweigeteiltes Europa. (…) Sei es im Hinblick auf seine Institutionen, seine in vielen Bereichen gemeinsame Politik, die Beseitigung der inneren Zoll-
10 schranken, seine Hilfe für die Dritte Welt, die Anfänge seiner konzertierten (abgestimmten) politischen Aktion oder seine hervorragenden technischen Errungenschaften: Europa ist erfolgreich. Als erste Handelsmacht dank seiner 320 Millionen Einwohner (…)
15 schreitet es voran. (…) Treiben wir das Europa der Technologie voran. Amerikaner und Japaner werden nicht auf uns warten. Erobern auch wir den Weltraum. Organisieren wir unsere Kommunikation, unsere Bildung und Kultur. (…) Verringern wir die Ungleichheit
20 zwischen den Ländern, zwischen den Regionen, zwischen den sozialen Gruppen und den Individuen. Fördern wir den ECU, unsere gemeinsame Währung.

M 5 Eine neue wirtschaftliche Weltmacht?

US-Präsident J. F. Kennedy 1962 in einer Rede:

Jenseits des Atlantiks ist gegenwärtig eine einheitliche Wirtschaftsgemeinschaft im Entstehen begriffen, die eines Tages eine Bevölkerung haben dürfte, die dreieinhalb mal so groß ist wie die unsere. Diese Bevölke-
5 rung arbeitet im Rahmen einer Wirtschaft zusammen (…), bei der es für Handel und Investitionen keine größeren Hindernisse gibt als zwischen unseren 50 Bundesstaaten. Diese Wirtschaft hatte in der Vergangenheit eine Wachstumsrate, die doppelt so hoch wie die unsrige war, und sie wird eine Kaufkraft repräsentieren, die der unsrigen gleichkommt, und einen Lebensstandard aufweisen, der schneller als der unsrige steigt. (…) Wenn unseren Exporten der freie Zugang zur EWG (…) verwehrt sein sollte, dann würde unsere (…) Führung der freien Welt gefährdet werden. Die Länder Westeuropas werden in den nächsten Jahren ihr Wirtschafts- und Handlungsschema festlegen, das die Zukunft unserer Wirtschaft entscheidend berühren wird.

E.-O. Czempiel und C. Chr. Schweitzer: Weltpolitik der USA nach 1945, Einführung und Dokumente. Bd. 210, Opladen 1984, S. 288 ff.

M 6 Einstimmigkeit als Hindernis der Integration

Der Journalist Martin Bernstorf schrieb 1985:

Seit dem 29. Januar 1966 nämlich (…) übt sich der Rat, das von den Mitgliedsregierungen beschickte Organ der Gemeinschaft in Selbstbescheidung (…): Einstimmigkeit wurde zur Regel (…) Mit der Einstimmigkeit aber hatte der Rat zugleich auch Schwerfälligkeit verordnet. In kontroversen Fragen zogen sich die Verhandlungen endlos hin (…) Natürlich ist die Gemeinschaft auch durch ihr Wachstum – von sechs Mitgliedsländern auf zehn – schwerfälliger geworden. (…) In regelmäßigen Abständen schlägt zum Beispiel der frühere EG-Kommissionspräsident Gaston Thorn Alarm. „An dem Tag", sagt er, „als man tatsächlich dazu überging, auf europäischer Ebene die Einstimmigkeit bei den Entscheidungen zu praktizieren, beging man sozusagen die Erbsünde und verdammte die Gemeinschaft zur Stagnation."

Capital. Das deutsche Wirtschaftsmagazin. Juni 1985, S. 203 ff.M8 Die europäische Agrarpolitik

M 7 Großbritanniens Beitrittsantrag 1962

Die belgische Karikatur verdeutlicht, dass Großbritannien nicht alleine beitreten wollte. An Hand der Zeichnung bekommst du die Namen der Länder heraus. In welchem Verhältnis standen sie zu Großbritannien? Wie nahm die EWG dieses Vorhaben auf?

M 8 Bundeslandwirtschaftsminister Ignaz Kiechle 1992 im Interview mit dem Spiegel (S):

Spiegel: Kann der europäische Bauer irgendwann einmal in den freien Markt entlassen werden, wo er dann mit Anbietern aus aller Welt konkurriert?

Kiechle: Das mit dem Markt haben schon andere versucht und sind dabei nicht glücklich geworden. Wir können unsere Kühe doch nicht am La Plata weiden lassen, das geht nicht. Den Unterschied zwischen dem Pariser Becken und dem Voralpengebiet können Sie nicht über den Markt ausgleichen, es sei denn, Sie sagen: Wer international nicht konkurrenzfähig ist, geht eben kaputt. So weit wollen wir die Marktwirtschaft nicht treiben.

Spiegel: Mit den großen Getreideproduzenten etwa in Kanada oder den USA werden viele Europäer nie mithalten können. 15

Kiechle: Ganz recht, unter gegenwärtigen Bedingungen nicht. Wenn Sie echten Wettbewerb wollen, müssen Sie zum Beispiel unseren Bauern aber auch die Waffen in die Hand geben, die ihre Konkurrenten haben. Dann müssen hier auch Pflanzengifte einge- 20 setzt werden, die in Amerika erlaubt sind, aber böse Folgen für die Umwelt haben.

Spiegel 31/1992, S. 87.

M 9 Bauernproteste

Links: Französische Bauern protestierten 1995 vor dem Pariser Louvre gegen den Preisverfall ihrer Produkte.
Rechts: Bauern in Würzburg 1988. Von der Massensubventionierung der EG-Agrarprodukte profitierten in den ersten Jahrzehnten vor allem die großen, technisch gut ausgerüsteten Agrarfabriken, während die kleineren und mittleren Betriebe zunehmend unrentabel wurden und viele aufgegeben werden mussten. Schätzungen gehen davon aus, dass etwa vier Fünftel der EG-Agrarhilfen lediglich einem Fünftel der Betriebe zugute kommen.

Fragen und Anregungen

1 Stelle in einer Tabelle die Schwerpunkte des inneren und äußeren Ausbaus der EG zusammen. (VT, M1, M2)

2 Erkläre das Funktionieren der EG-Institutionen und zeige auf, welche Kritik an deren Zusammenwirken besteht. (M2, M6)

3 Ermittle, wie Präsident Kennedy die Entwicklung der EWG und deren Auswirkung für die USA bewertete. (M5)

4 Arbeite an Hand der Rede Mitterrands die Erfolge und die offenen Herausforderungen für die EG im Jahr 1987 heraus. (M4)

4. Die Kolonien erringen die staatliche Unabhängigkeit

1918	US-Präsident Wilson vertritt das Selbstbestimmungsrecht der Völker.
1945	Das Selbstbestimmungsrecht der Völker wird in die Charta der Vereinten Nationen aufgenommen.
1947	Indien wird unabhängig und nach einem Bürgerkrieg geteilt.
1960	In Afrika werden 17 neue Staaten gegründet. Binnen weniger Jahre gibt es kaum mehr Kolonien.

Indiens „friedliche" Entkolonialisierung

Schon 1918 forderte US-Präsident Wilson in den „Vierzehn Punkten" das Selbstbestimmungsrecht für alle Völker. Doch erst die Schwächung vieler Kolonialmächte durch den Zweiten Weltkrieg und der sich verstärkende Emanzipationswille der Bevölkerung der Kolonien brachten nach 1945 entscheidende Fortschritte für die Entkolonialisierung. Zudem übten auf dem Hintergrund des Ost-West-Konflikts die USA und die UdSSR zunehmend Druck auf die Kolonialmächte aus, um selbst neue Einflussgebiete und Rohstoffmärkte zu gewinnen.

Sehr viel früher begann der Weg in die Unabhängigkeit in Indien. Dort setzte vor allem Mahatma Gandhi, ein indischer Rechtsanwalt aus Südafrika, schon 1917 gewaltlosen Widerstand gegen die britische Kolonialmacht ein. Seine Methoden des bürgerlichen Ungehorsams machten ihn zum populären politischen Führer und einem Vorbild für gewaltlose Politik.

Während des Zweiten Weltkriegs versprach Großbritannien den Indern die Unabhängigkeit, um sie für den Krieg gegen Deutschland und Japan zu gewinnen. 1947 wurde Indien dann tatsächlich friedlich in die Unabhängigkeit entlassen. Doch unmittelbar danach entstand ein erbitterter Bürgerkrieg zwischen Hindus und Moslems, die als Minderheit in einem geeinten Indien Verfolgungen fürchteten. Ein fanatischer Hindu ermordete 1948 Mahatma Gandhi, der für einen friedlichen Ausgleich zwischen den Religionsgruppen eintrat.

Am Ende des Bürgerkriegs entstanden zwei Staaten, der demokratische Bundesstaat „Indische Union" und der muslimische Staat „Pakistan". Das indische Beispiel zeigt zwar eine relativ friedliche Entkolonialisierung, aber auch das Aufbrechen ethnischer und religiöser Konflikte, die die Kolonialmacht bis dahin unterdrückt hatte.

Afrikas schwerer Weg in die Moderne

Obwohl das Selbstbestimmungsrecht der Völker 1945 in die Charta der Vereinten Nationen aufgenommen wurde, verlief der Weg in die Unabhängigkeit für andere Kolonialländer – vor allem in Afrika – erheblich konfliktreicher. Erst 1960 wurden 17 afrikanische Staaten unabhängig. Dies gelang – wie in Algerien – oft nur nach langem, gewaltsamem Widerstand gegen die Kolonialmacht. Als Frankreich 1962 die Unabhängigkeit Algeriens anerkannte, flüchteten 800 000 Algerienfranzosen ins Mutterland, wodurch der algerischen Wirtschaft großer Schaden entstand. In Südafrika und Südrhodesien, dem heutigen Zimbabwe, lebte eine starke Minderheit weißer Siedler, die einen Staat der schwarzafrikanischen Mehrheit gewaltsam verhinderte. In der Südafrikanischen Union unterdrückte die weiße Oberschicht die Farbigen durch die Apartheidgesetze in politischer, wirtschaftlicher und sozialer Hinsicht.

Aber auch andere junge afrikanische Staaten, in denen meist mehrere Religionen, Kulturen und Sprachen nebeneinander bestanden, stellte die neue Selbstständigkeit vor große Schwierigkeiten. Die Staatsgrenzen waren ohne Rücksicht auf die Stammesverhältnisse gezogen worden. Oft verließen die europäischen Fachleute diese Länder, die mit ihren Monokulturen wirtschaftlich auf die Bedürfnisse der Kolonialmächte ausgerichtet waren. Dem okratische Verfassungen dienten als Vorbild, doch es fehlte meist eine demokratische Tradition. So errichteten die Führungsschichten vielfach Diktaturen mit Einheitsparteien. Eine staatliche Planwirtschaft und die Enteignung von europäischem und amerikanischem Besitz sollten den Weg in die wirtschaftliche Selbstständigkeit sichern.

Den schwierigen Weg vieler afrikanischer Länder im Schatten des Ost-West-Konflikts zeigt die politische Entwicklung im Kongo. Tasumbu Tawosa (1925–1961), genannt Lumumba („aufrührerische Masse"), war 1959 Mitbegründer der Kongolesischen Nationalbewegung. Nach der Unabhängigkeit des Kongo von Belgien 1960 wurde er nach freien Wahlen der erste Ministerpräsident der Demokratischen Republik Kongo. Die USA und Belgien sahen aber durch Lumumbas sozialpolitisches Engagement ihre wirtschaftlichen Interessen bedroht und befürchteten ein Abdriften des Kongo in die Einflusssphäre Moskaus. Belgien unterstützte daher die separatistischen Bestrebungen der an Bodenschätzen reichen Provinz Katanga und die USA standen in dem von Unruhen und politischem Streit zerrissenen Land hinter einem Armee-Putsch unter Joseph Mobutu. Dieser ließ Lumumba verhaften und nach Katanga bringen. 1961 wurde er dort ermordet.

Das Beispiel Kongo

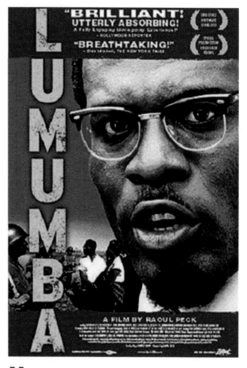

Die Abspaltung Katangas wurde schließlich 1962/63 mit Hilfe von UN-Truppen beendet. Mobutu blieb mit Hilfe der Armee an der Macht. Er ernannte sich zum Staatspräsidenten und errichtete eine Diktatur. 1971 ließ er den Kongo in Zaire umbenennen. Erst 1997 gelang es Kabila, dem Anführer einer Rebellentruppe im Grenzland zu Ruanda, den alten und kranken Mobutu zu stürzen. Wenige Jahre später fiel er selbst einem Attentat zum Opfer. Sein Sohn, Joseph Kabila, versucht seit 2001 das Werk seines Vaters als Staatspräsident fortzusetzen und den Kongo aus der andauernden Krise zu führen. Die zerstörte Infrastruktur des Landes und die ruinierte Wirtschaft sind die größten Hürden auf dem Weg zu einer stabilen Demokratie. Seit 1997 nennt sich der Staat wieder Demokratische Republik Kongo. 2006 wurden erfolgreich demokratische Wahlen abgehalten.

M 1 **Lumumba – ein Film von Raoul Peck**
Peck erzählt die Geschichte Lumumbas als packenden politischen Thriller.

Entkolonialisierung

Nach dem Zweiten Weltkrieg errangen fast alle Kolonien die staatliche Unabhängigkeit. Die Entkolonialisierung entsprach dem Selbstbestimmungsrecht der Völker und wurde durch den Kalten Krieg beschleunigt. Teils führte der Weg in die Unabhängigkeit über kriegerische Auseinandersetzungen mit der ehemaligen Kolonialmacht (z. B. in Algerien), teils über zwar langwierige, im Wesentlichen aber friedliche Verhandlungen (z. B. in Indien). Die neuen Staaten der so genannten Dritten Welt, meist Entwicklungsländer, wurden von den Staaten des westlichen und östlichen Lagers umworben. Die großen wirtschaftlichen und gesellschaftlichen Schwierigkeiten bedingten oft die Bildung von Diktaturen.

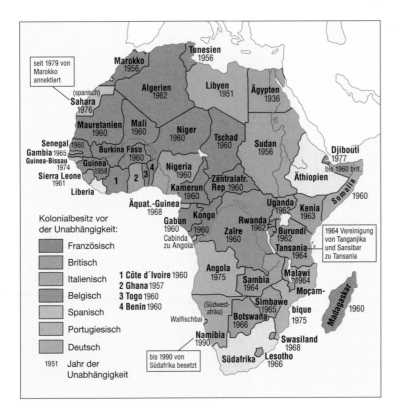

Map labels (M2):

Tunesien 1956
Marokko 1956
seit 1979 von Marokko annektiert
Algerien 1962
Libyen 1951
Ägypten 1936
(spanisch) Sahara 1976
Mauretanien 1960
Mali 1960
Niger 1960
Tschad 1960
Sudan 1956
Djibouti 1977
bis 1960 brit.
Senegal 1960
Gambia 1965
Guinea-Bissau 1974
Guinea 1958
Sierra Leone 1961
Liberia
Burkina Faso 1960
1 2 3 4
Nigeria 1960
Zentralafr. Rep 1960
Äthiopien
Somalia 1960
Äquat.-Guinea 1968
Kamerun 1960
Gabun 1960
Kongo 1960
Rwanda 1962
Uganda 1962
Kenia 1963
Burundi 1962
1964 Vereinigung von Tanganjika und Sansibar zu Tansania
Cabinda zu Angola
Zaïre 1960
Tansania 1964
Angola 1975
Sambia 1964
Malawi 1964
Moçam-bique 1975
(Südwest-afrika)
Walfischbai
Simbawe 1965
Botswana 1966
Madagaskar 1960
Namibia 1990
bis 1990 von Südafrika besetzt
Südafrika
Lesotho 1966
Swasiland 1968

Kolonialbesitz vor der Unabhängigkeit:
Französisch
Britisch
Italienisch
Belgisch
Spanisch
Portugiesisch
Deutsch

1 Côte d'Ivoire 1960
2 Ghana 1957
3 Togo 1960
4 Benin 1960

1951 Jahr der Unabhängigkeit

M 2 Die Entkolonialisierung
Unterscheide die verschiedenen Etappen der Entkolonialisierung.

ДОБРОЕ УТРО, АФРИКА!

M 3 „Guten Morgen, Afrika!"
Plakat der Sowjetunion zur Unabhängigkeit der afrikanischen Staaten, 1960.

M 4 Freiheitspolitik und kommunistische Bedrohung
Die Haltung des US-Außenministers John Foster Dulles zur Entkolonialisierung 1953:
An der Front der freien Welt sind die kolonisierten oder abhängigen Gebiete das Feld der dramatischen Auseinandersetzung. Dort stehen sich direkt die westliche Politik und der sowjetische Imperialismus gegenüber. (...) (Dies) führt unter Garantie der Charta der
5 Vereinten Nationen ganz selbstverständlich zur Entstehung unabhängiger Regierungen und freier Institutionen (...). Wir können indessen die vom internationalen Kommunismus ausgehenden Gefahren nicht ignorie-
10 ren. (...) Vielleicht sind einige von ihnen der Ansicht, dass unsere Regierung die Freiheitspolitik nicht so kraftvoll durchsetzt, wie es nötig wäre. Ich kann ihnen sagen (...), dass wir wohl die Fälle genau erkennen, wo die Möglichkeit einer etwaigen kommunistischen Be-
15 drohung einen Aufschub unseres Handelns rechtfertigen kann, und die Fälle, wo es keinen triftigen Grund dafür gibt. Wir haben gute Gründe, die Einheit mit unseren westlichen Verbündeten aufrechtzuerhalten, aber wir haben nicht vergessen, dass wir die erste

Kolonie waren, die ihre Unabhängigkeit erkämpft hat. (...) Es gibt nicht den geringsten Zweifel in unserer Überzeugung, dass der normale Übergang vom Kolonialstatus zur Autonomie bis zu Ende geführt werden muss.

R. Frank: La décolonisation. Paris 1983, S. 21 f. (übers. v. Autor)

M 5 Der Kongo – für ganz Europa von Interesse?
Von allen Ländern in Afrika ist Belgisch Kongo das bestentwickelte Gebiet. (...) Wenn man die industrielle Erzeugung des Belgischen Kongo während der Jahre 1945 bis 1948 bewertet, dann ist dieser Index von 17,5 im Jahre 1935 auf 387 im Jahre 1958 gestiegen. (...) Da der Kongo mit dem Gemeinsamen Markt assoziiert ist und da ganz Afrika als das natürliche Hinterland des hoch industrialisierten Europa angesehen wird, sind die Wirtschaftslage und die Zukunft des Belgischen Kongo nicht nur für Belgien, sondern für ganz Europa von Interesse.

Afrikanische Entwicklungsgebiete. Belgisch Kongo, Angola, Mocambique. Hrsg. v. d. Bundesstelle für Außenhandelsinformation 1960.

M 6 30. Juni 1960 –
der Kongo wird unabhängig
Die Menschen jubeln in den Straßen
Kinshasas, damals noch Leopoldville. Seit
1885 war das Land Kolonie des belgischen
Königs, seit 1908 des belgischen Staats.
Die Bodenschätze der Provinz Katanga,
besonders das Uran für die US-Atom-
industrie, machten den Kongo für die
Westmächte unverzichtbar.

M 7 Der belgische König Baudouin zur Unabhängigkeit des Kongo 1960

Die Unabhängigkeit des Kongo stellt das Ende eines Werkes dar, das sich das Genie König Leopolds II. ausgedacht hat und das durch ihn mit eisernem Willen in Angriff genommen wurde und durch die Beharrlichkeit Belgiens fortgeführt wurde. (…) 80 Jahre lang hat Belgien in ihr Land die besten seiner Söhne geschickt (…) um die verschiedenen Völker einander anzunähern, die, einstmals Feinde, sich darauf vorbereiten, den größten unabhängigen Staat Afrikas zu gründen. (…) Wir sind glücklich darüber, trotz größter Schwierigkeiten dem Kongo somit die unerlässlichen Elemente für ein Gerüst gegeben zu haben, mit dem ein Land auf dem Weg der Entwicklung gehen kann.

Nach Geschichte lernen, Heft 99, 2004 (Übersetzung v. A. Althoff).

M 8 Der Standpunkt des kongolesischen Politikers und Ministerpräsidenten Patrice Lumumba

a) Rede zur Unabhängigkeit am 30. Juni 1960:
Zwar sei die Unabhängigkeit im Einvernehmen mit Belgien proklamiert worden, aber „kein Kongolese, der dieses Namens würdig ist, wird je vergessen, dass es der Kampf war, der sie uns bescherte: ein alltäglicher Kampf, ein Kampf, der mit Idealismus und Herzen geführt wurde. (…) Wir haben erleben müssen, dass man uns verhöhnte, beleidigte, schlug, tagaus, tagein, von morgens bis abends, nur weil wir Neger waren. (…) Auch die Erschießungen, denen so viele unserer Brüder zum Opfer fielen, wird niemand von 10 uns je vergessen, die Kerker, in die man gnadenlos alle warf, deren einziges Verbrechen es war, sich nicht länger einer Justiz fügen zu wollen, die das Geschäft der Unterdrücker und Ausbeuter besorgten."

L. de Witte: Regierungsauftrag Mord. Der Tod Lumumbas und die Kongo-Krise. Leipzig 2001, S.30

b) Die politischen Ziele Lumumbas:
Wir werden alles tun, damit der Kongo ein neues Gesicht erhält und alle Kongo-Bürger das Gefühl der Zugehörigkeit zu dieser großen Nation bekommen. (…) Die weißen Kolonisten in Katanga haben die Abtrennung der Provinz vom übrigen Kongo verlangt. Sie 5 wollen aus dem Gebiet ein zweites Südafrika machen, weil Katanga dank seiner Bodenschätze sehr reich ist. Sie schicken zu diesem Zweck Afrikaner vor, denen sie Geld geben, die sie korrumpieren, und sie sagen ihnen: Erkennt keine einheitliche Regierung für den Kongo 10 an, denn ihr werdet darin nicht Minister. (…) Unsere Unabhängigkeit muss total sein. Wir werden jedoch mit Belgien und mit jeder anderen Nation Verträge über wirtschaftliche, wissenschaftliche und technische Zusammenarbeit schließen. (…) Aber wir werden kein 15 Geld annehmen, wenn dahinter die Idee steht: Ich helfe der Kongo-Regierung nur, um sie politisch und wirtschaftlich zu beherrschen.

Nach: Der Spiegel v. 22. Juli 1960.

M 9 Plakat der Hilfsorganisation „Ärzte ohne Grenzen"

M 11 Die Brüsseler Zeitung „Standaard" trat am 26. Juli 1960 für die Aufteilung des Kongo ein.
Dem Kongo bleibt nur noch eine Chance, dem Zusammenbruch zu entgehen: die gemäßigten Kräfte (…) müssen ans Ruder. Das riesige Land sollte eine Konföderation (Bundesstaat) werden, in der jeder Einzelstaat seinen eigenen Weg zurück zur Ordnung, Wohlstand und Freiheit finden könnte. (…) Wenn Lumumba jedoch an der Macht bleibt und in seiner antibelgischen Attitüde verharrt, geht der Kongo einer schlimmen Zukunft entgegen.

L. de Witte: Regierungsauftrag Mord. S. 42 ff.

M 10 Zum Einsatz deutscher Truppen bei den demokratischen Wahlen im Kongo 2006 schreibt die FAZ:
Wir haben ein erhebliches Interesse an einer Stabilisierung der Demokratischen Republik Kongo, denn sie ist eines der wichtigsten Länder auf dem afrikanischen Kontinent. Kongos Stabilität oder Instabilität betrifft
5 sämtliche Nachbarländer, strahlt aber auch weiter in den Süden Afrikas aus. Zudem ist das Land reich an Bodenschätzen, darunter „strategischen Rohstoffen" wie Uran, Erze, Öl, Beryllium (geeignet zur Herstellung von Kernwaffen) und an Wasser. Ist zudem die Regierung
10 nicht imstande, dieses riesige Land zu kontrollieren, so bietet es einen idealen Rückzugraum für islamische Terroristen und Kriminelle. Die bevorstehenden Wahlen sind für eine Stabilisierung ein entscheidender Schritt.

St. Löwenstein: „Eine Scheindebatte". In: Frankfurter Allgemeine Zeitung vom 27. März 2006.

M 12 UN-Truppen sichern freie Wahlen im Kongo

Fragen und Anregungen ....

❶ Stelle die Gründe für die Entkolonialisierung zusammen. (VT)

❷ Verdeutliche die besonderen Bedingungen der indischen Unabhängigkeit. (VT)

❸ Fasse die Sicht König Baudouins über die Unabhängigkeit des Kongo und der deutschen Unternehmer zusammen. (M5 und M7)

❹ Vergleiche mit den europäischen Ansichten die Sichtweise und Ziele des Ministerpräsidenten des Kongo, Lumumba. (M8)

❺ Erläutere am Beispiel der Republik Kongo die inneren und äußeren Schwierigkeiten, die die jungen afrikanischen Staaten in ihrer Entwicklung beeinflussten. (VT, M8–M12)

5. Der Nord-Süd-Konflikt – ein weltumspannendes Problem

1955 Auf der Konferenz von Bandung (Indonesien) werden die Grundsätze der Blockfreien Bewegung festgelegt.

1960 Die Erdöl exportierenden Länder schließen sich zur OPEC zusammen.

1961 In Belgrad wird die NAM (**N**on-**A**ligned **M**ovement), die Bewegung der Blockfreien, gegründet.

Reicher Norden – ohnmächtiger Süden

Bis heute wird die gesamte Weltpolitik wesentlich beeinflusst durch den Konflikt zwischen den reichen Industrienationen und den ärmeren und ganz armen Entwicklungsländern. Da die meisten reichen Länder überwiegend auf der Nordhalbkugel der Erde liegen, die ärmeren dagegen auf der südlichen, spricht man vom Nord-Süd-Konflikt. Der Unterschied zwischen den armen Ländern im Süden der Erde, vor allem in Afrika, Lateinamerika und Asien, und den reichen Industriestaaten, allen voran die USA und die EU-Staaten, aber auch Russland, hat sich in den letzten Jahren deutlich verschärft. Dieser Trend hält an, die Schere zwischen arm und reich wird größer. Gleichzeitig sind überall in der Welt, durch die modernen Medien verbreitet, Bilder vom Wohlstand und Luxus der reichen Welt zu sehen, so dass das Bewusstsein, ungerecht behandelt zu werden, in den Entwicklungsländern wächst.

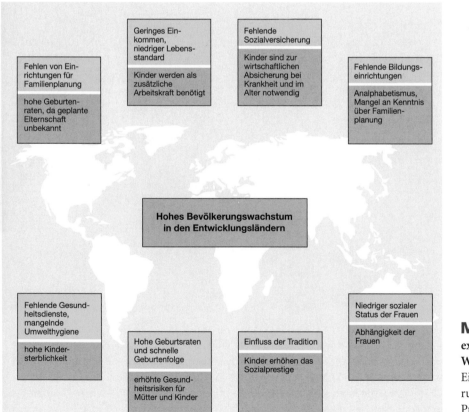

M 1 Bevölkerungsexplosion in der Dritten Welt
Eine erfolgreiche Bevölkerungspolitik muss viele Probleme gleichzeitig in Angriff nehmen.

Die Wurzeln des Nord-Süd-Konfliktes reichen weiter zurück als die aktuellen Fragen der Rohstoffverteilung, des Bevölkerungswachstums und des Umweltschutzes. Bestimmend waren die Kolonialpolitik, die Situation nach der Entkolonialisierung und der Ost-West-Konflikt.

Das Erbe der Kolonialreiche

Die Ursache des Nord-Süd-Konfliktes liegt in der Geschichte der Kolonialreiche der europäischen Staaten. Mit der Entkolonialisierung endete zwar die unmittelbare Herrschaft der Kolonialmächte in den Ländern Afrikas und Asiens, die Probleme der ehemaligen Kolonien, vor allem in wirtschaftlicher Hinsicht, blieben aber bestehen. Die neuen Staaten mussten das Erbe der jahrhundertealten Kolonialherrschaft übernehmen, die die Wirtschaft der Regionen geprägt hatte. In den ersten Jahrhunderten nach der „Entdeckung" dienten die überseeischen Gebiete den Kolonialmächten, vor allem Spanien, Portugal, Frankreich und England, als Lieferanten für Rohstoffe, Bodenschätze und Sklaven. Im 19. Jahrhundert waren die Kolonien auch ideale Absatzmärkte für die Industrien der Mutterländer. Die Kolonien wurden gleichzeitig ausgebeutet und bewirtschaftet. Das heißt, Planta-

M 2 Minenopfer in Angola

1975 erreichte Angola seine Unabhängigkeit von Portugal. Sofort begann ein erbitterter Bürgerkrieg zwischen zwei Freiheitsbewegungen: der von der Sowjetunion und Kuba unterstützten „Volksbewegung für die Befreiung Angolas" und der von den USA und Südafrika unterstützten „Nationalen Befreiungsfront". Der mit allen Mitteln geführte Krieg drohte mit einer Niederlage der kommunistischen Seite zu enden. Aber auch nach dem Rückzug Kubas und der Sowjetunion dauerten die Kämpfe an. Erst 2002 kam es zu einem Friedensschluss. Aber noch heute kommt es aufgrund der während des Krieges gelegten Landminen zu zahllosen Verletzungen bei der Zivilbevölkerung.

gen, Städte, Häfen und Verwaltungszentren wurden diesen Zielen entsprechend ausgebaut. Daher war auch nach dem Übergang in die Unabhängigkeit die gesamte Infrastruktur erst einmal auf diese Interessen hin zugeschnitten. Nach der staatlichen Unabhängigkeit hatten viele junge Entwicklungsländer kaum eine andere Möglichkeit, als weiterhin zu billigen Preisen Rohstoffe an die Industriestaaten zu liefern. Dadurch hatten sie zwar Einnahmen, aber zu wenig für die Entwicklung des eigenen Landes. Sie waren gezwungen, Schulden zu machen und waren durch die drückende Zinsenlast schon bald überfordert. So entstand eine neue Abhängigkeit durch weitere Kredite, Absatzverträge, Preisbindungen und dem Transfer technischen Know-hows, die die Entwicklungsländer in einen Teufelskreis aus Schulden und Armut geraten ließen. Gegner dieser Politik sprechen sogar von Neokolonialismus.

Nach der Entkolonialisierung entstanden neue Staaten oft ohne Rücksicht auf ethnische oder kulturelle Grenzen. Dadurch kam es zu Bürgerkriegen, in denen beide Seiten Unterstützung bei Großmächten suchten. Im Zeichen des Ost-West-Konfliktes waren die USA und auch die UdSSR nur zu gerne bereit einer ihrer Weltanschauung nahe stehender Gruppe zu helfen. Automatisch unterstützte die andere Supermacht dann die gegnerische Partei. Hinter den offiziell Krieg führenden Parteien standen die beiden feindlichen Großmächte, die ihre Verbündeten mit militärischer und wirtschaftlicher Hilfe in die Lage versetzen, Krieg zu führen. Dadurch wurde zwar eine direkte Auseinandersetzung zwischen den Supermächten vermieden, die Stellvertreterkriege dauerten aber länger, als es ohne fremde Unterstützung möglich gewesen wäre, und zerstörten die betroffenen Länder, die so noch mehr verarmten. Die Entwicklungsländer wurden im Ost-West-Konflikt zu Instrumenten des Kalten Krieges.
Auch wenn afrikanische Länder versuchten, eigene Wege zu gehen, um ihre wirtschaftlichen Probleme zu lösen und sich von den kapitalistischen Industrienationen unabhängig zu machen, wurden sie oft im Ost-West-Konflikt zerrieben, wie die Beispiele Kongo und Angola zeigen.

Die Dritte Welt als Spielfeld für den Ost-West-Konflikt

Die Gründung der Block-
freien Bewegung

Nicht alle Staaten ließen sich in der Zeit des Kalten Krieges in den unmittelbaren Machtbereich des Ost- oder Westblockes einordnen. Auf Initiative des indischen Ministerpräsidenten Nehru trafen sich 1955 die Vertreter von 23 Staaten im indonesischen Bandung. Hier wurden zehn Grundsätze erarbeitet. Dazu gehörte neben dem Bekenntnis zur UN-Charta der Menschenrechte vor allem der Verzicht auf Einmischung in die inneren Angelegenheiten eines Staates. Letzteres bedeutete den Blockfreien Staaten sehr viel, denn dadurch wollten sie sich davor schützen, in den Ost-West-Konflikt hineingezogen zu werden.

Ebenso wichtig waren die Gleichberechtigung aller Rassen und der Verzicht, irgendeinem Bündnis anzugehören. Damit waren vor allem die Nato und der Warschauer Pakt gemeint.

1961 kam es in Belgrad, Jugoslawien, zur offiziellen Gründung der Blockfreien Bewegung. Ihr gehören heute bereits 118 Staaten an. Diese wachsende Zahl bedeutet aber nicht, dass sie wirklich großen Einfluss auf die Weltpolitik nehmen kann. Zwar versuchen die Blockfreien sich vor allem auch zum Sprachrohr der Entwicklungsstaaten zu machen, die Folgen des weltweiten Kalten Krieges, z. B. in Form von Stellvertreterkriegen, konnten sie aber nicht verhindern. Auch sind einige Mitgliedsländer verfeindet und führten gegeneinander Krieg, wie Indien und Pakistan.

Konfliktfelder und
Lösungsversuche im
Nord-Süd-Konflikt

Eine der Haupteinnahmequellen für die Entwicklungsländer sind nach wie vor ihre Rohstoffe. Daher sind die Rohstoffpreise ein wichtiger Streitpunkt zwischen der „Ersten" und der „Dritten" Welt. 1960 schlossen sich die Erdöl exportierenden Länder Arabiens mit einigen anderen Staaten Asiens und Lateinamerikas zur OPEC (Organization of Petroleum Exporting Countries) zusammen, um ihre Interessen in der Welt zu vertreten. Die OPEC ist bis heute das einflussreichste Ölkartell der Welt und nimmt Einfluss auf die Weltpolitik. Den Industriestaaten ist längst ihre Abhängigkeit von der Produktions- und Preispolitik der OPEC deutlich geworden.

Die Entwicklungsländer sind den Industrienationen der „Ersten Welt" in der UNO zahlenmäßig weit überlegen. Sie erhoben dort den Vorwurf, die Weltwirtschaftsordnung (WWO) sei ungerecht. Als Ergebnis langer Verhandlungen entstand im Dezember 1964 die UNCTAD (United Nations Conference on Trade and Development) oder auch kurz Welthandels- und Entwicklungskonferenz mit Sitz in Genf. Ihr Ziel ist es, die Zusammenarbeit zwischen den Industrieländern und den Entwicklungsländern zu regeln und gerechter zu gestalten. Die Entwicklungsländer verlangen zum Beispiel gerechte und stabile Rohstoffpreise auf dem Weltmarkt. Ebenso wird über einen Schuldenerlass für die armen Länder diskutiert und über eine Weltwährungsordnung, denn die Instabilität, die durch die Verarmung der Entwicklungsländer entsteht, ist auch ein Risiko für die Weltwirtschaft und den Weltfrieden.

Nord-Süd-Konflikt

Für den Interessenkonflikt zwischen reichen und armen Ländern hat man – in Anlehnung an den Ausdruck „Ost-West-Konflikt" – den Ausdruck „Nord-Süd-Konflikt" geprägt. Er bezieht sich auf die Tatsache, dass die wohlhabenden Länder vorwiegend nördlich des 30. Grades nördlicher Breite liegen, die Entwicklungs- und Schwellenländer südlich davon. Der Abstand zwischen beiden wird offenbar größer, die wirtschaftlichen und sozialen Probleme der meisten Entwicklungsländer spitzen sich zu. Eine Lösung des Konflikts ist nicht abzusehen.

M 4 Was heißt Blockfreiheit?

Der indische Ministerpräsident Nehru definierte 1955 einen eigenen Weg Indiens:

Die Wahrheit bleibt nicht auf ein Land oder ein Volk beschränkt, sie hat zu viele Aspekte, als dass irgendjemand behaupten könne, er kenne sie alle. Jedes Land und jedes Volk muss, wenn es sich selber treu sein will, den eigenen Weg finden, der über Irrtümer und neue Versuche, über Leiden und Erfahrungen führt. Nur dann wird das Land oder das Volk wachsen. Wenn sie nur andere nachahmen, werden sie wahrscheinlich nicht vorankommen. (…) Ebenso betont Panchshell (eine indisch-chinesische Vereinbarung) die bedeutsame Wahrheit, dass zu guter Letzt jedes Volk doch allein mit seinen Problemen fertig werden muss (…). Jedes Land sollte solche Bestrebungen von Seiten des Nachbarn mit Teilnahme und freundschaftlichem Verständnis begegnen, ohne sich einzumischen oder ihm etwas aufzuzwingen.

Nach: Geschichte in Quellen. Bd. 7. Die Welt seit 1945. München 1980, S. 624.

M 5 Satellitenstaaten – eine Form des Kolonialismus?

1955 sagte Sir John Kotelawa, der Premierminister von Ceylon (Sri Lanka):

Wenn wir den Kolonialismus vereint bekämpfen, sollte es auch unsere Pflicht sein, offen zu erklären, dass wir uns dem sowjetischen Kolonialismus ebenso sehr widersetzen wie dem westlichen Imperialismus. Die erste und offenkundigste Form ist der westliche Kolonialismus. Wir alle kennen diese Form und lehnen sie ab. Aber es gibt noch eine andere Form des Kolonialismus, über die sich viele (…) weniger im Klaren sind und für die sie vielleicht den Begriff „Kolonialismus" überhaupt nicht gelten lassen möchten. Denken Sie zum Beispiel an die Satellitenstaaten unter kommunistischer Herrschaft in Zentral- und Osteuropa: Ungarn, Rumänien, Bulgarien, Albanien, die Tschechoslowakei, Lettland, Litauen, Estland und Polen! Sind diese Länder nicht ebenso sehr Kolonien wie die westlichen Kolonialgebiete in Afrika und Asien? 15

Nach: Geschichte in Quellen. Bd. 7. Die Welt seit 1945. München 1980, S. 621.

M 6 Das Weltwirtschaftssystem führt zu noch größerer Ungleichheit

Der frühere Präsident von Tansania, Julius Nyerere, zum Versuch, die Entwicklungsländer dem gegenwärtigen Weltwirtschaftssystem auszusetzen:

Je mehr man hat, desto mehr kann man investieren. Wohlstand schafft noch mehr Wohlstand. Und ebenso hat Armut immer mehr Armut zur Folge. (…) Nehmen Sie an, wir in den armen Staaten beschließen den Bau einer Fabrik, beispielsweise einer Textilfabrik zur Verarbeitung der von uns erzeugten Baumwolle. Wir müssen zu den entwickelten Staaten gehen, um die Maschinen zu kaufen. Der Preis bestimmt sich nach Ihrem Lebensstandard, der Profit kommt Ihrer Wirtschaft zugute. Die Maschinen werden von Ihren Schiffen zu 10 unseren Häfen transportiert, die Frachtraten werden von den Produzentenkartellen in den reichen Staaten festgesetzt – wie auch die Transportkosten für die Rohbaumwolle, mit der wir diese Maschinen bezahlen werden. Wieder fließen Profit und Beschäftigungs- 15 effekte von den armen zu den reichen Ländern. Die Anstrengungen der armen Länder tragen zum Wohlleben der reichen bei. (…) Dies ist ein automatischer Vermögenstransfer von den Armen zu den Reichen und liegt beschlossen in der gegenwärtigen Verteilung 20 von Reichtümern und Einkommen in der Welt. Er ist ein Teil des Systems (…).

J. K. Nyerere: Die Dritte Welt und die Struktur der Weltwirtschaft. In: Frankfurter Rundschau vom 29. 5. 1976.

Fragen und Anregungen ···

1 Internetrecherche: Besuche die offizielle Blockfreien-Website der südafrikanischen Regierung www.nam.gov.za/background/background.htm und verschaffe dir einen Überblick über die Mitgliedstaaten. (VT)

2 Stellt die Argumente von Kotelawa und Nyerere zusammen und diskutiert über ihre Ansichten. (M5, M6)

3 Beurteile die Bedeutung der Bewegung der Blockfreien, indem du deine Kenntnisse über den Kalten Krieg dazu heranziehst. (VT, M4)

4 Erkläre die Karikatur. (M3)

5 Internetrecherche: Besuche die Homepages der OECD und der UNCTAD www.oecd.org/home/0,2987,en_2649_201185_1_1_1_1_1,00.html, www.unctad.org/Templates/StartPage.asp?intItemID=3535&lang=1

Informiere dich über jeweils ein aktuelles Projekte dieser UN-Organisationen und berichte darüber.

6. Der Nahostkonflikt bis zu den 1970er Jahren

14. Mai 1948	Der Staat Israel wird gegründet.
1948/1956/1967	In drei Kriegen kämpft Israel gegen seine arabischen Nachbarn.

M 1 „Wir waren immer schon hier"
(Karikatur von Fritz Behrendt)

Ein eigener Staat für die Juden – eine Illusion?

Seit ihrer Vertreibung aus Palästina durch die Römer lebten die Juden fast zweitausend Jahre lang zerstreut in der so genannten Diaspora. Die Idee von der Errichtung eines eigenen Staates war für die meisten von ihnen nur ein Traum, der den vielfach verfolgten und benachteiligten Juden aber als wichtiges Integrationsmittel ihrer Gemeinschaft diente. Gegen Ende des 19. Jahrhunderts entstand die zionistische Bewegung. Diese wollte in Palästina, damals Teil des Osmanischen Reiches, einen jüdischen Staat errichten. Politische Bedeutung gewann diese Idee erst durch den Wiener Journalisten Theodor Herzl, der 1896 bereits vorhandenes Gedankengut in seinem Buch „Der Judenstaat" zusammenfasste. Im Ersten Weltkrieg versprach Großbritannien sowohl den Juden die Schaffung einer „nationalen Heimstätte" als auch den Arabern die Errichtung von Nationalstaaten.

Einwanderung und Staatsgründung

Als ab den achtziger Jahren des 19. Jahrhunderts in mehreren Einwanderungswellen immer mehr Juden (bis 1914: ca. 85 000) nach Palästina einwanderten, begannen erste blutige Auseinandersetzungen zwischen den Neusiedlern und der ansässigen arabischen Bevölkerung. Trotz der langen Zeit der Diaspora sahen die Juden von Anfang an Palästina als ihr Land und die Palästinenser als Eindringlinge an, die man mit verschiedenen Mitteln verdrängen musste. Bedingt durch die politische Entwicklung in Deutschland stieg die Zahl der Einwanderer in den dreißiger Jahren stark an (1919–1931: ca. 120 000, 1931–1939: ca. 265 000). Dies hatte erste arabische Aufstände zur Folge. Deshalb begrenzte Großbritannien, das als Mandatsmacht im Auftrag des Völkerbundes die Aufsicht über Palästina als Mandatsgebiet führte, die jüdische Zuwanderung auf ein Minimum. Nach dem Ende des Zweiten Weltkrieges wuchs die internationale Unterstützung, v. a. auch der USA, für die Gründung eines jüdischen Staates. 1947 verkündete die britische Regierung offiziell den Rückzug aus Palästina, während die Vollversammlung der Vereinten Nationen am 29. November 1947 einen Plan zur Aufteilung des Landes in einen arabischen und einen jüdischen Staat beschloss. Am 14. Mai 1948 begann mit der Verlesung der Unabhängigkeitserklärung die Geschichte des Staates Israel.

Von Feinden umgeben

Schon am Tag nach der Staatsgründung begann mit den Angriffen syrischer, irakischer, ägyptischer und jordanischer Truppen der erste israelisch-arabische Krieg und damit der Nahostkonflikt, der bis heute nicht gelöst ist. Im ersten Krieg, der bis ins Frühjahr 1949 dauerte, konnte sich Israel gegen seine Gegner behaupten und sogar umfangreiche Gebiete hinzu erobern. 700 000 Palästinenser flohen aus ihrer Heimat oder wurden vertrieben. Sie lebten von nun an in den angrenzenden arabischen Staaten in großen Flüchtlingslagern. Noch heute leben über 3,5 Millionen

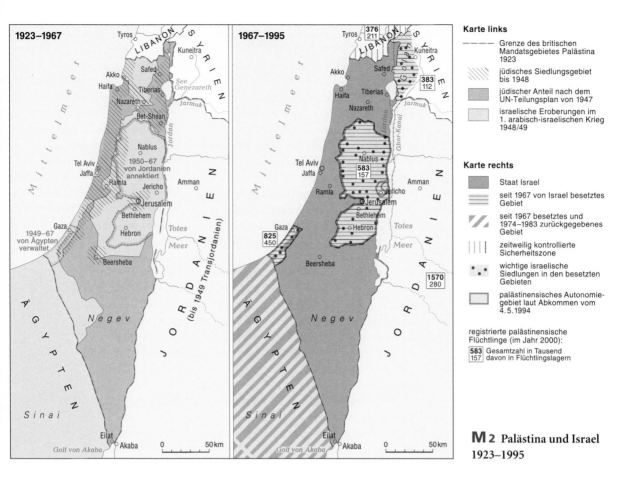

1923–1967

Tyros
LIBANON
SYRIEN
Kuneitra
Safed
Akko
Haifa
Tiberias
See Genezareth
Nazareth
Jarmuk
Bet-Shean
Jordan
Nablus
1950–67 von Jordanien annektiert
Tel Aviv
Jaffa
Ramla
Jericho
Amman
Mittelmeer
Jerusalem
Bethlehem
JORDANIEN (bis 1949 Transjordanien)
Gaza
1949–67 von Ägypten verwaltet
Totes Meer
Hebron
Beersheba
ÄGYPTEN
Negev
Sinai
Eilat
Akaba
Golf von Akaba
0   50 km

1967–1995

Tyros 376 / 211
LIBANON
SYRIEN
Kuneitra
Akko
Safed 383 / 112
Haifa
Tiberias
Nazareth
Jarmuk
Nablus 583 / 157
Tel Aviv
Jaffa
Ramla
Jericho
Amman
Mittelmeer
Jerusalem
Bethlehem
Ghor-Kanal
Gaza 825 / 450
Hebron
Totes Meer
Beersheba
JORDANIEN 1570 / 280
ÄGYPTEN
Negev
Sinai
Eilat
Akaba
Golf von Akaba
0   50 km

Karte links

--- --- --- Grenze des britischen Mandatsgebietes Palästina 1923

▨ jüdisches Siedlungsgebiet bis 1948

▨ jüdischer Anteil nach dem UN-Teilungsplan von 1947

▨ israelische Eroberungen im 1. arabisch-israelischen Krieg 1948/49

Karte rechts

▨ Staat Israel

≡ seit 1967 von Israel besetztes Gebiet

▨ seit 1967 besetztes und 1974–1983 zurückgegebenes Gebiet

||| zeitweilig kontrollierte Sicherheitszone

∴ wichtige israelische Siedlungen in den besetzten Gebieten

☐ palästinensisches Autonomie-gebiet laut Abkommen vom 4.5.1994

registrierte palästinensische Flüchtlinge (im Jahr 2000):
583 / 157 Gesamtzahl in Tausend davon in Flüchtlingslagern

M 2 Palästina und Israel 1923–1995

Flüchtlinge in solchen Lagern. Der Krieg wurde durch Waffenstillstandsabkommen mit den Gegnern, nicht aber mit einem Friedensschluss beendet, da die arabischen Staaten direkte Verhandlungen mit Israel – und damit dessen Anerkennung – verweigerten. Nachdem in Ägypten Gamal Abdel Nasser 1952 an die Macht gekommen war, steigerten sich der arabische Nationalismus und die Kampfbereitschaft gegenüber Israel.

Als Ägypten 1956 den Suezkanal verstaatlichte und u. a. für israelische und nach Israel fahrende Schiffe sperrte, griff Israel auf der Seite Frankreichs und Englands Ägypten an. Die Sowjetunion drohte, auf der Seite Ägyptens einzugreifen. Daraufhin zogen auf Druck der USA Frankreich und England ihre Truppen wieder ab. Das Ende der Suezkrise veränderte die Situation im Nahen Osten: Großbritannien und Frankreich verloren ihren ehemals großen Einfluss in der Region. Deren Rolle versuchten nun die USA zu übernehmen, um die eigene Position im Kalten Krieg gegenüber der Sowjetunion zu stärken. Diese nahm weiterhin eine pro-arabische und israelfeindliche Haltung ein, während die USA – und andere westliche Staaten – im Gegenzug fortan Israel wirtschaftlich und militärisch stark unterstützten. Jede Seite wollte verhindern, dass der Einfluss der Gegner in dieser strategisch und wirtschaftlich interessanten Region wuchs. Sowohl Israel als auch seine arabischen Nachbarn erhielten Geldzuwendungen, Rüstungsgüter, Geheimdienstinformationen sowie militärische Berater und Ausbilder von ihren „Schutzmächten". So wurde der israelisch-arabische Konflikt Teil des Ringens zwischen den Supermächten.

Der Kalte Krieg im Nahen Osten

167

Der Sechs-Tage-Krieg

Als sich ab 1966 die Grenzkonflikte mit den arabischen Nachbarn und v. a. mit Ägypten wieder häuften und ägyptische Truppen an der Grenze aufmarschierten, gelang es Israel, vor allem durch einen militärischen Präventivschlag aus der Luft, den so genannten Sechs-Tage-Krieg (5.–10. Juni 1967) für sich zu entscheiden. Nach der Niederlage Ägyptens, Jordaniens und Syriens hatte Israel Gebiete besetzt, die drei Mal größer waren als das eigene Staatsgebiet. Israel gewann die Kontrolle über die Sinai-Halbinsel, den Gazastreifen, die Golanhöhen und das Westjordanland einschließlich Jerusalems. Auch dieser Krieg wurde nur durch einen Waffenstillstand, nicht durch einen Friedensschluss beendet, nicht zuletzt deshalb, weil sich Israel weigerte, sich aus den besetzten Gebieten zurückzuziehen. Aus israelischer Sicht war das eroberte Land ein Pfand, um damit Frieden und die Anerkennung Israels durch die arabischen Nachbarn zu erreichen. Nach dem Sechs-Tage-Krieg verstärkten sich die von den arabischen Staaten aus geführten Guerillatätigkeiten der palästinensischen Befreiungsorganisationen.

Feinde im eigenen Land

Trotz der Vertreibungen leben bis heute noch ca. 1 Million Palästinser mit israelischem Pass in Israel, ca. 3,5 Millionen im Westjordanland und im Gazastreifen. Von Anfang an war für viele von ihnen der Kampf gegen Israel ein wichtiger Teil der palästinensischen Identität. Sie organisierten sich in verschiedenen, meist militanten Gruppen, z. B. in der 1959 von Yassir Arafat mit gegründeten Bewegung Al-Fatah, die schon in den 60er Jahren von Gaza und Jordanien aus Angriffe gegen Ziele in Israel unternahm.

Die bekannteste Vertretung der Palästinser, die Palästinensische Befreiungsorganisation (PLO), wurde 1964 auf Initiative des ägyptischen Präsidenten Nasser gegründet. Das gemeinsame Ziel der PLO und anderer palästinensischer Gruppen war die Vertreibung der Juden und die Zerstörung des Staates Israel, aber auch die arabische Einheit. Als einzigen Weg zur Befreiung sahen die Palästinser den bewaffneten Kampf an, der sowohl innerhalb Israels als auch von den Nachbarländern aus geführt wurde. Die Mittel in diesem Kampf waren Guerillaaktionen, also v. a. Attentate, Bombenanschläge und Hinterhalte. Ab 1969 war Yassir Arafat Anführer der PLO.

M 3 **Der Tempelberg in Jerusalem – Spiegelbild eines Konflikts**
Die Klagemauer – Überreste des biblischen Tempels – ist das höchste Heiligtum der Juden, der Felsendom, der Ort der Himmelfahrt Mohammeds, eines der größten muslimischen Heiligtümer.

M 4 **Palästinensisches Flüchtlingslager bei der jordanischen Hauptstadt Amman im Jahre 1969**

M 5 Ben Gurion verliest die Unabhängigkeitserklärung

Am Freitag, dem 14. Mai 1948, verliest der erste israelische Ministerpräsident Ben Gurion die Unabhängigkeitserklärung des Staates Israel. Im Hintergrund hängt ein Porträt von Theodor Herzl.

M 6 Die Proklamationsurkunde des Staates Israel 1948

In Erez (im Land) Israel stand die Wiege des jüdischen Volkes; hier wurde sein geistiges, religiöses und politisches Antlitz geformt; hier lebte es ein Leben staatlicher Selbständigkeit; hier schuf es seine nationalen und universellen Kulturgüter und schenkte der Welt das unsterbliche „Buch der Bücher". Mit Gewalt aus seinem Lande vertrieben, bewahrte es ihm in allen Ländern der Diaspora die Treue und hörte niemals auf, um Rückkehr in sein Land und Erneuerung seiner politischen Freiheit in ihm zu beten und auf sie zu hoffen. (…) Die über das jüdische Volk in der letzten Zeit herein gebrochene Vernichtung, in der in Europa Millionen Juden zur Schlachtbank geschleppt wurden, bewies erneut und eindeutig die Notwendigkeit, die Frage des heimat- und staatenlosen jüdischen Volkes durch Wiedererrichtung des jüdischen Staates in Erez Israel zu lösen. (…) Der Staat Israel wird (…) die Freiheit des Glaubens, des Gewissens, der Sprache, der Erziehung und Kultur garantieren; er wird die heiligen Stätten aller Religionen sicherstellen und den Grundsätzen der Verfassung der Vereinten Nationen treu sein (…).

Nach: J. Hundertmark-Dinkela/B. Lilienthal: Der Nahe Osten. Konfrontation oder Koexistenz. Frankfurt/Main 1995, S. 58 f. (gekürzt durch die Verfasserin).

M 7 Die Palästinensische Nationalcharta vom 17. Juli 1968

Artikel 1 Palästina ist das Heimatland des arabischen, palästinensischen Volkes, es ist ein untrennbarer Teil des gesamtarabischen Vaterlandes und das palästinensische Volk ist ein integraler Bestandteil der arabischen Nation. (…) 5

Artikel 9 Der bewaffnete Kampf ist der einzige Weg zur Befreiung Palästinas. (…)

Artikel 10 Guerillaaktionen bilden den Kern des Befreiungskrieges des palästinensischen Volkes. (…)

Artikel 16 Die Befreiung Palästinas wird vom geistig- 10 spirituellen Standpunkt aus dem Heiligen Land eine Atmosphäre der Sicherheit und Ruhe bieten, die ihrerseits den Schutz der heiligen Stätten, die freie Religionsausübung und den Zugang zu den heiligen Stätten für alle – ohne Rücksicht auf Rasse, Hautfarbe, 15 Sprache und Religion – garantiert. Dem gemäß erwartet die Bevölkerung Palästinas die Unterstützung aller geistigen Kräfte aus der ganzen Welt.

Artikel 19 Die Teilung Palästinas im Jahr 1947 und die Schaffung des Staates Israel sind völlig illegal, ohne 20 Rücksicht auf den inzwischen erfolgten Zeitablauf, denn sie standen im Gegensatz zu dem Willen des palästinensischen Volkes und seiner natürlichen Rechte auf sein Heimatland; sie waren unvereinbar mit den Prinzipien der Charta der Vereinten Nationen, insbe- 25 sondere mit dem Recht auf Selbstbestimmung.

Artikel 20 (…) Ansprüche der Juden auf historische und religiöse Bindungen mit Palästina stimmen nicht mit den geschichtlichen Tatsachen und dem wahren Begriff dessen, was Eigenstaatlichkeit bedeutet, über- 30 ein. Das Judentum ist eine Religion und nicht eine unabhängige Nationalität; ebenso wenig stellen die Juden ein einzelnes Volk mit eigener Identität dar, vielmehr sind sie Bürger der Staaten, denen sie angehören. (…)

Nach der Homepage der Generaldelegation Palästinas in Berlin
http://www.palaestina.org/dokumente/plo/plo.php

M 8 Suezkrise und Sechs-Tage-Krieg – Kalkül und Taktik

Zur Rolle der USA und der UdSSR schrieb die Zeitschrift „Der Spiegel" am 12. Juni 1967:

Das Volk Israel, derzeit 2,5 Millionen Menschen stark, schlug nicht nur die 80 Millionen Araber zwischen Atlantik und Persischem Golf aufs Haupt. Die Panzer mit dem Davidstern am Turm überrollten auf ihrem Marsch an den Suezkanal auch die Positionen der 5 Sowjetunion im Nahen Osten. In drei Tagen walzten sie nieder, was Moskau in jahrelanger Kleinarbeit mit Milliarden Rubel aufgebaut und Ende Mai als Entlas-

tungsfront für Vietnam in Betrieb gesetzt hatte. In des
10 Kremls Kausal-Kette fehlte ursprünglich kein Glied.
– Moskau ermunterte Nasser, den Golf von Akaba zu
schließen, um Washington zum Engagement für
Israel zu zwingen.
– Nasser schwang sich durch die Schließung des Golfes
15 wieder zum Führer der Araber im Kampf gegen Israel
auf. Ein Engagement der USA zugunsten Israels
musste den panarabischen Nationalismus herausfor-
dern.
– Washington zögerte und lief Gefahr, bei Israelis wie
20 Arabern das Gesicht zu verlieren. Moskau schien zu
gewinnen, ohne einen Mann aufs Spiel gesetzt zu
haben.

Dann kehrte sich das vermeintlich meisterhafte politische Kalkül der Sowjets gegen die Meister und defor-
25 mierte ihre Logik zum Widersinn. Der Aufmarsch der
Araber trieb die Israelis so in die Enge, dass diese zum
Präventivschlag gedrängt wurden. Ein Schießkrieg im
Nahen Osten aber lag ebenso wenig im Interesse Moskaus wie eine direkte Konfrontation mit den USA. Am
30 25. Mai reiste Israels Außenminister Abba Eban in die
USA und enthob Amerika der Sorge, im Nahen Osten
eine zweite Front aufbauen zu müssen: In fünf Tagen
würden die Israelis mit ihren Gegnern fertig – wenn
man sie nur mit ihnen allein lasse. Das Pentagon bestä-
35 tigte die Fünf-Tage-Rechnung.
Damit war das Einverständnis zwischen Amerikanern
und Israelis perfekt: Die einen konnten ihre Neutralität

erklären, ohne Israel gegenüber Amerikas Juden preis-
zugeben; die anderen hatten bei ihrem Angriff am
5. Juni den Rücken frei.

Der Spiegel, Ausgabe vom 12. Juni 1967, zitiert nach: Spiegel Online
http://www.spiegel.de/spiegel/0,1518,111288,00.html

Nahostkonflikt

Der Nahostkonflikt ist ein politischer und zum Teil militärischer Konflikt um das Existenzrecht des Staates Israel und die Rechte der Palästinenser an diesem Land sowie um die Gründung eines eigenen palästinensischen Staates. In diese Auseinandersetzungen sind und waren neben Israel und verschiedenen palästinensischen Organisationen (v. a. die PLO) auch fast alle arabischen Staaten verwickelt. Im Kalten Krieg war der Nahostkonflikt von großer Bedeutung und blieb auch danach eine Krisenregion. Bis heute befassen sich zahlreiche Friedens- und Sicherheitsbemühungen der Weltgemeinschaft mit der Lösung des Konflikts.

Fragen und Anregungen

❶ Betrachte die Karte M2 und erkläre die schwierige geostrategische Lage Israels.
Dieses Kapitel behandelt den Nahostkonflikt nur bis zu den 1970er Jahren. Die Karte M2 (rechts) macht darüber hinaus Aussagen. Beschreibe diese.

❷ Sowohl die Palästinenser als auch die Juden beanspruchen das Gebiet des Staates Israel und vor

allem auch die Stadt Jerusalem für sich. Sammle entsprechende Argumente beider Seiten aus den Quellen M6, M7 und dem Bild M3. Erläutere dazu auch die Aussage der Karikatur M1.

❸ Erarbeite aus M8 die Rolle der USA und der Sowjetunion beim Zustandekommen des Krieges. Überlege auch, welche Position der Verfasser des Artikels einnimmt.

7. Die UNO – Garant für den Frieden?

Nach Ende des Zweiten Weltkrieges standen die Staaten – wie schon 1918 – vor der Aufgabe, wieder eine stabile internationale Friedensordnung herzustellen. Der nach dem Ende des Ersten Weltkrieges ins Leben gerufene Völkerbund war vor allem daran gescheitert, dass die USA nicht zu den Mitgliedern zählte. Deshalb sollte nun eine neue Organisation – ausgestattet mit mehr Macht und unter Einschluss aller Weltmächte – geschaffen werden.

Der amerikanische Präsident Franklin D. Roosevelt hatte bereits am 6. Januar 1941 sein Konzept der „Vier Freiheiten" in einer Kongressrede erläutert. Die ein Jahr später von Roosevelt und Churchill ausgearbeitete Atlantik-Charta wurde dann zur Grundlage der Deklaration der Vereinten Nationen, auf deren Basis sich am 1. Januar 1942 26 Staaten (u. a. die USA, Großbritannien, die Sowjetunion, China und Kanada) zusammenfanden. Auf der Moskauer Außenministerkonferenz (1943) verabredeten die Alliierten und China schließlich, eine internationale Organisation zur Friedenssicherung zu gründen. Ab 25. April 1945 verhandelten 200 Delegierte aus 50 Staaten über den Inhalt der 111 Artikel der UN-Charta. Bei ihrer Unterzeichnung am 26. Juni 1945 traten fünfzig Staaten den Vereinten Nationen bei. Die Charta wurde am 24. Oktober desselben Jahres ratifiziert und in Kraft gesetzt. Sie ist als völkerrechtlicher Vertrag für alle Mitglieder (im Jahr 2006 waren es 192) bindend. Hauptsitz der UNO ist New York.

In den ersten Jahren nach der Gründung entstanden die wichtigsten Unter- und Sonderorganisationen der Vereinten Nationen. In den folgenden Jahren übernahmen die UN immer mehr Aufgaben: Sie unterstützten Flüchtlinge und Vertriebene des Weltkrieges, begleiteten ehemalige Kolonien in die Unabhängigkeit und entsandten ab 1948 regelmäßig Beobachter und Friedenstruppen („Blauhelme") in Krisengebiete. Gleichzeitig wurde die Formulierung und Verkündung der Menschenrechte vorangetrieben. In den 60er Jahren bildete sich als wichtiger Schwerpunkt der UN die Entwicklungspolitik heraus, für die Sonderprogramme und -organisationen ins Leben gerufen wurden.

Die Sicherung des internationalen Friedens ist die zentrale Aufgabe der UNO, aber auch die schwierigste. Zuständig für die „Wahrung des Weltfriedens und der internationalen Sicherheit" ist laut UN-Charta der UN-Sicherheitsrat. Er kann – im Gegensatz zu anderen UN-Organen – für die Mitgliedsstaaten bindende Entscheidungen treffen. Da das Veto eines der fünf ständigen Mitglieder des Sicherheitsrates (USA, UdSSR, Frankreich, Großbritannien, Republik China) ausreicht, um einen Beschluss nicht zustande kommen zu lassen, war die Handlungsfähigkeit der UN durch den Kalten Krieg von Anfang an ernsthaft eingeschränkt. Viele Maßnahmen scheiterten am „Nein" der Sowjetunion, aber auch an den USA, die jeweils alle Projekte blockierten, die ihre eigene Einflusssphäre beeinträchtigen konnten. Trotzdem bildete sich im Laufe der Jahre das Instrumentarium der UNO zur Friedenssicherung heraus: Ein wichtiges Mittel bildet die Verhängung von wirtschaftlichen oder politischen Sanktionen gegen einen oder mehrere Staaten, um auf friedlichem Wege Druck auf eine Regierung ausüben und humanitäre Forderungen durchsetzen zu können. Als mögliche politische Sanktionen gelten die Einschränkung oder der Abbruch von diplomatischen Beziehungen, als wirtschaftliche Maßnahmen v. a. die Verhängung von Wirtschafts- und Handelsembargos. Dabei werden alle Wirtschafts- und Handelsbeziehungen mit dem jeweiligen Land abgebrochen.

UN – Die Welt-Staatengemeinschaft

M 1 Die Fahne der UNO
Der Ölbaumzweig, der alle Kontinente der Erde umfasst, steht symbolisch für den Friede in der Welt.

Aufgaben der UNO

Sicherung des Friedens …

... durch „Blauhelme"

Nach dem arabisch-israelischen Krieg von 1948 kam es zum Einsatz von unbewaffneten Militärbeobachtern zur Überwachung des Waffenstillstandes. Eine erste bewaffnete Einheit wurde im Zusammenhang mit der Suezkrise 1956 aufgestellt. Seit 1960 tragen die im Auftrag der UN entsandten Soldaten blaue Helme. Inzwischen haben die Friedenstruppen in weit über 50 Missionen mit mehr als 800 000 Soldaten versucht, in den verschiedensten Krisenregionen der Welt Frieden zu erhalten oder zu stiften. Unter ihnen sind inzwischen auch viele Soldaten der Bundeswehr. 1988 bekamen die „Blauhelme" den Friedensnobelpreis zugesprochen.

Möglichkeiten und Grenzen der Friedenstruppen – der Kongo-Konflikt als Beispiel

Die von Juli 1960 bis Juni 1964 dauernde Mission von Friedenstruppen der UNO auf dem Gebiet der heutigen Republik Kongo zeigte deutlich die Grenzen eines solchen Einsatzes auf. Unmittelbar nach der überstürzten und unvorbereiteten Unabhängigkeit des Kongo war es zu bürgerkriegsähnlichen Zuständen gekommen. Die reiche Provinz Katanga versuchte sich abzuspalten. Belgien entsandte – ohne Zustimmung der kongolesischen Regierung – Truppen, um die noch im Lande ver-

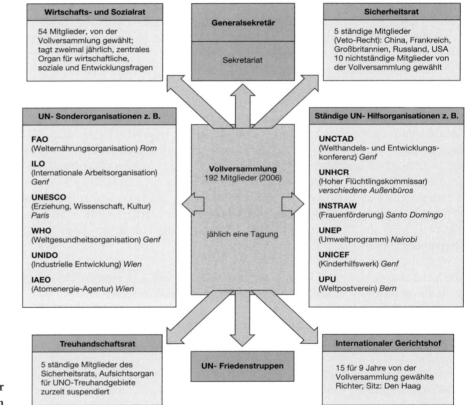

Wirtschafts- und Sozialrat

54 Mitglieder, von der Vollversammlung gewählt; tagt zweimal jährlich, zentrales Organ für wirtschaftliche, soziale und Entwicklungsfragen

Generalsekretär

Sekretariat

Sicherheitsrat

5 ständige Mitglieder (Veto-Recht): China, Frankreich, Großbritannien, Russland, USA 10 nichtständige Mitglieder von der Vollversammlung gewählt

UN- Sonderorganisationen z. B.

FAO (Welternährungsorganisation) *Rom*

ILO (Internationale Arbeitsorganisation) *Genf*

UNESCO (Erziehung, Wissenschaft, Kultur) *Paris*

WHO (Weltgesundheitsorganisation) *Genf*

UNIDO (Industrielle Entwicklung) *Wien*

IAEO (Atomenergie-Agentur) *Wien*

Vollversammlung 192 Mitglieder (2006)

jählich eine Tagung

Ständige UN- Hilfsorganisationen z. B.

UNCTAD (Welthandels- und Entwicklungskonferenz) *Genf*

UNHCR (Hoher Flüchtlingskommissar) *verschiedene Außenbüros*

INSTRAW (Frauenförderung) *Santo Domingo*

UNEP (Umweltprogramm) *Nairobi*

UNICEF (Kinderhilfswerk) *Genf*

UPU (Weltpostverein) *Bern*

Treuhandschaftsrat

5 ständige Mitglieder des Sicherheitsrats, Aufsichtsorgan für UNO-Treuhandgebiete zurzeit suspendiert

UN- Friedenstruppen

Internationaler Gerichtshof

15 für 9 Jahre von der Vollversammlung gewählte Richter; Sitz: Den Haag

M 2 Das System der Vereinten Nationen

UNO

Die Vereinten Nationen (engl.: United Nations, UN, oder United Nations Organization, UNO) wurden 1945 als Nachfolgeorganisation des Völkerbundes gegründet. Die UNO basiert auf der Idee der Gleichberechtigung der Staaten und der Selbstbestimmung der Völker. Ihre Hauptaufgaben bestehen in der Sicherung des Friedens, der Verständigung der Völker untereinander sowie der internationalen Zusammenarbeit zur Lösung wirtschaftlicher, kultureller, sozialer und humanitärer Probleme.

M 4 Frieden schaffen – mit Waffen?
(Karikatur von Karl Gerd Striepecke)

M 3 Blauhelmsoldaten beim Appell

bliebenen Belgier und andere Europäer zu schützen. Weder diese Truppen noch die Regierung wurden jedoch Herr der Lage. Premierminister Patrice Lumumba und Präsident Kasavubu baten daraufhin die USA, die UdSSR und die UNO um Hilfe. In weniger als 48 Stunden waren die ersten Friedenstruppen vor Ort, mit ihnen kamen auch zivile Helfer. Ursprünglich sollten die Blauhelmtruppen den Übergang der ehemaligen belgischen Kolonie Kongo zu einer funktionierenden Eigenverwaltung und den geordneten Rückzug der Belgier unterstützen. Die inneren Probleme des jungen Staates, aber auch die massiven Interventionen der USA und der UdSSR gestalteten die Lage im Land zunehmend schwierig. Hinzu kamen wachsende Konflikte im UN-Sicherheitsrat. Das Mandat der Friedenstruppen wurde in der immer unübersichtlicher werdenden Situation mehrmals erweitert, im Februar 1961 erhielten die Blauhelme zudem erstmals die Erlaubnis, Waffengewalt über die Selbstverteidigung hinaus anzuwenden. So wurden die UN-Truppen im Bürgerkrieg selbst zur Konfliktpartei. Die eingesetzten Friedenstruppen umfassten auf ihrem Höhepunkt bis zu 20 000 Soldaten aus über 30 Staaten. Als sich im Verlauf der Mission viele Mitgliedstaaten weigerten, weiterhin finanzielle Unterstützung zu leisten, führte dies zur ersten Finanzkrise der Vereinten Nationen. Nach vier Jahren Krieg verhinderten die UN-Truppen schließlich die Abtrennung der reichen Provinz Katanga von der Republik Kongo. Eine wirkliche Befriedung des Landes lässt jedoch bis heute auf sich warten.

In den 70er und 80er Jahren befand sich die UNO im Bereich der Friedenssicherung in einer tiefen Krise. Zwar war eine Reihe von Friedensmissionen in begrenztem Maß erfolgreich, aber neue militärische Konflikte, z. B. in Nicaragua oder Afghanistan, konnten nicht verhindert, bekannte Krisenherde wie der Nahe Osten nicht befriedet werden. Die Großmächte führten im Rahmen des Ost-West-Konflikts eine Reihe von Stellvertreterkriegen und nutzten regionale Auseinandersetzungen für ihre Zwecke aus. Die Vereinten Nationen benutzten sie als Forum für ihre gegenseitige Polemik, Lösungsvorschläge blieben unbeachtet. Außerdem wurde die UN durch eine Finanzkrise geschwächt: Viele Länder, allen voran die USA, die sich auch politisch immer mehr aus der UN zurückzog, verweigerten aus verschiedenen Gründen die Zahlungen ihrer Pflichtbeiträge an die Vereinten Nationen. Erst Ende der achtziger Jahre konnte der Sicherheitsrat seine Funktion als friedensstiftendes Organ wieder erfolgreich wahrnehmen.

Krise der Friedenssicherung

M 5 Die vier Freiheiten

Am 6. Januar 1941 verkündete Präsident Roosevelt die Grundsätze einer zukünftigen Welt, die auf die Freiheit des Menschen gegründet sein soll:

Von der Zukunft, die wir zu einer Zukunft der Sicherheit machen wollen, erhoffen wir eine Welt, die sich auf vier entscheidende Freiheiten der Menschheit gründet. Die erste Freiheit ist die Freiheit der Rede und

5 der Meinungsäußerung – überall in der Welt. Die zweite Freiheit ist die Freiheit eines jeden, Gott auf seine Weise zu dienen – überall in der Welt. Die dritte Freiheit ist Freiheit von Not. Das bedeutet, gesehen vom Gesichtspunkt der Welt, wirtschaftliche Verständi-

10 gung, die für jede Nation ein gesundes, friedliches Leben gewährleistet – überall in der Welt. Die vierte Freiheit ist Freiheit von Furcht. Das bedeutet, gesehen vom Gesichtspunkt der Welt, weltweite Abrüstung, so gründlich und so weitgehend, dass kein Volk mehr in

15 der Lage sein wird, irgendeinen Nachbarn mit Waffengewalt anzugreifen – überall in der Welt. Das ist keine Vision eines fernen tausendjährigen Reiches. Es ist eine feste Grundlage für eine Welt, die schon in unserer Zeit und für unsere Generation verwirklicht werden

20 kann.

Nach K. J. Ruhl: Neubeginn und Restauration. München 1989.

M 6 Allgemeine Erklärung der Menschenrechte

Verabschiedet von der Generalversammlung der Vereinten Nationen am 10. Dezember 1948:

Artikel 1: Alle Menschen sind frei und gleich an Würde und Rechten geboren. Sie sind mit Vernunft und Gewissen begabt und sollen einander im Geiste der Brüderlichkeit begegnen. (…)

5 **Artikel 3:** Jeder hat das Recht auf Leben, Freiheit und Sicherheit der Person. (…)

Artikel 5: Niemand darf der Folter oder grausamer, unmenschlicher oder erniedrigender Behandlung oder Strafe unterworfen werden. (…)

10 **Artikel 7:** Alle Menschen sind vor dem Gesetz gleich und haben ohne Unterschied Anspruch auf gleichen Schutz durch das Gesetz. (…)

Artikel 16: (1) Heiratsfähige Männer und Frauen haben ohne jede Beschränkung auf Grund der Rasse, der

15 Staatsangehörigkeit oder der Religion das Recht, zu heiraten und eine Familie zu gründen. Sie haben bei der Eheschließung, während der Ehe und bei deren Auflösung gleiche Rechte. (2) Eine Ehe darf nur bei freier und uneingeschränkter Willenseinigung der

20 künftigen Ehegatten geschlossen werden. (3) Die Familie ist die natürliche Grundeinheit der Gesellschaft und hat Anspruch auf Schutz durch Gesellschaft und Staat.

Artikel 17: (…) (2) Niemand darf willkürlich seines Eigentums beraubt werden.

Artikel 18: Jeder hat das Recht auf Gedanken-, Gewissens- und Religionsfreiheit (…).

Artikel 19: Jeder hat das Recht auf Meinungsfreiheit und freie Meinungsäußerung (…).

Artikel 20: (1) Alle Menschen haben das Recht, sich friedlich zu versammeln und zu Vereinigungen zusammenzuschließen. (2) Niemand darf gezwungen werden, einer Vereinigung anzugehören.

Artikel 21: (…) (2) Jeder hat das Recht auf gleichen Zugang zu öffentlichen Ämtern in seinem Lande. (3) Der Wille des Volkes bildet die Grundlage für die Autorität der öffentlichen Gewalt; dieser Wille muss durch regelmäßige, unverfälschte, allgemeine und gleiche Wahlen mit geheimer Stimmabgabe oder einem gleichwertigen freien Wahlverfahren zum Ausdruck kommen.

Artikel 23: (1) Jeder hat das Recht auf Arbeit, auf freie Berufswahl, auf gerechte und befriedigende Arbeitsbedingungen sowie auf Schutz vor Arbeitslosigkeit. (…)

Artikel 24: Jeder hat das Recht auf Erholung und Freizeit und insbesondere auf eine vernünftige Begrenzung der Arbeitszeit und regelmäßigen bezahlten Urlaub.

Artikel 25: (1) Jeder hat das Recht auf einen Lebensstandard, der seine und seiner Familie Gesundheit und Wohl gewährleistet (…).

Artikel 26: (1) Jeder hat das Recht auf Bildung. Die Bildung ist unentgeltlich, zum mindesten der Grundschulunterricht und die grundlegende Bildung.

http://www.unhchr.ch/udhr/lang/ger.htm

M 7 Vor dem UN-Gebäude in New York:

Die Skulptur „Non Violence" wurde vom Bildhauer Carl Frederik Reuterswaerd geschaffen.

M 8 „Modell Kongo"

Unter dieser Überschrift kommentierte der Journalist Arne Perras am 29. November 2006 den Einsatz deutscher Soldaten im Kongo:

(…) Ein paar Monate lang hat die Eufor(Europaen Forces)-Truppe unter deutscher Führung den Vereinten Nationen den Rücken gestärkt, hat geholfen, die riskanten Wahlen im Kongo abzusichern. Sie hat ihren Auftrag gut gemeistert. Dafür verdient die Truppe Lob, wenn sie demnächst zu Hause einschwebt.

Doch wahr ist auch, dass sie in ihrem Einsatz – zum Glück – nicht voll gefordert war, dass all die Schreckensszenarien von Chaos und Untergang, die Pessimisten im Kongo zeichneten, bislang nicht eingetreten sind. (…) Dass die Gewalt in Kinshasa nur gelegentlich aufflammte und das Feuer schnell wieder verpuffte, liegt vermutlich am politischen Kalkül der kongolesischen Kriegsherren, vor allem an der Einsicht des Wahlverlierers Jean-Pierre Bemba. Offenbar hat er die Hoffnung nicht aufgegeben, eine Nachkriegskarriere ohne Kalaschnikow einzuschlagen, auch wenn er sein Ziel, Präsident zu werden, verfehlt hat. (…)

Niemand kann derzeit ermessen, ob es gelingen wird, das schwere Erbe von jahrzehntelanger Diktatur und Krieg abzutragen und den Kongo in eine bessere Ära zu führen. Viele Gefahren lauern auf dem Weg. (…) Umso wichtiger ist es, dass die UN, die im Kongo 17 000 Mann stationiert haben, noch auf Jahre bleiben. Sie müssen dafür sorgen, dass unverbesserliche Kriegsfürsten wie Laurent Nkunda, der im Osten weiter rebelliert, schnell in ihre Schranken gewiesen werden. (…) Keinesfalls sollte die Weltgemeinschaft den Eindruck vermitteln, dass ihre Aufgabe im Kongo schon erledigt ist. Die UN wird weiter gebraucht.

Süddeutsche Zeitung Nr. 275 vom 29. November 2006

M 9 Die UNO – nur ein Forum zum Meinungsaustausch?

Der Journalist Klaus Dahmann schrieb am 26. Juni 2005 zur geplanten Reform der UNO:

„Die Völker der Vereinten Nationen" – mit diesen Worten beginnt die Präambel der UN-Charta. Das klingt schön, ist aber nach Ansicht vieler Beobachter pure Schönfärberei. Denn tatsächlich bestimmen Regierungen das Wohl und Wehe der Weltorganisation, 5 Regierungen, von denen nur ein Teil auf demokratischem Wege gewählt ist. Diktatorische Regime fanden und finden sich selbst unter den Mächtigsten – den fünf ständigen Sicherheitsratsmitgliedern, die mit ihrem Vetorecht die UNO zu Untätigkeit verdammen 10 können. (…)

Richtig ist, sich grundsätzliche Gedanken über die künftige Rolle der UNO zu machen. Die Ansprüche sollten dabei aber nicht so hoch geschraubt werden, dass sie an der Wirklichkeit scheitern. Denn eines ist 15 klar: Die Vereinten Nationen sind nur so lange vereint, wie es ihre Mitglieder zulassen – vor allem die ständigen Fünf im Sicherheitsrat. Eine bescheidenere Sicht der Dinge käme der Wirklichkeit näher: Die UNO dient in Fragen des Weltfriedens in erster Linie als Forum 20 zum Meinungsaustausch; in bestimmten Fällen werden dort konkrete Friedensmaßnahmen beschlossen; aber letztlich ist nicht die UNO dafür verantwortlich, dass Frieden in der Welt herrscht, sondern alle 191 Mitgliedstaaten.

Nach: Internetportal der Deutschen Welle
http://www.dw-world.de/dw/article/0,2144,1626720,00.html

PROJEKTTIPP

Es gibt auch eine UN-Kinderrechtskonvention. Stelle mit deiner Klasse eine Wandzeitung zusammen, in der über diese Kinderrechtskonvention informiert wird.

Fragen und Anregungen ··

1 Lies die Artikel der UN Menschenrechtserklärung (M6). Überlege, welche Menschenrechte du bereits kennst. Von welchen Aspekten wusstest du nicht, dass es sich dabei um Menschenrechte handelt? Frage deine Eltern, Freunde oder Bekannten, welche Menschenrechte sie kennen.

2 Untersuche M5. Welche der vier Freiheiten sind in der UN-Menschenrechtserklärung verwirklicht?

3 Erarbeite aus den Quellen M8 und M9 welche Bilanz die Verfasser für die Friedensarbeit der UN ziehen. Wie wird in M4 und M7 die Rolle der UN gesehen?

Internet-Recherche

Auf der Methoden-Seite 132 hast du gelernt, wie man in Bibliotheken recherchiert. Eine andere Möglichkeit, Informationen zu gewinnen, ist das Internet. In vielen Fällen ist es schneller und einfacher, sich zu Hause oder in der Schule an einen PC mit Internetzugang zu setzten, als eine Bibliothek aufzusuchen. Einen gravierenden Nachteil hat die Internet-Recherche allerdings: Jeder, der in der Lage ist, eine Homepage zu erstellen, kann darauf auch seine Gedanken und Ansichten veröffentlichen, meist ohne irgendeine Kontrolle. Das bedeutet, dass unter den Millionen von Webseiten auch eine große Anzahl von Seiten existieren, die falsche Informationen, Unsinn oder einfach Lügen verbreiten. Manche passen auch gar nicht zu dem Thema, nach dem du gerade suchst.

Recherchiert man nun zu einem bestimmten Thema, muss man versuchen, möglichst genau herauszufinden, welche Seiten „seriös", also vertrauenswürdig sind. Von diesen Seiten kann man dann Informationen entnehmen. Auf jeden Fall empfiehlt es sich, wenn man die gefundenen Seiten, z. B. für ein Referat, verwenden will, diese aus dem Netz herunterzuladen und abzuspeichern oder auszudrucken. So hat man einen Nachweis über seine Informationsquellen, denn diese können schon kurze Zeit später verändert oder ganz aus dem Internet verschwunden sein. Das einfache Notieren der Internet-Adresse reicht in so einem Fall nicht aus.

Oft ist es nicht leicht, herauszubekommen, ob die Informationen auf einer Internet-Seite korrekt und zuverlässig sind. Es gibt jedoch einige Kriterien, an Hand derer man feststellen kann, ob man die gebotenen Informationen verwenden kann, oder ob man besser auf eine andere Quelle zurückgreift:

1. Stelle fest, von wem die Informationen verfasst sind. Weitgehend zuverlässige Quellen sind beispielsweise offizielle Homepages von seriösen Fernsehsendern (ARD, ZDF, BR …), Zeitungen und Zeitschriften (Süddeutsche Zeitung, Spiegel …), von staatlichen Stellen oder bekannten Organisa-

tionen (Außenministerium, UN …), Schul-Homepages, Internetseiten von Hochschulen oder anderen staatlichen Forschungseinrichtungen. Auch Internet-Lexika, deren Einträge von sehr vielen Nutzern aufgerufen und dadurch „kontrolliert" werden (z. B. Wikipedia), kann man durchaus benutzen.

2. Viele, vor allem auch radikale Gruppen (Neonazis, Rechts- und Linksradikale, andere extremistische Organisationen …) nutzen das Internet, um ihre Ansichten zu verbreiten und untereinander in Kontakt zu treten. Bei einer Internetrecherche zu bestimmten historischen und politischen Themen (Nationalsozialismus, Israel, Nahost-Konflikt …) wirst du auf etliche solche Seiten stoßen. Diese Informationen sind zumindest einseitig, oft jedoch grundsätzliche falsch und nicht verwendbar.

3. Auch bei den Homepages vieler seriöser Organisationen muss man bedenken, dass sie parteiisch verfasst sein können, je nachdem, welche Ziele eine Organisation oder ein Verein verfolgen.
Die Beurteilung des Nahostkonflikts auf der Homepage der palästinensischen Generaldelegation in Deutschland
(http://www.palaestina.org/index.php?name=generaldelegation) wird sicher eine andere sein als die einer deutschsprachigen jüdischen Zeitung (http://www.juedischeallgemeine.de/index.html). Will man Informationen von solchen Seiten benutzen, sollte man sich einer möglichen Parteilichkeit bewusst sein. Die Fakten sind dann korrekt, aber unterschiedlich ausgewählt und interpretiert.

4. Bei vielen privaten Seiten ist ebenfalls Vorsicht geboten. Versuche zuerst herauszufinden, wem die entsprechende Seite gehört. Jemand, der seinen Namen nicht nennt oder nur einen „Nickname" verwendet, ist weniger vertrauenswürdig, als jemand, der mit seinem Namen für das Geschriebene gerade steht. Du solltest auch sehr misstrauisch sein, wenn jemand nicht angibt, aus welchen Quellen er seine Informationen bezogen hat.

„Screenshot" (d. i. die Abbildung einer Bildschirmseite) **vom oberen Rand der Homepage des Bayerischen Rundfunks**

**Geschichtsunterricht
mittels Computer**
Informationsbeschaffung
durch Internet-Recherche

 on the right side.

5. Private Homepages zu einem bestimmten Thema repräsentieren meist die persönliche Meinung und den Kenntnisstand ihres „Besitzers". Solche privaten Ansichten sollte man zwar respektieren, aber nicht zur Grundlage einer wissenschaftlichen Recherche machen. So hat ein Fan von Verschwörungstheorien sicher eine andere (und wissenschaftlich nicht haltbare) Meinung zu den Anschlägen auf das World Trade Center als der Amerika-Korrespondent einer großen Tageszeitung.

6. Informationen von Internet-Seiten, die dir nicht ganz vertrauenswürdig erscheinen, solltest du besser nicht verwenden. Frage im Zweifelsfalle deine Lehrerin/deinen Lehrer.

7. Überprüfe die gefundenen Informationen, indem du sie mit dem vergleichst, was du aus anderen Quellen schon weißt. Bei offensichtlichen Gegensätzen musst du weitersuchen, bis du die eine oder andere Seite bestätigt findest.

8. Es muss selbstverständlich sein, dass du bei einem Referat oder einer Hausarbeit auch deine eigenen Quellen angibst und deutlich machst, wenn du von anderen Autoren etwas übernommen hast. Notiere also immer, woher du deine Informationen hast. Ansonsten ist das nämlich geistiger Diebstahl (Plagiat), egal, ob du aus einem Buch wörtlich abschreibst oder etwas aus dem Internet herunterlädst.

Fragen und Anregungen

1 Starte eine Internet-Suche zum Thema: UdSSR. Die Such-Maschine wird dir mindestens 2,5 Millionen Links im gesamten Netz anbieten. Untersuche 10 beliebige Seiten auf ihre Glaubwürdigkeit.

2 Suche in den ersten 40 Ergebnissen nach möglichst seriösen Homepages. Welche anderen Seiten erscheinen dir eher unglaubwürdig? Begründe jeweils deine Entscheidung.

3 Versuche an Hand einer Internetseite deinen Mitschülern die Absicht, die der Autor damit verfolgt, sichtbar zu machen.

4 Recherchiert im Internet Einträge zu einem geschichtlichen Ereignis (z. B. dem Kriegsende oder zu einem historischen Jubiläum) und wertet die Ergebnisse gemeinsam aus.

177

KULTURGESCHICHTLICHE SPURENSUCHE

Auf den folgenden Seiten begeben wir uns wieder auf Spurensuche. Wir stellen Berlin als alte und neue deutsche Hauptstadt vor und zeigen dabei auf, wie sehr wesentliche Ereignisse des 20. Jahrhunderts wie der Nationalsozialismus, der Zweite Weltkrieg, der Ost-West-Konflikt und ihre jeweiligen Auswirkungen mit dem Schicksal dieser Stadt verknüpft sind.

Straßennamen wechseln, erinnern, erzählen

Prometheus vor Wolkenkratzern
Prometheus, der im griechischen Mythos den Menschen das Feuer brachte, vor dem Wolkenkratzer des Rockefeller-Centers in New York City kann als architektonisches Symbol gelten für den „American Dream" von stetigem Fortschritt, von Wohlstand und Glück für immer und alle.

Berlin – Brandenburger Tor: Brennpunkt deutscher Geschichte

1871: Berlin wird Hauptstadt des Deutschen Kaiserreiches.

1933: Berlin wird die Machtzentrale der Nationalsozialisten.

1945: Trümmer und Zerstörung – Berlin nach der Kapitulation

Als Zeugnisse des Gegensatzes der Ideologien und Systeme dieses Jahrhunderts beschäftigen wir uns mit der Monumental-architektur und Denkmälern. Aber wir sehen auch, dass sich sogar in Straßennamen und Stadtplänen kleiner oder größerer Orte unserer nächsten Umgebung der Wandel der politischen Verhältnisse dieser Zeit bis in unsere Gegenwart widerspiegelt.

~~Frankfurter Straße~~

~~Stalinallee~~

Karl-Marx-Allee

143 - 93

„Arbeiter und Kolchosbäuerin"
Die Monumentalplastik gilt als Prototyp des sozialistischen Realismus: im Gleichschritt gehen Arbeiter und Kolchosbäuerin voran, schwingen gemeinsam Hammer und Sichel als Symbole der Einheit von Arbeitern und Bauern und demonstrieren den Optimismus und das Selbstbewusstsein des Kommunismus.

...53: Der Aufstand vom 17. Juni Berlin

1961: Die Berliner Mauer wird zum Symbol der deutschen Teilung.

1989: Die Mauer ist geöffnet – die deutsche Teilung beendet.

1. Hauptstadt Berlin

M 1 Alltägliche Erinnerungen an Berlin

Das Brandenburger Tor auf deutschen Eurocent-Münzen ist ein uns täglich begegnendes Symbol für das vereinigte Deutschland. – Die Notopfermarke stammt aus den Jahren, als Berlin geteilt war: Jeder Brief in Westdeutschland musste damit versehen sein: Jeweils 2 Pfennig (d. i. 1 Cent) galten als Solidaritätsbeitrag für den Westteil der zerstörten und geteilten Stadt in den Jahren nach dem Zweiten Weltkrieg.

Eine wechselvolle Geschichte

„Hauptstadt Deutschlands ist Berlin", heißt es im Art. 2 des „Einigungsvertrages" über die Herstellung der Einheit Deutschlands vom 31. 8. 1990. Das klingt selbstverständlich, ist es aber nicht. Denn im Laufe der Geschichte hatte die staatliche Macht in Deutschland verschiedene Zentren: Für das alte deutsche Reich bis 1806 gab es keine eigentliche Hauptstadt. Die meisten Kaiser residierten in Wien; Frankfurt, wo die Kaiser gewählt und gekrönt wurden, war dann auch Sitz der ersten deutschen Nationalversammlung in der Paulskirche. Mit der Gründung des Deutschen Reichs 1871 wurde die preußische Hauptstadt Berlin zur Hauptstadt für ganz Deutschland – bis zum Zusammenbruch des Deutschen Reichs im Jahre 1945. Danach war Berlin eine geteilte Stadt. Beide deutsche Staaten – die BRD im Westen und die DDR im Osten – nahmen Berlin für sich als Hauptstadt in Anspruch, als Zeichen dafür, dass man für das ganze deutsche Volk handle. In der Zeit des Kalten Krieges waren die verschiedenen Auffassungen schon am unterschiedlichen Wortgebrauch ablesbar: „Berlin (West)" und „Ostberlin" hieß es in Westdeutschland, „Westberlin" und „Berlin, Hauptstadt der DDR" in Ostdeutschland. Bonn, das lange Zeit Hauptstadt der Bundesrepublik gewesen war, musste nach der Wiedervereinigung im Jahre 1990 diesen Rang endgültig an Berlin zurückgeben, aber als „Bundesstadt Bonn" ist es weiterhin Regierungssitz für wichtige Ministerien.

M 2 Das Reichstagsgebäude im Berliner Regierungsviertel

Hier sitzt der Deutsche Bundestag – die Vertretung der Bürger der Bundesrepublik Deutschland durch gewählte Abgeordnete. Der Mittelbau des Reichstagsgebäudes wird von einer Aufsehen erregenden Glaskuppel überwölbt. Aussehen und Benennung des Baus lassen erkennen, dass dieses Zentrum staatlicher Gewalt seine Vorgeschichte hat.

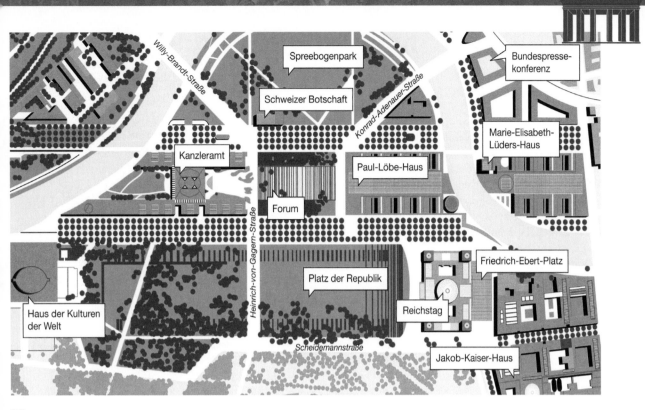

Willy-Brandt-Straße

Spreebogenpark

Bundespresse-konferenz

Schweizer Botschaft

Konrad-Adenauer-Straße

Marie-Elisabeth-Lüders-Haus

Kanzleramt

Paul-Löbe-Haus

Forum

Heinrich-von-Gagern-Straße

Friedrich-Ebert-Platz

Platz der Republik

Haus der Kulturen der Welt

Reichstag

Scheidemannstraße

Jakob-Kaiser-Haus

M 3 Das Zentrum der Macht: Plan des Regierungsviertels am Spreebogen

Nach der Wiedervereinigung wurden die Gebäude für die wichtigen Institutionen unseres Staates renoviert und neu gebaut. Im Regierungsviertel am Berliner Spreebogen sind freilich nicht alle wichtigen Einrichtungen vertreten.

Ermittle, welche Funktionen die einzelnen Gebäude haben! Welche Institutionen der Staatsgewalt sind hier anzutreffen?
Welche fehlen?

Öffentliche Gebäude geben meist auch Auskunft darüber, wie die Mächtigen im Staate ihr Amt verstehen und wie sie von ihrem Volk gesehen werden wollen. Im Schloss von Versailles hast du ja ein eindrucksvolles Beispiel dafür kennen gelernt. Die Geschichte des Reichstagsgebäudes ist hier ebenso aufschlussreich: Als es errichtet wurde, durfte die Kuppel des Baues, wo die vom Volke gewählten Abgeordneten saßen, nicht höher sein als die Kuppel des nahe liegenden kaiserlichen Schlosses. Es sollte sichtbar sein, wer die oberste Macht im Staate hatte. Und die Inschrift „Dem deutschen Volke" ließ die kaiserliche Regierung nach langen Diskussionen erst 1916, also mitten im Ersten Weltkrieg, anbringen. Abgesehen von den Jahren der Weimarer Republik hat diese Widmung eigentlich erst jetzt ihre volle Bedeutung als Ausdruck eines demokratischen Gemeinwesens bekommen.

„Dem deutschen Volke"

**M 4 Das Regierungsviertel
Ein Beispiel für moderne Architektur**
Die Bauten der „Berliner Republik" sind nicht nur sehenswert, weil sich dort die Macht des Staates zeigt. Sie sind interessant als Beispiele moderner Architektur und sollen die Aufgabe der darin untergebrachten Institutionen verdeutlichen.
Versucht über die Pressestelle der Bundesregierung oder des Landes Berlin Dokumentationsmaterial über die Stadt und die Regierungsgebäude zu beschaffen.

Nicht nur im Regierungsviertel trifft man in Berlin auf die wechselvolle Geschichte Deutschlands im 20. Jahrhundert. In der alten und neuen Hauptstadt trafen ja die wichtigen Strömungen und Entwicklungen auf einander.

M 5a, b, c Dreimal Potsdamer Platz

Um 1930 war der Potsdamer Platz der verkehrsreichste Platz Europas (a).
In der Zeit der Teilung der Stadt verlief dort die Mauer – der Platz ein verödetes Ruinenfeld (b). Nach 1990 entstand der Platz neu: ein lebendiges Geschäftsviertel mit modernsten Bauten (c).

M 6 Das Olympiastadion im Südwesten

Das Olympiastadion war 1936 Austragungsort der Olympischen Sommerspiele.
Es wurde als Zeichen der angestrebten Größe des „Dritten Reichs" errichtet.
Als Schauplatz des Endspiels der Fußballweltmeisterschaft 2006 wurde es gründlich neu gestaltet und renoviert.

M 7 Das „Holocaust-Denkmal"

Berlin ist voll von Gedenkstätten. Eines der herausragenden Denkmäler erinnert an die Ermordung der Juden Europas unter der Nazidiktatur. Die zentrale Gedenkstätte der Bundesrepublik Deutschland für die Opfer des Krieges und der Gewaltherrschaft befindet sich in der „Neuen Wache" Unter den Linden.

M 8a, b, c, d Die geteilte Stadt

Der Mittelpunkt von Westberlin lag in der Nähe des Bahnhofs Zoologischer Garten.
Das Viertel war ein Schaufenster westlicher Lebensart und Wohlstandes (a). Im Osten sollten neue Bauten die Hauptstadt der DDR verkörpern: der Marx-Engels-Platz mit dem Palast der Republik, der Alexanderplatz mit dem 386 m hohen Fernsehturm (b), die Stalin-Allee als Wohnstätte für den neuen „sozialistischen" Menschen (c).
Der Checkpoint Charly: Mitten im Zentrum erinnern nur noch Reste an den wohl bekanntesten Übergang zwischen den beiden Teilen der geteilten Welt des Kalten Krieges (d).

ANREGUNGEN UND PROJEKTE:
Suche im Buch die historischen Ereignisse auf, die mit den Bildern dieser Seite zu tun haben!

Arbeite auf der Grundlage eines genaueren Stadtplanes verschiedene Rundgänge aus, die an wichtige Erinnerungsorte der Geschichte des 20. Jahrhunderts führen.

Nieder-
schönhaus

5c

Prenzlauer
Berg

Berlin

Planetarium

Frie...
H...

Tiergarten

Hbf.

Museums-
insel

Fernse...
Nikolai...

...chloss

Schloss...

Reichstag

Dom

...denburger

Ostbahnho...

7

Kreuzberg

b

8c

8d

...mpe...hof

Steglitz

96

179

113

1

2. Straßennamen als geschichtliche Quellen

1. März 1933:
Feierlich wird eine wichtige Einkaufstraße in Würzburg umbenannt. Auch so demonstrierten die neuen Machthaber die veränderten Machtverhältnisse.

Straßennamen wechseln

Straßennamen können als geschichtliche Quelle dienen. Das obige Bild von 1933 gibt dafür einen Hinweis: wie in vielen deutschen Städten wurde in Würzburg eine Straße, die „Theaterstraße", nach Hitler benannt. Ursprünglich kannten die Würzburger sie als „Auf dem Graben", weil der Architekt Balthasar Neumann sie um 1735 auf dem alten Stadtgraben als vornehme Auffahrtsstraße zum prunkvollen fürstbischöflichen Schloss angelegt hatte. Nach 1945 wurde die Straße wieder nach dem Stadttheater benannt.

Nehmen wir ein zweites Beispiel: Die Regierung der DDR benannte in Ost-Berlin die alte „Frankfurter Straße" nach dem kommunistischen Diktator Stalin in „Stalinallee" um und wollte sie zur sozialistischen Prunkstraße ausbauen. Auf einem heutigen Stadtplan Berlins findest du diese Straße nicht, denn sie wurde nach Stalins Tod in „Karl-Marx-Allee" umbenannt. Nach der Wiedervereinigung verblieb dieser Namen, obwohl manche andere Straße ihren kommunistischen Namensgeber verlor.

Politischer und geschichtlicher Wechsel spiegelt sich also in Straßennamen. Nach den totalitären Führern Stalin und Hitler wurden zu ihren Lebzeiten Straßen benannt, nach ihrem Tod wurde der Straßennamen gewechselt.

Straßennamen erinnern

Viele Straßennamen haben sich aber über lange Zeit nicht geändert. So findet man in den meisten größeren Städten eine Schiller- und Goethestraße, einen Bismarck- oder Adenauerplatz, weil man diese bedeutenden Personen mit Straßen oder Plätzen ehren und ihr Gedächtnis bewahren will.

Straßennamen folgen jedoch auch anderen Mustern. So sagt „Auf dem Graben" etwas aus über die Lage der Straße. „Frankfurter Allee" lässt vermuten, dass hier die Verbindungsstraße von Berlin nach Frankfurt/Oder verlief. „Theaterstraße" richtet sich nach einem wichtigen nahe liegenden Gebäude. Altstadtstraßen wie „Schustergasse" oder „Semmelstraße" erinnern an Berufsgruppen, die in diesen Straßen lebten, „Karmelitenstraße" erinnert an ein früheres Kloster. Straßen wie „Grasweg", „Hofäckerweg" oder „Traubengasse" deuten eine frühere landwirtschaftliche Nutzung an.

Straßennamen besitzen eine Geschichte und erzählen uns in mehrfacher Weise etwas von der Vergangenheit. Namen wie Schiller und Goethe, Bismarck und Adenauer sind den meisten Bürgern einer Stadt bekannt und ihre Bedeutung ist unumstritten. Oft aber kennen die Bewohner die Namensgeber, die vor allem lokale oder regionale Bedeutung besaßen, nicht oder ein „Hofäckerweg" bzw. eine „Traubengasse" sagen ihnen nichts über ihre ehemalige Bedeutung. Daher muss man Straßennamen oft auch erst „zum Reden bringen".

Mit der Straßenkarte deiner Heimatgemeinde oder deines Schulortes kannst du allein oder in deiner Klasse ein interessantes Projekt starten: „Was erzählen Straßennamen?". Allerdings wirst du in vielen Fällen weiterführende Hilfe benötigen. Personennamen und Sachbegriffe lassen sich im Internet mit einer Suchmaschine klären. Gezielter kannst du dich im Stadt- oder Gemeindearchiv oder in der Stadtbücherei nach Veröffentlichungen über die Straßennamen erkundigen. Oft haben sich Menschen die Mühe gemacht, die Herkunft und Bedeutung der Straßennamen zu erklären. Vielleicht ist auch in der Lokalzeitung eine Serie erschienen, die die Geschichte wichtiger Straßen schildert. Mitunter bieten Freunde der Heimatgeschichte entsprechende Führungen an. Auch ein Heimatgeschichtsverein kann dir Auskunft geben. In einem Archiv findest du alte Fotos, Bilder und Karten, die nicht nur zeigen, wie die Straßen früher hießen, sondern auch wie sie aussahen. So kannst du mit solchem Material die Geschichte einer Straße dokumentieren.

Vielleicht wurde oder wird gegenwärtig aber auch in deinem Dorf und deiner Stadt über die Beibehaltung überkommener Straßennamen diskutiert. So wurde z. B. in München-Trudering nach langer Diskussion die „Von-Trotha-Straße" in „Herero-Straße" umbenannt. Suche unter den Schlagworten „deutsche Kolonialherrschaft in Südwestafrika" nach Hinweisen und Gründen für diese Umbenennung.

PROJEKT:
„Straßennamen als Geschichtsquellen"

Dieses Projekt kann man im Team oder allein, bezogen auf eine unterschiedliche Zahl von Straßen, durchführen:
- z. B. auf die Straßennamen aus der Umgebung deiner Schule,
- deines Wohnorts oder Wohnviertels,
- der Altstadt deines Wohn- oder Schulortes oder auf
- die politische Geschichte oder die Kulturgeschichte im Bild von Straßennamen.

Berücksichtige dabei, ob es sich um ein älteres oder neueres Viertel oder Wohngebiet handelt. Untersuche, was die Straßennamen enthalten:
- die Namen einer allgemein bekannten Persönlichkeit,
- die Namen von lokal und regional bekannten Persönlichkeiten,
- den Beruf oder die Herkunft der früheren Bewohner,
- den (früheren) Zweck des Platzes oder der Straße,
- die frühere natürliche Eigenart oder Nutzung.

Zur Erklärung der Namen kannst du recherchieren:
- in Lexika,
- im Internet,
- in besonderen Veröffentlichungen (Büchern, Zeitungen), nach denen du in einer öffentlichen Bücherei, beim Stadtarchiv und bei einem Geschichtsverein suchen kannst,
- oder einen Lokalhistoriker befragen.

Präsentieren kannst du die Ergebnisse als Referat oder Poster, als Führung für die Klasse, die Eltern, während eines Projekttags oder eines Schulfestes. Man kann auch ein lustiges Ratespiel veranstalten, wo die entsprechende Straße liegt und woher ihr Name stammt.

3. Monumentalarchitektur und Denkmäler als Zeugnisse ihrer Entstehungszeit

Merkmale von Monumentalarchitektur

M 1 Ein Beispiel antiker Monumentalarchitektur: der Pergamonaltar (Pergamonmuseum, Berlin)

Zu allen Zeiten haben die Mächtigen versucht, für die Nachwelt unübersehbare Zeugnisse ihrer Herrschaft und Größe zu hinterlassen. Zwar dienten die Tempel, Paläste, Grabmäler, Kirchen oder anderen Bauwerke meist auch einem ganz konkreten Zweck und waren oft mit Religion verknüpft, aber darüber hinaus sollten sie auch für jedermann und immer zeigen, zu welch großen Taten ihre Erbauer fähig waren. Der Betrachter sollte von der Größe, Pracht und technischen Perfektion beeindruckt sein, sich klein und unterlegen fühlen und damit vor dem Erbauer Respekt empfinden.

Solche Selbstdarstellung durch Bauwerke nennt man auch Monumentalarchitektur. Darunter versteht man große, auffällige Bauwerke, die die Macht eines Staates, einer Religion, eines Herrschers usw. repräsentieren sollen. Je größer der Machtanspruch einer Herrschaftsform, desto deutlicher versucht sie sich darzustellen. Selten entwickelt sich ein eigener Stil, meist kopiert oder zitiert Monumentalarchitektur berühmte Vorbilder, die aber an Größe und Pracht übertroffen werden sollen. Es gibt zwar auch Beispiele von monumentaler Bauweise aus demokratischen Staaten, meist neigen aber Diktaturen deutlicher zur Monumentarchitektur.

Du hast im ersten Abschnitt dieses Buches den Nationalsozialismus und den Stalinismus kennengelernt. Diese totalitären Regime drückten ihren allumfassenden Herrschaftsanspruch durch ungeheure Bauwerke aus. Beide wollten durch noch nie da gewesene, riesige Bauprojekte gewissermaßen in Stein meißeln, dass ihre Weltanschauung und ihr Staat der größte und mächtigste aller Zeiten sein wollte.

Monumentalbauten des Nationalsozialismus

Im Nationalsozialismus entwickelte sich kein eigener Baustil, sondern eine Art Nachahmung klassischer Baustile in betont wuchtiger und größerer Form. Die Bauten wirken massig, oft plump und sollen so Stärke ausdrücken.

Adolf Hitler, obwohl im Oktober 1907 wegen mangelnder Begabung von der Wiener Kunstakademie zurückgewiesen, sah sich selbst gern als Architekt, den nur seine politische Pflicht von seiner Berufung ein genialer Städtebauer abhielt. Dementsprechend räumte er der Architektur einen großen Stellenwert ein und schrieb bereits in „Mein Kampf", dass der Staat wie in der Antike mit eindrucksvollen Bauwerken seine Macht nach außen zeigen solle. So sollten auch die Ideen des Nationalsozialismus durch Bauwerke verkörpert werden.

Hitlers „Hofarchitekt"

Darum erhielt der „Hofarchitekt" Hitlers, Albert Speer (1905–1981), eine eigens geschaffenen Behörde, die „Generalbauinspektion für die Reichshauptstadt Berlin" und war ab 1942 Rüstungsminister, u. a. um Zugriff auf die Zwangsarbeiter der KZs zu haben, die die Steine für all die Baupläne schlagen mussten.

Ab 1933 entwarf Speer die grundsätzlichen Pläne für den Ausbau des Reichsparteitagsgeländes in Nürnberg und Berlin als „Welthauptstadt Germania". Die Ausführungen kamen durch den Krieg jedoch nur teilweise zustande. Das größte geplante Bauwerk war die „Große Kuppelhalle" oder „Ruhmeshalle", die mit 290 m Höhe das Pantheon in Rom nachahmen aber auch weit übertreffen sollte (siehe S. 32). Der nahe liegende Reichstag hätte klein und unscheinbar neben diesem Koloss gewirkt. Von den „Germania-Plänen" wurde aber nur der Flughafen Tempelhof verwirklicht und das Olympiastadion, das 1936 für die Olympischen Spiele gebaut wurde.

Während sich die Architektur des Nationalsozialismus mehr an historischen Vorbildern orientierte, zeigen sich im so genannten „Zuckerbäckerstil" des Stalinismus andere Vorbilder.

Die gesamte Kunst unterlag in der UdSSR einer strengen Zensur und hatte allein die Aufgabe den werktätigen Menschen, die Errungenschaften des kommunistischen Staates und den Führer Stalin zu verherrlichen. Der große Klassenfeind wurde im Kapitalismus gesehen. Wie auch während der folgenden Jahre des Ost-West-Konfliktes bemühte sich die Regierung der UdSSR, durch technische, sportliche und eben auch städtebauliche Leistungen zu beweisen, dass sie die überlege Gesellschaftsform hatte. 1947 wurde anlässlich der Feiern zum 800. Geburtstag der Stadt Moskau der Bau von acht im wahrsten Sinne des Wortes überragenden Gebäudekomplexen beschlossen, von denen sieben gebaut wurden (die sogenannten „Sieben Schwestern"). Auf den ersten Blick wird die Ähnlichkeit zu den „Wolkenkratzern" New Yorks oder Chicagos deutlich.

Anders als die Monumentalarchitektur sind Denkmäler nicht nur in vereinzelten großen Städten oder besonderen Orten anzufinden. Sie sind eine kleinere und alltäglichere Form, an etwas zu erinnern, was die Gemeinschaft für erinnerungswürdig hält. Denkmäler gibt es überall und aus allen Zeiten.
Diese Nähe der Denkmäler zu den Menschen machten sich auch alle Machthaber zu Nutze, so gibt es überall Herrscherstandbilder. Denkmäler, mit denen sich totalitäre Regime verherrlichen ließen, waren typischerweise gigantisch und bildeten so eine logische Ergänzung zu ihrer Architektur.

M 2 Die Lomonossow-Universität in Moskau
Die Lomonossow-Universität, ein Paradebeispiel für den stalinschen „Zuckerbäckerstil", ist mit ihrem 240 m hohen Hauptgebäude eine der „Sieben Schwestern". Die Gestaltung der Turmspitze geht auf eine persönliche Anordnung Stalins zurück.

M 4 Das sowjetische Ehrenmal in Treptow-Köpenick

Zwischen 1946 und 1949 ließ die Sowjetunion auf einem Sportgelände bei Berlin eine Gedenkstätte für die gefallenen sowjetischen Soldaten gestalten. Das Gelände ist 10 ha groß und wird beherrscht von einem Pavillon und einer darauf stehenden Bronzestatue eines Soldaten der Roten Armee. Mit 30 m überragt dieser Komplex die Anlage. Der Pavillon ist überwiegend aus Trümmern der neuen Reichskanzlei Hitlers in Berlin gebaut.

M 3 Das sowjetische Ehrenmal in Wien

Auf dem Schwarzenbergplatz in Wien steht eine knapp zwölf Meter hohe Bronzefigur auf einem Marmorsockel. Sie stellt einen Soldaten der Roten Armee dar. Gestaltet von dem Bildhauer M. A. Intesarjan und dem Architekten S. G. Jakowlew, wurde das Standbild schon ganz kurze Zeit nach Kriegsende am 19. August 1945 enthüllt.

Der Text auf der Steintafel vor dem Denkmal – auf Deutsch und Russisch – lautet:

Denkmal zu Ehren der Soldaten der Sowjetarmee, die für die Befreiung Österreichs vom Faschismus gefallen sind. April 1945.

Am oberen Rand der Säulenreihe steht auf Russisch:
Ewiges Heil den Helden der Roten Armee, die gefallen sind im Kampf gegen die deutsch-faschistischen Landräuber für die Freiheit und Unabhängigkeit der Völker Europas.

M 5 Die „Große Halle" als Mittelpunkt der Welt

In seinen „Erinnerungen" schreibt Hitlers Architekt, Albert Speer, über die in Berlin geplante „Große Halle":

Die größte bis dahin erdachte Versammlungshalle der Welt bestand aus einem einzigen Raum; aber einem Raum, der 150 000 bis 180 000 stehende Zuhörer erfassen konnte. Im Grunde handelte es sich (…) um einen Kultraum, der im Laufe der Jahrhunderte durch Tradition und Ehrwürdigkeit eine ähnliche Bedeutung gewinnen sollte, wie St. Peter in Rom für die katholische Christenheit. (…)

Der runde Innenraum hatte den fast unvorstellbaren Durchmesser von 250 Metern; in einer Höhe von 220 Metern hätte man den Abschluss einer riesigen Kuppel gesehen, die 98 Meter über dem Fußboden zu ihrer leicht parabolischen Kurve ansetzte.

In gewissem Sinne war das Pantheon in Rom für uns das Vorbild gewesen. Auch die Berliner Kuppel sollte eine runde Lichtöffnung erhalten; aber allein diese Lichtöffnung hatte sechsundvierzig Meter Durchmesser und übertraf damit den der gesamten Kuppel des Pantheon (dreiundvierzig Meter) und der Peterskirche (vierundvierzig Meter). Das Innere des Raumes umfasste das Siebzehnfache des Inhalts der Peterskirche. (…) [20]

(…) im Frühsommer 1939 deutete (Hitler) auf den Reichsadler mit dem Hoheitszeichen in den Fängen, der den Kuppelbau in zweihundertneunzig Meter Höhe bekrönen sollte: [25]

„Das hier wird geändert. Hier soll nicht mehr der Adler über dem Hakenkreuz stehen, hier wird er die Weltkugel beherrschen! Die Bekrönung dieses größten Gebäudes der Welt muss der Adler über der Weltkugel sein." (…) [30]

Einige Monate später begann der Zweite Weltkrieg.

A. Speer: Erinnerungen. Frankfurt/Main-Berlin-Wien 1969, S. 167 ff.

M 6 Zeppelinhaupttribüne in Nürnberg

Das sogenannte Zeppelinfeld (so benannt, weil Graf Zeppelin am 28. 8. 1909 mit dem Zeppelin III hier landete) wurde zwischen 1935 und 1937 nach Plänen von Albert Speer zu einem Aufmarschgelände für große Parteiveranstaltungen ausgebaut. Die Haupttribüne ist 360 m lang und 20 m hoch, sie enthält hervorgehobene Sitzplätze für Ehrengäste und eine zentrale Rednerkanzel für Adolf Hitler. Die Tribüne nimmt sich den berühmten Pergamonaltar zum Vorbild (s. S. 186).

Fragen und Anregungen

❶ Informiere dich über den Pergamonaltar. Suche Erklärungen, warum diese und andere Monumentalbauten des Nationalsozialismus daran anknüpfen möchten. (M1, M6)

❷ Seit 2001 ist in der Kongresshalle in Nürnberg ein Dokumentationszentrum über den Nationalsozialismus eingerichtet. Der Besuch und eine Besichtigung des Geländes kann als Klassenexkursion vorbereitet werden. Informationsmaterial findet ihr unter
www.museen.nuernberg.de/dokuzentrum/index.html.

❸ Welche Absicht Hitlers wird aus seinem Änderungsvorschlag für die Bekrönung der „Großen Halle" deutlich? (M5)

❹ Beschreibe die beiden dargestellten Denkmäler zu Ehren der gefallenen sowjetischen Soldaten und erkläre ihre Wirkungsabsicht. (M3, M4)

❺ Suche in deiner Umgebung ein Denkmal. Erforsche, wann es errichtet wurde, von wem, mit welcher Aussageabsicht. Beschreibe es sachlich und überprüfe dann, welche Verwirklichung der Aussage du findest.

4. Wir „schreiben" Geschichte: So viel ist passiert in 50 Jahren!

Wenn du jetzt – am Ende des Schuljahres – dein Geschichtsbuch zur Hand nimmst und darin blätterst, kannst du ermessen, wie ereignisreich die jüngere Geschichte für Deutschland war. Was steckte da alles drin:

Das Ende der Weimarer Republik und die 12 Jahre der nationalsozialistischen Diktatur, die entbehrungsreiche Nachkriegszeit und die Entstehung der beiden deutschen Staaten. Dann der Kalte Krieg mit dem Ost-West-Konflikt. Das geschah alles in ca. 50 Jahren! Kannst du dich noch an alles genau erinnern, was ihr im Unterricht dazu durchgenommen habt? Wahrscheinlich nicht. Es gibt Menschen, die haben all das live miterlebt. Nehmen wir an, eine Frau wäre im Jahre 1930 geboren. Nehmen wir weiterhin an, sie hätte seit ihrer Jugend gewissenhaft Tagebuch geführt und sie wäre über einige Umwege in der DDR gelandet. Was könnte in ihrem Tagebuch stehen?

Das fiktive „Ost-Tagebuch" der Maria Steiner

17. Oktober 1945

Es ist so ungerecht. Wo sollen wir nur hin? Können wir denn nirgends bleiben? Die Virchows, bei denen wir hier in Flensburg einquartiert wurden, sprechen bloß das Nötigste mit uns und versorgen Mutter und mich nur sehr widerwillig. „Was wollt ihr? Wir haben euch nicht gerufen!", hat die Virchow gestern gesagt. Was haben wir denn getan? Sind wir etwa freiwillig hierher gekommen. Wir mussten doch aus Ostpreußen fliehen – vor den Russen. Es ist furchtbar... Und morgen habe ich Geburtstag...

7. März 1946

Unglaublich: Gestern stand Vater vor der Tür. Er ist aus der Gefangenschaft entlassen worden. Ich habe ihn kaum erkannt, so sehr ist er ergraut. Keine Ahnung, wie er uns gefunden hat. Aber das Beste kommt jetzt: Er sagt, er habe einen Arbeitsplatz ergattert. In Berlin. Hurra, wir kommen endlich weg von hier!

18. Juni 1953

Gestern sind sowjetische Panzer durch die Straßen gerollt. Ich hab mich nicht aus dem Haus getraut. Der große Bruder musste der kleinen DDR aus der Patsche helfen... Sieht so eine gerechtere, sozialistische Gesellschaft aus? Beinah kann ich jetzt Vater verstehen: Er ist gegen meine Heirat mit Rolf. Er will keinen „Partei-Streber" in der Familie haben...

23. Dezember 1978

Weihnachten! Was für ein Weihnachten! Gestern bekamen wir unseren Trabbi. Nach 8 Jahren Warten... Es geht ja doch noch was vorwärts in unserem Land... Dauert nur ein bisschen.

Das fiktive „West-Tagebuch" von ...

Du siehst, dass die rechte Spalte für ein „West-Tagebuch" noch frei ist. Du hast jetzt Gelegenheit, die Wiederholung verschiedener Inhalte mit einer fantasiereichen Gestaltung zu verbinden:

Erfinde eine Biografie und suche dir verschiedene wichtige Zeitpunkte der Geschichte heraus, zu denen du Tagebuch-Einträge verfassen kannst. Dabei sollst du nicht nur historische Fakten „abklappern", sondern darfst ruhig auch persönliche Empfindungen, Ereignisse usw. mit einbringen.

Eine Alternative:
Ergänze das Ost-Tagebuch um weitere Einträge!

5. Wir „erforschen" Geschichte: Dokumente und Akten

Verspricht das Befragen eines Zeitzeugen eine lebendige, anschauliche und oft spannende Begegnung mit Geschichte, so erscheint die Beschäftigung mit Dokumenten und Akten eher trocken. Dennoch stützen sich Historiker bei der Rekonstruktion von Geschichte häufig vor allem auf diese sachlichen Quellen, die Tatsachen und Fakten nüchtern und ohne subjektiv-emotionale Färbung widerspiegeln. Sie sind direkt in der zu untersuchenden Zeit entstanden und geben damit Geschichte unmittelbarer wieder als eine evtl. verformte Erinnerung eines Einzelnen. Eine Bewertung und Einordnung in den historischen Zusammenhang wird durch Akten und Dokumente nicht geliefert. Dafür ist der Historiker, der sie untersucht, zuständig. Ein Beispiel für ein Dokument aus der DDR aus dem Jahr 1985:

Untenstehendes Schriftstück dokumentiert einen Auftrag zur Telefonüberwachung eines westdeutschen Journalisten. Adressat war ein „Inoffizieller Mitarbeiter" (IM) des Auftraggebers, dem Ministerium für Staatssicherheit (MfS, „Stasi").
Der Spiegelredakteur Ulrich Schwarz, Korrespondent des Magazins in Ost-Berlin, sollte ausspioniert werden. Die gewünschten Informationen betrafen sowohl sein Privatleben wie seine Arbeit. Der IM sollte auskundschaften, mit welchen Menschen in der DDR der Westjournalist Umgang hatte und woher er seine Informationen bezog. Von besonderem Interesse war natürlich auch, ob irgendwelche

„Stasi"-Dokumente

M 1 Streng geheim! Zielkontrollauftrag
J. Gieseke: Die DDR-Staatssicherheit. Schild und Schwert der Partei. Hrsg. von der Bundeszentrale für politische Bildung. Bonn 2002, S. 52
Quellennachweis für den Originalakt: BStU, ZA, HA III/ ZKA-Z. (BStU = Bundesbeauftragter für die Unterlagen des Staatssicherheitsdienstes der ehemaligen Deutschen Demokratischen Republik)

Aktivitäten gegen die DDR geplant waren, evtl. durch Auskunftspersonen. Dieser Auftrag an einen IM war natürlich streng geheim. Das Schriftstück ist ein Beispiel für die allumfassende Bespitzelung, die die Stasi in der DDR mithilfe ihrer Inoffiziellen Mitarbeiter leistete. Ausspioniert wurden nicht nur Ost-, sondern auch zahlreiche Westdeutsche. 1988 waren über 170 000 IMs für das MfS im Einsatz. Doch wie wurde man IM? Etliche verpflichteten sich freiwillig, weil sie sich davon einen Karrieresprung oder eine Begünstigung erhofften. Viele wurden aber auch unter Druck gesetzt. Das folgende Dokument veranschaulicht dies. Diese Verpflichtungserklärung schrieb der 17-jährige Peer im Jahre 1979. Er musste dies als Wiedergutmachung für „Rowdytum" tun. Als IM „Peter Wagner" sollte er über „negative Jugendliche" berichten. Analysiere das folgende Dokument nun selbst:

M 2 „Verpflichtung"
J. Gieseke: Die DDR-Staatssicherheit. Schild und Schwert der Partei. Hrsg. von der Bundeszentrale für politische Bildung. Bonn 2002, S. 52
Quellennachweis für den Originalakt: BStU, Außenstelle Rostock, AIM 1280/84, B.141.

Methodische Arbeitsschritte:

1. Ermittle, wer der Herausgeber/Autor des Dokuments ist (war) und an wen es sich richtet(e).
2. Vollziehe den Inhalt des Dokuments nach. Kannst du ihn in eigenen Worten wiedergeben?
3. Beurteile, was mit dem Dokument/Schriftstück beabsichtigt oder erreicht werden sollte.
4. Ordne das Dokument in den historischen Zusammenhang ein. Inwiefern reagiert es auf ein bestimmtes Ereignis oder stellt es einen Anfangs- bzw. Endpunkt einer Entwicklung dar?

6. Wir „präsentieren" Geschichte: „Wir war'n ja auch mal jung..."

So beginnen Eltern, vielleicht auch Lehrer, manchmal Ermahnungen oder persönliche Erinnerungen. Kinder und Jugendliche blicken dann schon einmal genervt zur Decke, wenn sie sich die Geschichten aus einer „alten" Zeit anhören müssen... Dabei kann man bei genauerem Zuhören feststellen: Es gibt nicht nur vieles, was die Jugend in früherer Zeit von der heutigen unterschied, sondern auch einige Gemeinsamkeiten. Es ist spannend die Entwicklung der Jugendkultur von den 50-ern bis heute einmal genauer unter die Lupe zu nehmen...

Könnt ihr untenstehende Abbildungen jeweils einem Jahrzehnt zuordnen?
Was kennt ihr, was ist euch völlig unbekannt?

▶ PROJEKTTIPP

Erarbeitet eine Ausstellung zum Thema „Wandel der Jugendkultur"! Teilt euch in Gruppen auf und stellt durch Bilder, Originalmaterialien, Zitate, aber auch von euch geschriebene kommentierende Texte zusammen, was die Jugend der 50-er, 60-er, 70-er, 80-er und 90-er Jahre prägte. Findet so viel Material wie möglich und präsentiert es originell, z. B. mittels Plakaten, Hörstationen, Anziehpuppen oder einer Modenschau usw.! Ihr könnt überlegen, ob es auch für euer Jahrzehnt schon eine eigene „Kultur" gibt.

Hier ein paar Vorschläge für Vergleichskriterien eurer Ausstellung:
– Mode, Kleidung
– Frisuren
– Idole, Stars
– für die Jugend wichtige Werte (oder: Protest gegen...)

– Top-Hits des Jahrzehnts (Dominierte eine bestimmte Stilrichtung?), Filme, Bücher
– Kultgegenstände (z.B. Jojos in den 80-ern, Tamagotchis Anfang der 90-er

Vorschläge für die Auswertung und Weiterarbeit:
– Wo liegen Gemeinsamkeiten, wo Differenzen zwischen der Jugendkultur verschiedener Jahrzehnte?
– Lassen sich Auffälligkeiten der jeweiligen Jugendkultur mit politischen und historischen Entwicklungen in Verbindung bringen?
– Wiederholen sich bestimmte Trends?
– Schreibt eine kurze Szene: Lasst Jugendliche aus verschiedenen Jahrzehnten miteinander diskutieren. Verarbeitet v. a. die die Generationen trennenden Aspekte!

Nationalsozialismus und Zweiter Weltkrieg

1929 Weltwirtschaftskrise
30. 1. 1933 Hitler Reichskanzler
1933 „Ermächtigungsgesetz"
9. 11. 1938 Novemberpogrom
1. 9.1939 Beginn des Zweites Weltkriegs
20. Juli 1944 Attentat auf Hitler

Antisemitismus

Der Begriff wurde seit dem Ende des 19. Jh. die allgemeine Bezeichnung für negative Einstellungen gegen die als Minderheit in verschiedenen Staaten lebenden Juden. Eine Voraussetzung des Antisemitismus bildete die in vorchristlicher Zeit einsetzende Zerstreuung der Juden und seit dem Mittelalter deren gesellschaftliche Absonderung als Folge religiöser Eigenheiten (Beschneidung, Speiseverbote, Reinheitsvorschriften u. a.). Die religiöse Sonderstellung führte dazu, dass die Juden keine politischen Rechte erhielten; sie waren von den Zünften ausgeschlossen, konnten daher nur bestimmte Berufe (Handel, Geldverleih u. a.) ergreifen und mussten in besonderen Stadtvierteln (Gettos) leben. Zu Judenverfolgungen kam es in Europa besonders zur Zeit der Kreuzzüge, bei unerklärbaren Seuchen oder bei Wirtschaftskrisen, deren Urheber die Juden gewesen sein sollten. Viele Juden flüchteten nach Osten (Polen, Galizien, Litauen), später in die USA. Mit den Ideen der Aufklärung (Menschenrechte, Freiheit des Individuums) begann seit dem Ende des 18. Jh. mit der Aufhebung der Sondergesetze die rechtliche Gleichstellung der Juden (Judenemanzipation). Der politische Einfluss, der wirtschaftliche Reichtum sowie die überdurchschnittliche Vertretung in hervorgehobenen Berufsgruppen (Wissenschaftler, Künstler oder auch Politiker) führten in der zweiten Hälfte des 19. Jh. zusammen mit dem aufkommenden Nationalismus zum modernen Antisemitismus. Neue antisemitische Parteien und Schriften entstanden. Der Nationalsozialismus betonte im Gegensatz zum früheren religiösen oder wirtschaftlichen Antisemitismus vor allem den sog. „rassischen" Gegensatz.

„Drittes Reich"

Der Begriff entstammt dem Mittelalter (12. Jh.) und bezeichnete die Utopie eines Idealreiches. In der Krise von 1923 machte der Geschichtsphilosoph Moeller van den Bruck (1876–1925) den Begriff durch sein Buch „Das Dritte Reich" wieder populär. Er beschrieb darin seinen Idealstaat als ein Reich über allen Parteien. Die Nationalsozialisten benützten anfangs den Begriff propagandistisch als politisches Schlagwort. Das alte „Heilige Römische Reich Deutscher Nation" galt als erstes Reich, das Kaiserreich von 1871–1918 als zweites und das nationalsozialistische Reich als drittes. Ab 1939 wurde die offizielle Verwendung des Begriffs untersagt und seitdem vom „Großdeutschen Reich" gesprochen.

„Gleichschaltung"

Mit diesem Schlagwort wird die Unterordnung aller wichtiger Organisationen (z. B. Gewerkschaften, Verbände, Medien) des öffentlichen Lebens unter die nationalsozialistische Politik und ihrer Ideologie (z.B. Führerprinzip) bezeichnet. Auch die Länder des Reiches verloren ihre Eigenständigkeit.

Holocaust/Shoa

Das griechische Wort „holocauston" bezeichnete ursprünglich ein Brandopfer von Tieren. Seit Ende der 1970er Jahre wurde damit die Vernichtung der europäischen Juden durch Gas und Feuer während der nationalsozialistischen Herrschaft bezeichnet. Immer öfter wird für dieses Verbrechen auch der Begriff Shoa verwendet. Das hebräische Wort bedeutet „plötzlicher Untergang, Verderben".

Konzentrations- und Vernichtungslager

Konzentrationslager sind in totalitären Staaten ein Mittel, politische Gegner und missliebige Minderheiten auszuschalten oder zu beseitigen. In der UdSSR gab es seit 1923 Zwangsarbeitslager (GULag), in denen z.B. unter Stalin über 12 Millionen Menschen interniert waren.
Im Deutschland errichteten die Nationalsozialisten das erste Konzentrationslager im März 1933 in Dachau. Viele weitere kamen bald hinzu. Zuerst mussten die Häftlinge der Konzentrationslager für Projekte der SS Zwangsarbeit leisten, später dann für die Rüstungsindustrie.
1944 bestanden 20 Konzentrationslager mit 165 angeschlossenen Zwangsarbeitslagern.
Nach Schätzungen waren 1944/45 insgesamt etwa 1,6 Millionen unter Einbeziehung der Vernichtungslager 7,2 Millionen Häftlinge in Konzentrationslagern gefangen.
Ab 1941 wurden entweder neu oder durch Erweiterung bestehender Konzentrationslager Vernichtungslager eingerichtet. Sie dienten der systematischen Vernichtung der Menschen durch Gas, Massenerschießungen, Zwangsarbeit, oder durch sadistische Quälereien, Seuchen und Hunger. In den Vernichtungslagern und in den Konzentrationslagern wurden bis 1945 mindestens zwischen 5 und 6 Millionen v.a. jüdische, aber auch viele andere Häftlinge sowie 500 000 Sinti und Roma getötet.

„Machtergreifung"

Die NSDAP feierte den 30. Januar als Tag der „Machtergreifung". Doch nicht sie hatte die Macht „ergriffen". Hindenburg hatte Hitler lediglich die Kanzlerschaft und die Aufgabe der Regierungsbildung übertragen. Das war keine Revolution, es war ein Regierungswechsel auf formaljuristisch legalem Wege. Erst im Prozess der „Gleichschaltung" der nächsten Monate vollzog sich die eigentliche Machtergreifung.

Münchner Abkommen

Das am 30. September 1938 von Großbritannien (Premierminister Chamberlain), Frankreich (Ministerpräsident Daladier), Italien (Mussolini) und Deutschland (Hitler) unterzeichnete Abkommen verpflichtete die Tschechoslowakei vom 1. bis 10. Oktober 1938 die Sudetengebiete zu räumen, die gleichzeitig von deutschen Truppen besetzt wurden. Hitler erklärte, keine weiteren territorialen Ansprüche mehr zu haben. Großbritannien und Frankreich garantierten der Tschechoslowakei die Existenz ihres Reststaates.

Nationalsozialismus

Der Begriff bezeichnet die völkische, antisemitische, nationalistische Bewegung in Deutschland (1919–45), die sich 1920 als Nationalsozialistische Deutsche Arbeiterpartei (NSDAP) organisierte und die unter Führung Adolf Hitlers in Deutschland 1933 eine Diktatur errichtete. Mit dem Begriff soll zudem die Zielsetzung der Nationalsozialisten umschrieben werden, unter strikter Ablehnung des internationalen marxistischen Sozialismus die eigene Nation durch innere soziale Versöhnung zur klassenlosen „Volksgemeinschaft" zu entwickeln.

„Nürnberger Gesetze"
Der Begriff gilt als Bezeichnung für das „Reichsbürger-Gesetz" und das „Gesetz zum Schutze des deutschen Blutes und der deutschen Ehre", die anlässlich des Nürnberger Parteitags der NSDAP am 15. 9. 1935 verabschiedet wurden. Danach sollten die „vollen politischen Rechte" zukünftig nur den Inhabern des „Reichsbürgerrechts" zustehen, das nur an „Staatsangehörige deutschen oder artverwandten Blutes" verliehen werden sollte. Die Nürnberger Gesetze verbreiterten die juristische Basis für die Diskriminierung und Verfolgung der Juden in Deutschland. Nun konnten jüdische Beamte entlassen, jüdischen Ärzten, Apothekern und Anwälten die Berufszulassung entzogen werden. Jüdische Studenten sahen sich vom Studium ausgeschlossen, bereits Schulkinder wurden in der Schule isoliert und schließlich in besonderen „Judenschulen" konzentriert. Mit Juden zu verkehren oder Geschäftsverbindungen zu unterhalten, war verboten. Als „Rassenschande" unter Androhung von langen Zuchthausstrafen verboten waren ebenso Ehen oder außereheliche Beziehungen zwischen Juden und Nichtjuden. Jeder Deutsche musste als Vorbedingung für die Eheschließung oder eine Anstellung im öffentlichen Dienst einen „Ahnenpass" mit dem Nachweis „arischer" Abstammung über mindestens drei Generationen beibringen.

Systematische Vernichtung der Juden/Völkermord
Als Völkermord (Genozid) wird die Absicht bezeichnet, eine Bevölkerungsgruppe aus religiösen, rassischen, ethnischen oder nationalen Gründen völlig oder weitgehend zu vernichten. Zwar wurden schon in der Antike und im Mittelalter bestimmte Völkerschaften und Volksgruppen teilweise oder völlig ausgerottet, ungleich größere Ausmaße erreichte der Völkermord allerdings zu Beginn der Neuzeit (z. B. weitgehende Vernichtung der Indianervölker Nord- und Südamerikas durch die europäische Kolonisation) und vor allem im 20. Jahrhundert. Die technisch-organisatorische Perfektion bei der systematischen Vernichtung der Juden durch die deutschen Nationalsozialisten gilt als einzigartig.

Widerstand
Nach dem im 17. Jh. formulierten Widerstandsrecht ist es den Menschen erlaubt oder sogar geboten, sich notfalls auch gewaltsam zu wehren, wenn die Staatsgewalt die Menschenrechte oder die Verfassungsgrundrechte völlig missachtet. Es kann zwischen aktivem und passivem Widerstand, zwischen Widerstand mit Gewalt und gewaltfreiem Widerstand unterschieden werden. Schlüssige Regeln, in welcher Situation welche Form des Widerstandes (z. B. Tötung) zulässig sind, gibt es nicht. Maßgeblich ist allein die Gewissensentscheidung, die sich an höchsten sittlichen Normen zu orientieren hat. Das Grundgesetz Deutschlands erlaubt in Art. 20 Abs. 4 Widerstand gegen den Umsturz der verfassungsmäßigen Ordnung.

Deutschland nach dem Krieg

8./9. 5. 1945 bedingungslose Kapitulation Deutschlands
1946 Verfassung des Freistaates Bayern
1949 Gründung der beiden deutschen Staaten
23. 5. 1949 Grundgesetz
17. 6. 1953 Aufstand gegen das DDR-Regime
1961 Mauerbau

Besatzungszonen
Deutschland verlor nach der Niederlage im Zweiten Weltkrieg die Regierungsgewalt über sein Territorium. Es wurde nun von den vier Siegermächten, die als Besatzungsmächte agierten, verwaltet (USA, GB, SU, Frankreich). Jede Besatzungszone unterstand dem Oberbefehlshaber der jeweiligen Siegermacht.

Blockbildung
So bezeichnet man die nach 1945 einsetzende Formierung von Staaten in zwei einander feindlich gegenüber stehenden „Blöcken" (einen westlichen und einen östlichen). Die Führungsstaaten USA und UdSSR scharten dabei zahreiche Verbündete um sich.

Die Deutsche Frage
Unter der Deutschen Frage versteht man die ungelöste nationale Frage, die durch die Teilung Deutschlands nach 1945 als Folge des Zweiten Weltkriegs und des Kalten Kriegs entstanden ist. Die Politik aller Bundesregierungen war bis 1990 darauf ausgerichtet, die Deutsche Frage offen zu halten und damit die Einheit Deutschlands wiederherzustellen. Das Vorgehen war jedoch unterschiedlich: Nach der Gründung der Bundesrepublik Deutschland wurde diese von den westdeutschen Politikern als einzig legitime Vertreterin aller Deutschen gesehen. Erst 1972 unter der sozial-liberalen Regierung wurde die Existenz der DDR anerkannt. Durch die Wiedervereinigung am 3. Oktober 1990 wurde die Deutsche Frage gelöst.

Entnazifizierung
Der Begriff bezeichnet das Bestreben der Alliierten nach 1945, Deutschland von nationalsozialistischem Gedankengut zu befreien, die Menschen, die an Verbrechen und Unrecht der Nazi-Zeit beteiligt waren, angemessen zu bestrafen und die Deutschen demokratisch umzuerziehen.

Flucht und Vertreibung
Als Folge des verlorenen Zweiten Weltkriegs kam es zu einer riesigen Bevölkerungsbewegung von Deutschen aus Ost nach West. Sie begann mit der Flucht von Deutschen vor der Roten Armee und fand ihren Höhepunkt in der systematischen Vertreibung aus Gebieten östlich der Oder-Neiße-Grenze und Ost- bzw. Südosteuropas. Insgesamt mussten 14 Millionen Deutsche ihre Heimat verlassen, viele kamen dabei um.

Kalter Krieg
Vom Journalisten Lippman 1947 geprägter Begriff für den Ost-West-Konflikt. Beide Supermächte wollten angesichts der Gefahr einer atomaren Vernichtung einen „heißen" Krieg vermeiden, aber gleichzeitig doch ihre Machtstellung behaupten und ausbauen. Eingebunden in die feindlichen Militärbündnisse NATO und Warschauer Pakt bekämpften sich die beiden Weltmächte in Stellvertreterkriegen, durch Spionage, Propaganda, wirtschaftlichen und politischen Druck.

Konferenz von Potsdam

Auf dieser Konferenz (17. 7. – 2. 8. 1945) beschlossen die USA, Großbritannien und UdSSR die Grundzüge für die Behandlung Deutschlands nach dem Krieg (u. a. die „5 Ds"). Die Oder-Neiße-Linie wurde die Ostgrenze Deutschlands.

NATO

Die NATO verstand sich während des Kalten Krieges zwar vorwiegend als Verteidigungsbündnis gegen die UdSSR, verfolgt mit ihrer Gründung aber auch weitere Ziele, v. a. die Regelung internationaler Streitfälle, gemeinsamen Widerstand gegen bewaffnete Angriffe und Beistandspflicht. Neben der Führungsmacht USA gehören ihr Kanada und viele europäische Staaten an, die Bundesrepublik Deutschland seit 1955.

Währungsreform

Der Begriff Währungsreform besagt, dass eine alte Währung durch eine neue abgelöst wird. In Deutschland kam es 1923 (nach dem Ersten Weltkrieg) und wieder nach dem Zweiten Weltkrieg zu einer Währungsreform. Am 20. Juni 1948 wurde in den drei westlichen Besatzungszonen durch die Besatzungsmächte die Ablösung der Reichsmark durch die Deutsche Mark (DM) durchgeführt.

Warschauer Pakt

Der 1955 von der Sowjetunion gegründete Warschauer Pakt stellte ein Gegenbündnis zur NATO dar. Er verstand sich als „Vertrag über Freundschaft, Zusammenarbeit und Beistand" zwischen den Staaten des Ostblocks und war neben dem RGW dessen wichtigste multilaterale Organisation. Der Warschauer Pakt wurde 1990 aufgelöst.

Westintegration

Nach dem Ende des Zweiten Weltkrieges war Deutschland in vier Besatzungszonen geteilt. Während die SBZ im Sinn des Sozialismus umgestaltet wurde, orientierten sich die drei Westzonen an den politischen Vorgaben ihrer Besatzungsmächte. Der beginnende Kalte Krieg zwang die westdeutschen Politiker dazu, sichere Bündnisse zu suchen. Bundeskanzler Adenauer trieb deshalb die Westintegration der Bundesrepublik Deutschland durch den Beitritt zu wichtigen europäischen Gremien voran. Die Bundesrepublik Deutschland wurde schrittweise Mitglied in den wesentlichen Organisationen der westlichen Staatengemeinschaft.

Die Welt im Schatten des Kalten Krieges

1963 Deutsch-französischer Freundschaftsvertrag

Entkolonialisierung

Nach dem Zweiten Weltkrieg errangen fast alle Kolonien die staatliche Unabhängigkeit. Die Entkolonialisierung entsprach dem Selbstbestimmungsrecht der Völker und wurde durch den Kalten Krieg beschleunigt. Teils führte der Weg in die Unabhängigkeit über kriegerische Auseinandersetzungen mit der ehemaligen Kolonialmacht (z. B. in Algerien), teils über zwar langwierige, im Wesentlichen aber friedliche Verhandlungen (z. B. in Indien). Die neuen Staaten der so genannten Dritten Welt, meist Entwicklungsländer, wurden von den Staaten des westlichen und östlichen Lagers umworben. Die großen wirtschaftlichen und gesellschaftlichen Schwierigkeiten bedingten oft die Bildung von Diktaturen.

Europäische Integration/Einigung

Integration meint allgemein die Zusammenfügung einzelner Teile zu einem einheitlichen Ganzen. Auf die demokratischen Staaten Westeuropas, heute Europas, bezogen, bezeichnet der Begriff den stufenweisen Einigungsprozess in Politik, Wirtschaft und Gesellschaft. Überstaatliche Organe der Europäischen Union handeln in diesen Bereichen für alle Staaten der Gemeinschaft.

Der gemeinsame freie Markt besteht heute weitgehend uneingeschränkt, während die politische Einheit nur schrittweise und über einen längeren Zeitraum hergestellt werden kann.

Nahostkonflikt

Der Nahostkonflikt ist ein politischer und zum Teil militärischer Konflikt um das Existenzrecht des Staates Israel und die Rechte der Palästinenser an diesem Land sowie um die Gründung eines eigenen palästinensischen Staates. In diese Auseinandersetzungen sind und waren neben Israel und verschiedenen palästinensischen Organisationen (v. a. die PLO) auch fast alle arabischen Staaten verwickelt. Im Kalten Krieg war der Nahostkonflikt von großer Bedeutung und blieb auch danach eine Krisenregion. Bis heute befassen sich zahlreiche Friedens- und Sicherheitsbemühungen der Weltgemeinschaft mit der Lösung des Konflikts.

Nord-Süd-Konflikt

Für den Interessenkonflikt zwischen reichen und armen Ländern hat man – in Anlehnung an den Ausdruck „Ost-West-Konflikt" – den Ausdruck „Nord-Süd-Konflikt" geprägt. Er bezieht sich auf die Tatsache, dass die wohlhabenden Länder vorwiegend nördlich des 30. Grades nördlicher Breite liegen, die Entwicklungs- und Schwellenländer südlich davon. Der Abstand zwischen beiden wird offenbar größer, die wirtschaftlichen und sozialen Probleme der meisten Entwicklungsländer spitzen sich zu. Eine Lösung des Konflikts ist nicht abzusehen.

UNO

Die Vereinten Nationen (engl.: United Nations, UN, oder United Nations Organization, UNO) wurden 1945 als Nachfolgeorganisation des Völkerbundes gegründet. Die UNO basiert auf der Idee der Gleichberechtigung der Staaten und der Selbstbestimmung der Völker. Ihre Hauptaufgaben bestehen in der Sicherung des Friedens, der Verständigung der Völker untereinander sowie der internationalen Zusammenarbeit zur Lösung wirtschaftlicher, kultureller, sozialer und humanitärer Probleme.

Verzeichnis der Namen, Sachen und Begriffe

Fett gesetzt sind historische Grundwissensbegriffe, die in einem Kastentext erläutert werden. Die ebenfalls **fett** gesetzten Seitenzahlen geben an, wo diese Texte jeweils im Kapitelzusammenhang zu finden sind.

Bildnachweis

Umschlag, John F. Kennedy in Westberlin: dpa; amerikanische Flagge: Sandy Schygulla, fiftyfour! media, Leipzig; deutsche Flagge: Avenue Images CB013125; Deportation einer jüdischen Familie, 1943: AKG, Berlin; Handshake in Torgau: Ullstein Bild GmbH
3, Hakenkreuz: Aus: „Der wahre Jakob", Anfang 1933; Flüchtlingsfrau in Köln: Getty Images, Köln; Atombombe: BPK, Berlin; Brandenburger Tor: Adam Silye, Wien
4/5, Hakenkreuz: Aus: „Der wahre Jakob", Anfang 1933; Flüchtlingsfrau in Köln: Getty Images, Köln; Atombombe: BPK, Berlin; Brandenburger Tor: Adam Silye, Wien; Firmenschild der NSDAP: Friedrich Ebert-Stiftung, Bonn; Flüchtlingswitwe: Süddeutscher Verlag, München; Montanunion und Kalter Krieg (Karikatur): Collection Kharbin-Tababor © ADAGP, Paris 2006; Prometheus vor Wolkenkratzern: dpa/Scholz, Stuttgart
6/7, Screenshots: Satz-Profi Josef Pavlas, 1100 Wien; Symbole DVD, Internet usw.: Klett-Archiv Stuttgart
8/9, Hakenkreuz: Aus: „Der wahre Jakob", Anfang 1933; Der „Völkische Beobachter": Süddeutscher Verlag, München; Das im Zweiten Weltkrieg zerstörte Würzburg: Stadtarchiv Würzburg; Plakat der Deutschen Arbeitsfront: BPK, Berlin; Plakat der NSDAP von 1933: Bayerische Staatsbibliothek, München; Kinder im Vernichtungslager Auschwitz: ullstein bild, Berlin; Boykott jüdischer Geschäfte: ullstein bild, Berlin
10, M1: Süddeutscher Verlag, Bilderdienst, München; M2: Adam Silye, Wien
11, M3: Karikatur von Charles Girod aus dem „Eulenspiegel", 1928
13, M6: Casa Editrice Guiseppe Principato, Mailand
14, BPK, Berlin
15, M2: Rolf Ballhause, Plauen
19, M3: Zentrum: ullstein bild, Berlin (Stary); SPD: AKG, Berlin; KPD: BPK, Berlin; NSDAP: AKG, Berlin
20, M8: AKG, Berlin, VG Bild-Kunst, Bonn 1997
21, M4: Aus: The Heartfield Community of Heris/VG Bild-Kunst, Bonn 2005
22, M1: Friedrich Ebert-Stiftung, Bonn
23, M2: BPK, Berlin; M3: Bundesarchiv Koblenz
26, M1: Aus: „Der wahre Jakob", Anfang 1933; M2: Süddeutscher Verlag, Bilderdienst, München
27, M3: Süddeutscher Verlag, München; M4: AKG, Berlin
30, M9: BPK, Berlin
31, M1: BPK, Berlin
32, M2: AKG, Berlin
33, M4: AKG, Berlin, The Heartfield Community of Heris/VG Bild-Kunst, Bonn 2005
34, M1: AKG, Berlin
35, M2 und M5: Süddeutscher Verlag, München
36, M1 und M2: AKG, Berlin; M4: Bundesarchiv Koblenz; M5: BPK, Berlin
37, M6: BPK, Berlin; M8: Bundesarchiv Koblenz; M9: BPK, Berlin
38, M1: Klett-Archiv, Stuttgart
39, M2: BPK, Berlin; M4: DHM, Berlin; M5: Archiv Zentner, Grünwald
41, M1: BPK, Berlin; M2: Archiv Zentner, Grünwald
42, M3: AKG, Berlin
43, M1 und M2: BPK, Berlin
44, M3: Süddeutscher Verlag, München
45, M4: AKG, Berlin; M5: Aus: „Illustrierte Monatsschrift für das deutsche Volkstum", 1936; M6: Holzschnitt von Heinz Kiwitz, 1938
46, M9: AKG, Berlin
47, M12: AKG, Berlin
48, Hintergrund: Adam Silye, Wien
49, M1: Stadtarchiv Nürnberg; M2: Museen der Stadt Nürnberg, Dokumentationszentrum Reichsparteitagelände
51, M6: TerraVista / LOOK-foto (Toni Schneiders)
53, M2 und M3: ullstein bild, Berlin
54, M7: AKG, Berlin
55, M1: BPK, Berlin
56, M2: Aus: Zeman: Das Dritte Reich in der Karikatur, Heyne Verlag, München 1984, S. 167.
58, M6: AKG, Berlin; M8: Süddeutscher Verlag, München
60, M2: Bridgeman Art Library, London
61, M3: AKG, Berlin
62, M8: Archiv Zentner, Grünwald
63, M9: AKG, Berlin

64, M1: AKG, Berlin
65, M2: AKG, Berlin
66, M3: Adam Silye, Wien
68, M9: AKG, Berlin
69, M10: Archiv Zentner, Grünwald; M11: BPK, Berlin
70, M1: Flugblatt, anonym
71, M2: Stauffenberg: AKG, Berlin; Scholl: ullstein bild, Berlin; Herrmann: Gedenkstätte Deutscher Widerstand, Berlin; Leber: ullstein bild, Berlin; Bonhoeffer: ullstein bild, Berlin; v. Galen: ullstein bild, Berlin
72, M3: Hauptstaatsarchiv Düsseldorf, Wilfried Breyvogel; M4: Institut für Zeitgeschichte, München
73, M8: Reichart Stefan, Meersburg
74, M2: ullstein bild, Berlin
75, M4: Stadtbildstelle Essen
76, M5: AKG, Berlin
77, M10: BPK, Berlin
78, Adam Silye, Wien
79, M2: Stadt Regensburg, Pressestelle; M3: Sepp Memminger, Regensburg
80, M1: Ullstein Bilderdienst, Berlin
81, M5: Aus: Kurt Halbritter: Adolf Hitlers Mein Kampf. Gezeichnete Erinnerungen an eine Große Zeit. Frankfurt (Bärmeier und Nikel) 1968.
82/83, Flüchtlingsfrau in Köln: Getty Images, Köln; VW-Käfer: Langewiesche-Brandt Verlag, Ebenhausen; Trabi und Platte: AKG, Berlin, Hans-Martin Sewcz; Flüchtlingstreck: Süddeutscher Verlag, Bilderdienst, München; Letzter Sprung in die Freiheit: AKG, Berlin; Berliner Mauer: Picture-Alliance, Frankfurt (dpa/UPI); Wehrerziehung in der DDR: Agentur Anne Hamann (Thomas Höpker), Berlin; Verbotener Aufnäher: Jürgens Photo, Berlin; „Für Sie": Jahreszeiten Verlag (W. L. Janda), Hamburg; „Deutschlands Zukunft": Süddeutscher Verlag, Bilderdienst, München
84, M1: DHM, Berlin; M3: Frederick Ramage/Hulton-Deutsch Collection/Corbis
85, M4: Adam Silye, Wien; M5: Süddeutscher Verlag, Bilderdienst, München
86, M1: ullstein bild, Berlin
88, M3: Ullstein Bilderdienst, Berlin
90, M1: BPK, Berlin
91, M2: Picture-Alliance, Frankfurt, (dpa/akg-images)
93, M7 und M8: Süddeutscher Verlag, München
95, M1: Aus: „St. Louis Post-Dispatch" vom 17. April 1945; M2: Mittelbayerische Zeitung vom 3. Mai 2005, © John J. Reid
96, M4: Picture Alliance/AKG, Berlin; M5: Friedrich-Naumann-Stiftung, Archiv des deutschen Liberalismus, Gummersbach
97, M6: AKG, Berlin
98, M7: Haus der Geschichte Bonn
99, M1: ullstein bild
100, M2: Erich Schmidt Verlag
101, M3, M4 und M5: Münchner Stadtarchiv (Hans Schürer); M7: Stadtmuseum München
102, M9: Stadtmuseum München
103, M1: Herbert Fischer/Sudetendeutsche Zeitung
105, M6: Klaus Sturm, Stadtbergen
106, M1: Keystone
107, M2: Aus: Propyläen – Geschichte Europas, Band 6, S. 251.
108, M3: DHM, Berlin (li.); Friedrich Ebert Stiftung, Archiv der sozialen Demokratie, Bonn (re.)
110. M1: dpa, Frankfurt
112, M2: Aus: Histoire/Geschichte, S. 101, o. r.; M3: Südwest Verlag, München
113, M4: defd, Hamburg; M5: li.: Süddeutscher Verlag, München; Mitte: apa, Wien; re.: dpa, Frankfurt/Main
115, M1: Aus: W. Göbel: Deutschland – Von der Kapitulation bis zum Mauerbau. © Main-Post v. 12. August 1950
116, M2: AKG, Berlin
117, M3: BPK, Berlin; M4: Landesarchiv Nordrhein-Westfalen, Detmold
119, M1: Rudolf Pfeil, Schwäbisch Hall
120, M2: SV-Bilderdienst, München
122, M6: Konrad-Adenauer-Stiftung, ACDP, St. Augustin
125, Adam Silye, Wien
127, M6: Süddeutscher Verlag, München
128, M1: Historisches Archiv Köln
129, DHM, Berlin; M2: Aus: Unser Jahrhundert im Bild. Gütersloh 1985, S. 652.

130, M3: (1) Aus: Unser Jahrhundert im Bild. Gütersloh 1985, S. 626; (2) aus: Unser Jahrhundert im Bild. Gütersloh 1985, S. 616; (3) Keystone, Hamburg; M4: (4) aus: Unser Jahrhundert im Bild. Gütersloh 1985, 635, (5) und (6) Dieter Weber, Würzburg
131, M5: ullstein bild, Berlin
132, Aus: Hans Petschar, Ernst Strouhal u. Heimo Zobernig: Der Zettelkatalog. Ein historisches System geistiger Ordnung. New York 1999 (Octavian Trauttmansdorff)
134, M1: picture-alliance/akg-images
137, M3: ullstein bild, Berlin; M4: picture alliance/dpa; M5: picture alliance/dpa
138, M8: DHM, Berlin
139, M1: picture alliance/dpa/dpaweb
140, M2: ullstein bild, Berlin
141, M5: ullstein bild, Berlin
142/143, Europäische Gemeinschaft: CCC München, Jupp Wolter; Atombombe: Action Press, Hamburg; „Immer an vorderster Front präsent …": CCC München, Fritz Behrendt; „Von höherer Warte betrachtet": Fritz Berendt, Amstelveen, Niederlande; „Europa lebe hoch!": CCC München, Peter Leger
145, M1: Süddeutscher Verlag, München
146, M2: Aus: Bertelsmann Lexikon Verlag, Gütersloh; M6: Aus: Süddeutsche Zeitung vom 14./15. Juli 1951
147, M7: Collection Kharbin-Tababor © ADAGP, Paris 2006; M8: Archives Larbor/J. J. Hautefeuille; M10: Collection Kharbin-Tababor © ADAGP, Paris 2006
148, M1: Punch Library, London
149, M1: li.: Musées de Strasbourg, Strasbourg Cedex (Musée Historique de Strasbourg); re. und Mitte: Bibliothèque Nationale et Université, Strasbourg
150, M2: ullstein bild, Berlin
151, M7: Haus der Geschichte (Jupp Wolter), Bonn
153, M3: Klaus Pielert/CCC, www.c5.net
155, M9: li.: dpa, Frankfurt/Main; rechts: Keystone Pressedienst, Hamburg
157, M1: cinetext
158, M4: collection particulière/DR
159, M6: Bilderdienst Süddeutscher Verlag
160, M9: Hilfsorganisation „Ärzte ohne Grenzen"; M12: picture-alliance/dpa
162, M2: Ullstein, Berlin
163, M3: Marie Marcks, Heidelberg
166, M1: CCC, München, Fritz Behrendt
168, M3: Corbis, Düsseldorf; M4: Picture-Alliance (UPI), Frankfurt
169, M5: ullstein bild, Berlin
170, M8: Spiegel-Verlag, Hamburg
172, M1: Adam Silye, Wien
173, M3: dpa, Frankfurt; CCC, www.c5.net (Striepecke)
174, M7: ullstein bild, Berlin
176, Bayerischer Rundfunk, München
177, Ulrike Salbaum, Jettingen-Scheppach
178/179, Brandenburger Tor: Adam Silye, Wien; Prometheus vor Wolkenkratzern: dpa/Scholz, Stuttgart; Berlin 1871: BPK, Berlin; Berlin 1933 und Berlin 1945: dpa, Stuttgart; Berlin 1953: Bundesbildstelle, Bonn; Berlin 1961: ullstein bild, Berlin; Berlin 1989: dpa, Frankfurt/Main; Straßenschilder: Adam Silye; „Arbeiter und Kolchosbäuerin": Wostok
180, M1: Marke: picture-alliance/akg-images; **180,** M2: dpa, Frankfurt
181, M3 Senatsverwaltung für Stadtentwicklung, Berlin; M4: Veit Sturm, Augsburg
182/183, M5a: BPK, Berlin; 5b: BPK, Berlin; 5c: dpa, Frankfurt; M6: apa, Wien; M7: Veit Sturm, Augsburg; M8a: dpa, Frankfurt; 8b: dpa, Frankfurt, 8c: dpa, Frankfurt; 8d: Veit Sturm, Augsburg; Collage: Adam Silye, Wien
185, Hans Steidle, Würzburg
186, M1: BPK, Berlin
187, M2: ullstein bild, Berlin
188, M3: Gerhard Xaver, Purkersdorf; M4: ullstein bild, Berlin
189, M6: Stadtarchiv Nürnberg
190, Hintergrund: Adam Silye, Wien
191, M1: BStU, ZA, HA III/ZKA-Z
192, M2: BStU, Außenstelle Rostock, AIM 1280/84, B. 141
193, li.: ullstein bild, Berlin; Mitte: apa, Wien; re.: ullstein bild, Berlin